THE SIGMA FORCE SERIES ⑭

タルタロスの目覚め

［上］

ジェームズ・ロリンズ

桑田 健［訳］

The Last Odyssey

James Rollins

シグマフォース シリーズ⑭

竹書房文庫

THE SIGMA FORCE SERIES
The Last Odyssey
by James Rollins

Published in agreement with the author,
c/o BAROR INTERNATIONAL, INC., Armonk, New York, U.S.A.,
in association with the Scovil, Galen, Ghosh Literary Agency, New York,
through Tuttle-Mori Agency, Inc., Tokyo

目次

上巻

主な登場人物

グレイソン（グレイ）・ピアース……米国国防総省の秘密特殊部隊シグマの隊員
ペインター・クロウ……シグマの司令官
モンク・コッカリス……シグマの隊員
キャスリン（キャット）・ブライアント……シグマの隊員。モンクの妻
ジョー・コワルスキ……シグマの隊員
セイチャン……ギルドの元工作員。グレイの恋人
マリア・クランドール……米国の遺伝学者。コワルスキの恋人
エレナ・カーギル……米国の古人類学者・考古学者
ケント・カーギル……米国の上院議員。エレナの父
ダグラス・マクナブ……カナダの気候学者
フィン・ベイリー……ヴァチカンの司祭
セバスチャン・ロー……ヴァチカンの司祭
ハワード・ファイン……ユダヤ教のラビ
フィラト……テロリスト。四十八代目の「ムーサー」
ネヒール・サート……テロリスト。「モーセの娘」の一人
カディール……テロリスト。ネヒールの兄

タルタロスの目覚め　上

シグマフォース シリーズ
⑭

黒海
トロイ
アンカラ
ギリシア
エーゲ海
トルコ
クレタ島
シリア
地中海
キプロス島
アレクサンドリア
ア
エジプト

フランス
バルセロナ
スペイン
マヨルカ島
パルマ
サルデーニャ島
地中海
カリアリ
ウエルバ
カディス
ジブラルタル
海峡
タンジール
アルジェ
チュニス
カサブランカ
モロッコ
チュニジア
マラケシュ
アルジェリア
アガディール

グリーンランドの地図

北極海
グリーンランド
デンマーク
海峡
アイスランド
レイキャヴィク

ヘルハイム氷河
グリーンランド
セルミリク・フィヨルド

今でも失われた世界や、紙の上の走り書きの中に隠された大いなる真実を探し求めている
世界各地の読者の皆さんへ。この旅路に参加してくれてありがとう。

歴史的事実から

歴史は流動的な存在だ。出来事の物語は視点によって変化する。物語を記し、神話を事実として確立させるのは、勝者の場合がしばしばだ。

ホメロスによる二大叙事詩――『イリアス』と『オデュッセイア』を例に取ってみよう。この二作品はトロイ戦争とその後について詳述している。これらの物語は紀元前八世紀に作成されたと考えられていたが、こんにちの多くの歴史家はホメロスの存在そのものを疑問視する。神々や怪物たちの話を歌い上げたこの詩人は、波乱の物語を伝えた多くの吟遊詩人たちを総称する仮の名前だったのではないかとされている。

それでは、この二大叙事詩はどの程度までが史実に基づいていて、どこまでが空想の産物なのだろうか？

歴史家たちは何世紀にもわたって、トロイ――『イリアス』において語られているように、ギリシア軍によって包囲され、トロイの木馬の策略で陥落した都市――の存在そのものを否定していた。トロイは神話上の場所で、ホメロスによって命を吹き込まれた想像上の地名なのだと信じられていた。ところが十九世紀の後半、ドイツのアマチュア考古学者ハインリヒ・シュリーマンが、トルコにあるヒッサリクの丘を発掘し、大きな都市の遺跡を発見した。その後、長い年数を要したものの、この埋もれていた遺構は失われた都市トロイだと特定されるに至った。

こうして、伝説が歴史になった。

しかし、ホメロスの『オデュッセイア』の方はどうなのだろうか？　戦争の偉大なる英雄オデュッセウスと、彼が故郷の島イタケに帰還するまでの波乱に富んだ十年間の旅路を描いた物語だ。作品中には苦難や破滅、巨大な怪物や魔女、神が引き起こした大嵐や歌声で人の心を狂わせるセイレーンなどが登場する。そうした話のいずれもが、事実に依拠していないことは間違いないように思われる。それでも、歴史家たちや考古学者たちは『オデュッセイア』の内容の精査を続け、手がかりを探したり、オデュッセウスの乗った船の航路をたどったり、さらにはこの叙事詩で触れられた場所を実在する地理上の地名に当てはめようとしたりしている。

一つ例をあげておこう。十年と少し前、ロバート・ビトルストーンというイギリスの経営コンサルタントが最新の地質調査機器を用いて、オデュッセウスが長い苦難の旅路の末に凱旋（がいせん）した故郷イタケの場所を特定した。それ以前に考古学者たちは、現在のイタケ島は『オデュッセイア』でのホメロスの記述と合致しないため、オデュッセウスの故郷には該当しないと見なしていた。ビトルストーンは証拠の裏付けがある新たな説を提示し、古代のイタケの正しい場所はギリシアの別の島の半島にあるパリキだと断定した。彼の証拠は大いに信憑性があり、ケンブリッジ大学のギリシア語およびラテン語の教授ジェームズ・ディグルは、「抗しがたく、地質学の裏付けがあり……地形を調べれば、かなりの一致が見られる」[註1]と断言している。ビトルストーンの結論は古代の遺物を専門とするほかの学者たちからも支持されている。[註2]

こうして我々は、『オデュッセイア』で語られた出来事には歴史的に存在が確認された出発点（トロイ）と終着点（イタケ）があるという証拠を手にした。そうした発見から次のような疑問が浮かぶ。「その間にあるすべてについてはどうなのか？　神々や怪物たちが登場するホメロスの叙事詩のうちのどこまでが、真実だと考えられるのだろうか？」

ホメロスの正体に関しては疑問がある一方で、物語そのものは実際に起きた大きな戦争を記述したらしいという説は、今では躊躇なく受け入れられている。事実、二作の叙事詩は古代ギリシアの「暗黒時代」として知られ、ギリシアのミケーネ、アナトリアのヒッタイト、そしてエジプトという三つの青銅器文明が崩壊した激動の時代に光を当てている。なぜ、どのようにして、文明の崩壊が起きたのだろうか？　最近の発見から、地中海一帯が立て続けに複数の争いに見舞われたことが明らかになった。戦いがかなりの広範囲に及んだことから、一部の歴史家はそれが初めての世界規模での大きな戦争に当たると主張し、「第零次世界大戦」とまで呼んでいる。この暗黒時代の争いのほとんどは謎に包まれたままだが、今では考古学者の間から、この戦いに第四の文明が関与していたとの見解も示されている。その文明はほかの三つの文明を駆逐した後、歴史の流れの中に消えてしまったという。

それが本当ならば、その失われた人々は何者なのだろうか？　ホメロスの物語はその文明の起源と行方について、手がかりを提供してくれるのだろうか？　その答えは本書のページ内で見つかるとともに、こんにちの我々を脅かす新たな世界大戦についても教えてくれるはずだ。だから、心してページをめくってもらいたい――神々や怪物たちの登場する物語のすべてがフィクションだとは限らない。

註1　ファーガス・M・ボーデウィック"Odyssey's End: The Search for Ancient Ithaca（オデュッセイアの終着点――古代イタケの捜索）"『スミソニアン・マガジン』二〇〇六年四月号。

註2　ニコラス・クリストフ"Odysseus Lies Here（オデュッセウス、ここに眠る）"二〇一二年三月十日付の『ニューヨーク・タイムズ』紙。

科学的事実から

我々人間は好奇心が旺盛だ。あいにく、その好奇心のせいで、恩恵を受けるよりもトラブルに見舞われることが少なくない。特に発明に関しては、そのことが当てはまる。車輪の使用が広まったのは紀元前三五〇〇年頃で、我々はそれ以降、自分たちの生活の向上のためとともに、そのよりよい理解のために、技術革新の歩みを止めていない。「必要は発明の母」という古い格言は、紀元前三五〇〇年当時と同じように、現在でも通用する。

しかし、それはこの先も持続可能なのだろうか？　我々はいずれ進化が停滞する時期に到達するのだろうか？　ジョージ・メイソン大学の経済学者タイラー・コーエンは、*The Great Stagnation*（『大停滞』ＮＴＴ出版）という宣言書を執筆し、我々はすでに廉価なエネルギーと産業化時代の一大発明の数々をフルに活用することで、技術革新の頂点まで到達したと述べた。彼は急激な進化の時代が終わりを迎えつつあると考えている。

本当にそうなるのだろうか？　確かに、過去にも技術的な停滞期が見られたが、その主な理由は個々の社会が技術革新の停止を選択したためだった。明（みん）の時代になってからの中国がそうだ。十四世紀のアラブ世界もそれにならった。それでも、世界のある地域で技術革新の炎が消えると、別の場所で新たな炎が燃え上がった。アラブ世界が漆黒の闇に沈むと、ヨーロッパ諸国でルネッサンスが始まり、イスラムの世界が捨てた松明（たいまつ）の火をともし続けた。

例を示すと、イスラム黄金時代として知られる八世紀から十三世紀にかけて、アラブの科学者たちは設計と技術革新の才能をいかんなく発揮した。その中で最も顕著な存在の一人が、イスマイル・アル＝ジャザリー（一一三六年生、一二〇六年没）で、水時計から「オートマタ」と呼ばれる高度な機械人形に至るまで、あらゆる種類の道具を発明した。発明品の仕組みや技法はそれまで見たこともないようなものばかりだった。アル＝ジャザリーの最大の功績は著書『巧妙な機械装置に関する知識の書』で、そこには百以上の発明品の図解が含まれている。やがて彼は「アラブ世界のレオナルド・ダ・ヴィンチ」として知られるようになった。

事実、レオナルドは自身が生まれる二世紀以上前にこの世を去ったアル＝ジャザリーの作品から影響を受けていたばかりか、それらを「借用」していたとも考えられている。レオナルドはそうすることで、黄金時代が色あせた後にイスラム世界が放棄した技術革新の松明を燃やし続けたのだ。レオナルドへのアル＝ジャザリーの影響は、人々が想像するよりもはるかに大きかったことが明らかになった——これから読者の皆さんも、そのことを知るだろう。

それこそが技術革新の道のりだ。ある人の手から次の人の手に、ある国から次の国に、ある世紀から次の世紀に、受け継がれていく。

最後に、あの古い格言「必要は発明の母」に戻るとしよう。それが正しいとしたら、ある疑問が浮かぶ。「ほかの何よりも発明と技術革新に火をつけたものは何か?」

その答えは一言で表せる。

戦争だ。

「死者の王の中の王になるよりも、貧しい男の家に仕えながら生きている方がましだ」

——ホメロスの『オデュッセイア』でアキレスの幽霊が語った言葉。

「死者の言葉に耳を傾ける者は幸せになるだろう」

——レオナルド・ダ・ヴィンチ

プロローグ

一五一五年十二月十日
イタリア　ローマ

芸術家は切断された頭部に顔を近づけた。薄気味悪い装飾品は彼の工房のテーブル上に太い釘で固定されていて、朝のまぶしい太陽の光を申し分のない角度で浴びている。彼がベルヴェデーレのこの部屋を選んだのは、そんな素晴らしい日当たりのためだ。建物はヴァチカン内部の、神聖だと見なされている敷地にある。だが、芸術家はためらう気配すら見せることなく、死んだ少女の頰から巧みな手さばきで皮膚を切除していく。気の毒な女の子は十七歳の誕生日を迎えることなく、この世を去った。

悲しいことだが、そのおかげで彼女は格好の標本になった。

芸術家は皮下の細やかな筋肉組織を露出させ、頰骨から緩んだ口元につながる繊細な筋繊維に目を凝らした。それから一時間ほどかけて、筋肉をピンセットで慎重につまんでは、血の気のない唇がそれに反応して動く様子を観察する。作業の手を止めるのは、それぞれの変化を左手で羊皮紙に手際よく記録する時だけだ。死んだ少女の鼻孔のかすかな動きや、頬の組織の変化や、目の下にできるしわを書き留めていく。

作業に満足すると、芸術家は背中の凝りをほぐしながら立ち上がり、画架に立てかけてある木板に歩み寄った。馬毛の画筆を手に取り、斜めを向いた姿勢のモデルの、まだ完成していない顔の左半分を見つめる。モデルはこの場にいないため、ここから先は記憶を頼りに進めなければならない。今は絵の中の豊かな髪やゆったりとした衣服を無視すると、芸術家は画筆に油絵の具をつけ、解剖によって得たばかりの知識を利用して、モデルの唇の近くの陰影を微調整した。

作業を終えると、画架から後ずさりする。

〈この方がいい……ずっといい〉

まだフィレンツェに暮らしていた十二年前に、フランチェスコ・デル・ジョコンドという裕福な商人から若い妻――美しくもどこか謎めいた雰囲気があるリザの肖像画を描いてほしいと依頼された。それ以来、フィレンツェからミラノ、さらにはローマへと移り住むのに合わせて、未完成の肖像画も行動を共にした。彼はいまだにこの作品を手放すことができずにいる。

ここベルヴェデーレの別の部屋で作業をすることもある青二才のミケランジェロは、この肖像画を完成させる踏ん切りがつかないことをからかい、作品への献身を若者特有の傲慢さで嘲笑う。

だが、芸術家はそんなことを気にかけなかった。自分を見つめ返す絵の中の目と視線を合わせる。冷たい朝の陽光が二階の部屋の窓から差し込み、女性の肌に輝きを与える。部屋を暖める小さな暖炉の残り火が、そこにさらなる彩りを添えている。

〈長い年月にわたって、少しでも新たな知識を得るごとに、私は君をよりいっそう美しくしてきた〉

けれども、まだ作業は終わっていない。

背後で工房の扉が開いた。蝶番が不平をこぼすかのようにきしむ音で、芸術家は別の仕事のことを、またしても彼女の微笑みから引き離されてしまう、もっと緊急性の高い依頼のことを思い出した。いらだちから、画筆を握る指に思わず力が入る。

穏やかで申し訳なさそうな弟子の声を耳にすると、芸術家の不満が和らいだ。「レオナルド先生」弟子のフランチェスコが声をかけた。「お求めになられたものをすべて、宮殿の図書館で集めてきました」

芸術家はため息をつき、画筆を置くと、再びリザに背を向けた。「ありがとう、フランチェスコ」

レオナルドが扉の脇に掛けた毛皮付きの冬用のコートに歩み寄ると、フランチェスコの目が作業用テーブルの上の皮膚を半分剝がした頭部に留まった。若者は目を見張り、顔色を青ざめさせたものの、何も言葉を発しなかった。

「じろじろ見るのはやめたまえ、フランチェスコ。今さらこれくらいでおどおどするのはおかしいぞ」レオナルドはコートを羽織り、扉に向かった。「一流の芸術家になりたいのであれば、得られる時にはどこからでも知識を求めなければならない」

フランチェスコはうなずき、レオナルドの後について部屋を出た。

二人は石段を下り、ベルヴェデーレの中庭に通じる扉を抜けた。霜で白く覆われた中庭の草は弱々しく見える。身が引き締まるように冷たい空気中に漂うのは、木が燃えるにおいだ。中庭の両側の建物は工事中で、足場が取り囲んでいる。

足早に中庭を横切りながら、レオナルドはこのひと時を存分に味わっていた。歴史がある時代から次の時代へと移り変わるのを待ち構えているかのようだ。間近に迫る変化の気配が、レオナルドの気持ちを高ぶらせ、彼に活力を与え、胸に希望の火をともした。

寒さで鼻に痛みを覚えた頃、ようやくレオナルドとフランチェスコは高くそびえるヴァチカン宮殿の前にたどり着いた。宮殿の礼拝堂の天井画は、あの鼻持ちならないミケランジェロの手で描かれてからまだ間もない。

その思いから湧き上がった熱いいらだちが、冬の寒さを押しのけていく。昨年のこと、レオナルドは真夜中過ぎにランプを手にして礼拝堂に忍び込んだ。若い芸術家の作品を密かに観察したのは、レオナルドが作品を評価してくれたという満足感をミケランジェロに与えてはなるものかという思いからだった。あの時、顔を上に向けたレオナルドは、天井画に圧倒されたことを覚えている。あれほどまでの広大な空間における遠近法の斬新な使用を見て、天井画が映し出す大いなる才能に敬意を表さずにはいられなかった。ミケランジェロの手法から得られる知識を自分のものにしようと、気づいたことを書き留めたほどだった。

今も消えないあの若い芸術家への苦い思いから、レオナルドはフランチェスコに与えた戒めを思い出した。〈得られる時にはどこからでも知識を求めなければならない〉ただし、その知識の源を認めなければならないという意味ではない。

レオナルドは宮殿の石段を強く踏みしめながら上り、見張りに向かってうなずくと、建物の中に入った。

師のいらだちを察したらしいフランチェスコが、先に立ってヴァチカン図書館のある一角に向かった。昨夜のフランチェスコはずっとそこにこもりきりで、レオナルドが次の依頼のために調べておきたいと希望した資料を集めるために、ほこりをかぶった棚や物入れをあさっていた。

残された時間はあまりない。

レオナルドは三日後にローマを発ち、教皇レオ十世に付き添って北のボローニャに赴き、つい先頃ミラノに侵攻したフランス国王フランソワ一世と会う予定になっていた。この会談では国家間の問題が話し合われるが、国王はレオナルドにも出席を命じた。この奇妙な要求には手紙が添えられていた。

　どうやら国王はレオナルドの才能を聞き及んでいて、フランスの戦勝を祝う記念品の製作を望んでいるらしい。手紙には細かい説明が記してあった。フランソワ一世の希望は機械でできた黄金のライオンで、自力歩行が可能なだけでなく、ぜんまい仕掛けによって胸が開くと、その中に隠されたフランス王家の紋章のユリの花束が見えるようにしてほしいということだった。

　長い付き合いになるフランチェスコには、レオナルドの考えがお見通しだったようだ。

「そんな黄金の仕掛けを設計できると本当にお考えですか?」

　レオナルドは若者に視線を向けた。「君の声から聞き取れたのは疑いかな、フランチェスコ。私の才能に疑問を抱いているのかね?」

　若者は頬を紅潮させて口ごもった。「いえ……もちろん違います、先生」

　レオナルドは笑みを浮かべた。「かまわないよ。なぜなら、私自身もそれなりに疑いを抱いている。傲慢なだけでは限界がある。偉大な作品には、神が与えた才能と人としての謙虚さが等しく必要なのだ」

「謙虚さですか?」フランチェスコが片方の眉を吊り上げた。「先生に?」

　レオナルドはくすくすと笑い声をあげた。この若者にはすっかり見抜かれている。「人前では傲慢さを見せるのが最善の方法だ。あらゆる事業において、自信に満ちていることを世間一般に納得させる必要があるからな」

「一人でいる時には？」

「その時こそ、本当の自分を知るべきだ。自らの限界を認識し、さらなる知識が必要な時には、そうだとわかるだけの謙虚さを持ち合わせていなければならない」レオナルドはランプの明かりに照らされたミケランジェロの天井画を呆然と見上げながら、その作品が教えてくれたことを思い出した。「そこから本当の天才が生まれる。十分な知識と才能が備わっていれば、人間はどんなことでもできる」

レオナルドはその言葉を証明しようと、図書館に急いだ。

午前十時二分

〈うまく準備ができていますように〉

フランチェスコは扉を手で押さえてレオナルドを先に通してから、師に続いてヴァチカン図書館の中に入った。昨夜の頑張りが偉大な先生の期待を裏切らないことを祈る。

師の後ろを歩いて書庫の中心に進むと、古い革と朽ちかけたページのかびくさいにおいが二人を出迎えた。木製の書架は天井の垂木にまで届く高さがあり、その間には大理石の彫像が白い幽霊のように置かれている。前方に一つだけあるランプが照らす幅の広い机の上には、本や書類がきれいに重ねられているほか、ピラミッド型に積まれた巻物まであった。

レオナルドが机に歩み寄った。「ずいぶんと忙しく働いてくれたようだな、フランチェスコ」

「できるだけのことはしました」フランチェスコはため息をついた。「お望みになられたあのアラブの本は、特に探し出すのが大変でした」

振り返ったレオナルドは左右の眉を吊り上げていた。「見つけたのかね？」

少しだけ胸を張りながら、フランチェスコは集めた資料の中央にある分厚い書物を指差した。革製の表紙はすり切れていて、年月を経て黒ずんでしまっているが、題名の金文字は色あせておらず、ランプの光を浴びて明るく輝いている。アラビア語の流れるような文字が美しく記されていた。

レオナルドが指先で題名をたどりながら読み上げた。「キタブ・フィ・マリファト・アル＝ヒヤル・アル＝ハンダシヤ」

フランチェスコは小声でそれを訳した。「巧妙な機械装置に関する知識の書」

「これは二世紀前に書かれたものだ」レオナルドが言った。「その当時を想像できるかね？

科学と学問が何よりも尊重されていた、イスラム黄金時代を」

「いつかそのような場所を旅してみたいものです」

「ああ、フランチェスコ君、君は生まれるのが遅すぎたな。そうした土地は闇に蝕(むしば)まれ、戦乱がはびこり、無知による野蛮に陥っている。楽しめはしないだろう」レオナルドの指が表紙の上で止まった。「ありがたいことに、その古い知識は保存された」

レオナルドが本のページを無作為に開いた。黒いインクで記された流麗なアラビア語が取り囲んでいるのは色鮮やかな噴水の絵で、クジャクのくちばしから流れ出る水が歯車と滑車から成る複雑な仕掛けの中に落下している。フランチェスコは本のほかのページにも様々な装置を描いた同じような挿し絵が数多く載っているのを知っていて、そのほとんどはフランス国王が師に制作してほしいと希望している機械人形だった。

「著者の名前はイスマイル・アル＝ジャザリー」レオナルドが言った。「聡明な芸術家で、アルトゥク朝の宮殿の技師長だった。この本からはフランス国王の黄金のライオンを設計する際の手助けになることが、数多く学べるのではないかと思う」

背後から新たな声が聞こえた。「ほかにも君の手助けになる本があるかもしれない」

レオナルドとフランチェスコは図書館の扉の方を振り返った。うっかり開け放したままにしてあった入口には、背は低いががっしりした体つきの男性が立っている。質素な白のカソックとスカルキャップが、ランプの弱い光を浴びて輝いていた。フランチェスコは若者ならではの身のこなしでさっと床に片膝を突き、頭を垂れた。レオナルドがどうにか腰をかがめかけた時、男性が再び口を開いた。

「気にしないでよい。二人とも、立ちたまえ」

　フランチェスコは立ち上がったが、頭を下げたままだった。「聖下」

　ローマ教皇レオ十世は二人の護衛を扉のところに残し、フランチェスコたちの方にやってきた。両手で分厚い本を抱えている。「君の弟子が我々の図書館をひっくり返して何やら探していると聞いたものでね。それと、彼の探し物の目的についても。どうやら君は北からの我々の客人に喜んでもらおうと、最善を尽くしていると見える」

「フランソワ国王は要求が厳しいお方だと聞いているものですから」レオナルドが認めた。

「しかも、好戦的だしな」教皇は辛辣な口調で付け加えた。「私としては、その傾向は北にとどめておいてもらいたいと思っている。そのためには陛下を失望させないこと。さもなければ、兵を引き連れて南下を進めようと目論むかもしれない。それを避けるために、君たちの探し物に私の従者たちの手も貸そうと考えたのだ」

　レオ十世はテーブルに歩み寄り、重い書物をその上に置いた。「これはホーリー・スクリニウムの中で見つかった」

　驚きのあまりフランチェスコの体がこわばった。ホーリー・スクリニウムは教皇の私的な書庫で、宗教関係やそれ以外の分野も含めた驚くような書物が保管されていると噂されており、中にはキリスト教の成立期にまでさかのぼるものもあるという。

「これは第一回十字軍の時に入手した」教皇は机の上の本から手を離し、説明した。「九世紀に書かれた機械装置についてのペルシアの書物だ。君の弟子が見つけ出した本と同じように、これも役立つのではないかと思ったものでね」

好奇心をそそられたらしく、レオナルドがこれといった特徴のない表紙の本を開いた。本のタイトルはとっくの昔にかすれて判読不能になっている。表紙の裏側に記された著者の名前を見て、レオナルドはすぐに教皇の方に向き直った。

「バヌー・ムーサー」レオナルドが名前を読み上げた。

聖下はうなずき、その意味を翻訳した。「モーセの息子たち」

フランチェスコは質問しようと口を開いたが、おそれ多くて言葉が出ず、何も言わずに口を閉じた。

レオナルドがフランチェスコの方に少しだけ顔を向け、声に出せなかった疑問に答えてくれた。「モーセの息子たちというのは、イスマイル・アル＝ジャザリーからさかのぼること四世紀前に実在した、ペルシアの三兄弟のことだ。アル＝ジャザリーは著書の中で三人の名前をあげて、着想の参考になったと感謝している。この書物が現存しているとは、思ってもいなかった」

「理解できないのですが」フランチェスコは机に近づきながら小声でささやいた。「この本は何なのですか?」

レオナルドは年代物の本の上に片手を置いた。「まさに不思議そのものだ。『巧妙な装置の書』という」

「しかし……?」フランチェスコは自らが苦労して見つけ出したすぐ隣の本に視線を向けた。

「そうなのだ」レオナルドが認めた。「我らが敬愛するアル=ジャザリーは、このもっと古い本の題名を少しだけ変えて、自らの著作を命名した。この三人の兄弟――つまり、モーセの息子たちは、ローマ帝国の衰退後、何十年もかけてギリシア時代やローマ時代の書物を収集し、保存していたと言われる。やがて三人はそうした文書の中から見つかった知識を拠り所にして、発明に関する自分たちの本を執筆したのだ」

教皇も机のそばの二人に歩み寄った。「だが、兄弟たちの興味を引いたのは科学的な知識だけではなかった」レオ十世は本の最後のページを開き、綴じられていない数枚の紙を抜き出した。「これをどう思うかね?」

レオナルドが黄ばんだページと流れるような筆記体の文字を見て、首を左右に振った。

「アラビア語で間違いなさそうですね。しかし、私はまったく堪能ではありません。時間をかければ、もしかすると――」

教皇は手を振って発言を遮った。「アラブ関係の学者ならば身近にいる。彼らは内容を翻訳できたよ。どうやらかなりの大作の詩の第十一巻らしい。冒頭の行には次のように記されている。『海岸に到着すると、我々は船を海に押し出し、マストを立て、帆を上げた』」

フランチェスコは眉をひそめた。〈聞き覚えがあるように思うのはなぜだろう?〉

教皇は記憶から訳文を引き出しながらその先を続けた。「『我々はヒツジも船に乗せ、涙を流して大いに悲嘆に暮れながらも持ち場に就いた。あの偉大で狡猾(こうかつ)な女神キルケは――』」

フランチェスコは「あっ」と声をあげた。教皇の言葉を思わず遮ってしまうほど、大きな驚きだった。

〈キルケという名前……だとすると、考えられるのは一つだけだ〉

レオナルドは紙を手元に引き寄せ、フランチェスコの予想を言葉で述べた。「これはホメロスの『オデュッセイア』の翻訳だとおっしゃるのですか?」

聖下は反応を楽しむかのようにうなずいた。「約九世紀前、アラビア語に翻訳されたものだ」

それが本当ならば、フランチェスコの知る限りでは、文字として残る最古のホメロスの詩という可能性もある。フランチェスコはどうにか質問を声に出すことができた。「でも、なぜこの章がこんなところに、機械装置について書いたペルシアの古い本の間に、挟まっているのですか?」

「おそらく、理由はこれだろう」

教皇は抜き出した紙の最後のページを見せた。そこには急いで描いたと思われる入り組んだ挿し絵がある。機械仕掛けの地図のようで、いくつもの歯車や針金が複雑に組み合わさっていて、アラビア語のメモが書き殴ってある。地形から判断すると、地中海全域とそのさらに先が描かれているようだ。ただし、機械仕掛けの地図は未完成で、まだ作業の途中のように見える。

「それは何ですか?」フランチェスコは訊ねた。

教皇はレオナルドの方を向いた。「君に突き止めてもらいたいと思っているのがそのことなのだ、我が友人よ。ここの翻訳家たちはいくつかのヒントだけしかつかめなかった」

「例えばどのような?」レオナルドの目はきらきらと輝いていた。この謎に魅了されているのは間違いない。

「第一の手がかりだが」教皇はホメロスの『オデュッセイア』のアラビア語訳が記されたページを指先でつついた。「叙事詩のこの部分はオデュッセウスの冥界(めいかい)への航海を語っている。ハデスとペルセポネが支配する地、ギリシア版の地獄だ」

フランチェスコは理解できず、顔をしかめた。

教皇は装置の挿し絵を指差して説明を続けた。「どうやらモーセの息子たちは、自分たちをそこに導くための道具を製作しようとしていたらしい」レオナルドに向ける教皇の目つきが厳しくなる。「つまり、冥界に行くための」

レオナルドが鼻で笑うような反応を示した。「馬鹿げた話だ」

フランチェスコは寒気が走るのを感じた。「兄弟たちはなぜそんな場所を探し求めようとしたのでしょう?」

教皇が肩をすくめた。「誰にもわからない。だが、どうにも気にかかる」

「どうしてまた?」レオナルドが訊ねた。

教皇は二人の顔の方を向き、その目に浮かぶ真剣な眼差しをしっかりと見せつけてから、挿し絵の下に記された最後の行を指差した。

「なぜなら、ここに書いてある……モーセの息子たちはそれを見つけたと。彼らは地獄への入口を見つけたのだと」

第一部　嵐の世界図

果てしなく広がる大海の上では、大きな船もちっぽけな点にしか見えない。あるのは頭上の空と、真下の海だけ。海が穏やかなる時、船乗りの心は油断する。荒れ狂う時、船乗りの感覚は乱れる。信じてはならない。大いに恐れよ。海の上にいる者は、木のかけらの上の虫けらも同然。まわりを取り囲まれ、死ぬほど怯(おび)えている。

——エジプトを征服したアラブ人アムル・イブン・アル＝アースの言葉、六四〇年

1

六月二十一日　グリーンランド西部夏時間午前九時二十八分
グリーンランド　セルミリク・フィヨルド

海霧が前方の怪物を隠している。

小型ボートがぼんやりとした白い塊に包まれると、午前中の陽光が薄暮のような暗さに変わった。船外モーターのうなる音までも、濃い霧のせいでこもった音に聞こえる。ほんの数秒の間に、気温が急降下した。零度を少し下回る程度だったのに、今では息を吸うとまるで氷の短剣を飲み込んでいるかのような冷気だ。

ドクター・エレナ・カーギルは何度か咳をしながら、左右の肺が凍りつきそうになるのを防いだ。ジッパーをしっかりと締めた明るい青色のアノラックの中で縮こまる。その下には周囲の凍てつくほど冷たい危険な水から身を守るために、ドライスーツを着用している。ホワイトブロンドの髪が外にこぼれないよう厚手のウールのキャップの下にきちんと入れ、首にも同じウールのスカーフを巻いていた。

〈私はここで何をしているんだろう?〉

昨日はエジプト北部の発掘現場で汗をかいていたのに。エレナはチームのほかのメンバーたちとともに、今から四千年前、地中海に半ばのみ込まれた海岸近くの村を注意深く掘り返していた。アメリカとエジプトの合同調査団のリーダーを務められるのは、めったにない名誉だ。三十歳の誕生日を迎えるのはまだ二カ月先だという若さを考えると、なおさらその思いが強まる——しかも、その地位は自分の力で勝ち取ったものだった。古人類学と考古学の二つの博士号を取得し、その後も専門分野で実績を残してきた。発掘現場での作業を優先して、母校のコロンビア大学で教鞭(きょうべん)を執らないかという申し出を断ったくらいだ。

それでも、エレナは自分が調査団のリーダーに選ばれたのは、学術面での実績やフィールドワークのおかげばかりではないと察していた。父はマサチューセッツという重要州選出の上院議員、ケント・カーギルだ。何も裏工作はしていないと言い張るものの、父は四期目を迎えたベテランの政治家で、それは嘘をつくのに慣れっこになっていることを意味する。それに加えて父は現在、上院外交委員会の委員長だ。実際に何かを言ったか言わないかにかかわらず、上院での議席が意思決定に影響を及ぼした可能性はある。

〈影響がなかったとは考えられない〉

ところが、今度は突然、極寒のグリーンランドに飛んでほしいとの要請があった。少なくとも、これは父ではなく同僚からの依頼で、友人がこの地での発見を調査してほしいと個人的に求めてきたのだ。友情以上に好奇心をそそられて、エレナはエジプトの発掘現場を後にした。友人からの最後の言葉が気になって仕方がない。〈あなたもこれを見たいはず。歴史を書き換えることになるかも〉

そのため、エレナは前日にエジプトからアイスランドに飛び、レイキャヴィクでターボプロップ機に乗り換えると、グリーンランド南東部沿岸のタシーラクという小さな村に降り立った。昨夜は村に二軒あるホテルのうちの一つに宿泊した。夕食にシーフードのシチューを味わいながら、エレナはここでの発見について何か聞き出そうとしたものの、ぽかんとした表情を浮かべられるか、無言で首を左右に振る反応が返ってくるだけだった。

新たな発見については地元の人たちでもごく一部しか知らないようだ――知っている人たちも、誰一人としてしゃべろうとしない。今朝になっても、エレナはまったく情報をつかめないままだった。

今、エレナは見知らぬ三人の男性とボートに乗って、波一つ立っていない穏やかなフィヨルドを横切り、冷たいクリームのように濃い霧の中に突入したところだ。今朝、調査を依頼してきた友人から入っていたテキストメッセージには、午後にタシーラクに到着する予定なので、ここで発見された何かに関するエレナの評価をその時に聞きたいと書いてあった。

それはつまり、まだしばらくは見知らぬ人に囲まれたままで、しかも何もわからないままということだ。

轟音が水面を伝って届き、ボートのまわりの静かな海面を震わせたので、エレナはびくっとした。行く手に潜む怪物が彼女たちの接近に気づいて反応したかのようだ。昨夜も似たような低い音がひっきりなしに聞こえていたため、あまりよく眠れなかったし、緊張が高まる一方だった。

前に座る鳶色の顎ひげを生やした大柄な男性が、彼女の方に体をひねった。頬と鼻は雪焼けで真っ赤になっている。寒さなど意に介していないかのように、黄色いアノラックのジッパーは開けたままだ。カナダの気候学者だと自己紹介されたのだが、エレナは名前を忘れてしまっていた。スコットランド風だったような気がする。頭の中ではこの男性を「マクヴァイキング」と呼んでいる。ずっと寒さにさらされてきた顔からは年齢の予想がつかない。二十代半ばから四十代前半の間のどこかだろう。

男性が腕で前方を指し示した。「氷河地震だ」男性がそう説明する頃には、音は小さくなっていた。「心配いらない。氷がヘルハイム氷河から剝がれ落ちて砕けただけさ。俺たちの前方にある氷の塊は世界で最も動きの速い氷河の一つで、一日約三十メートルのペースで海に向かって流れている。去年はとてつもない大きさの塊が落下した。幅六キロ、奥行き一・五キロ、厚さは八百メートルあったんだ」

エレナはマンハッタンの南半分ほどの大きさの氷山が、このちっぽけなボートの近くに浮かんでいる様子を思い浮かべようとした。

気候学者は霧の先を見つめた。「その一度の崩落による震動は丸一日続いて、世界各地の地震計でも観測された」

「それを聞いて私が安心できるとでも?」エレナはぶるっと体を震わせながら訊ねた。

「こいつは失礼」男性が満面の笑みを浮かべ、緑色の瞳が濃い霧の中で輝きを発した途端、エレナは相手がもっと若いのではないかという印象を受けた。せいぜい自分よりも二歳くらい上といったところだろう。名前も不意に思い出した。ダグラス・マクナブだ。

「二年前に俺をここに引き寄せたのも、そうした活動なんだ」マクナブは認めた。「可能なうちに研究する方がいいと思ってね」

「どういう意味なの?」

「俺はNASAの『オペレーション・アイスブリッジ』の一員として作業をしている。レーダーやレーザー高度計や高解像度カメラを用いて、グリーンランドの氷河を監視するのさ。特にヘルハイム氷河が中心で、こいつはこの二十年間で約五キロも後退し、厚さは九十メートル以上も薄くなった。ヘルハイムはグリーンランド全体にとっての、今後の指標としての役割を果たしている。グリーンランドは三十年前と比べて六倍の速さで氷が融けているんだ」

「じゃあ、もしここの氷すべてが消えてしまったら？」

マクナブは肩をすくめた。「グリーンランドの分の氷が融けただけでも、海面は優に六メートル以上も上昇する」

〈建物の二階分以上の高さ〉エレナは地中海に半ば沈んだエジプトの発掘現場と古代遺跡を思い浮かべた。それと同じ運命が、沿岸部に位置するほかの多くの都市にも間もなく訪れるのだろうか？

新しい声がボートの右舷側から割り込んできた。「マック、心配性もたいがいにしろよ」

エレナの反対側に座る瘦せた黒髪の男性が大きくため息をついた。一言で彼を表現するとすれば、「骨ばった」だろう。両肘や両膝だけでなく、突き出た顎や高い頰骨など、どこもかしこもとがって見える。

「現在の温暖化の傾向が続いても」男性が続けた。「君が今言ったような事態は、たとえ起きるとしても何世紀も先の話だ。君のデータと、あとＮＡＳＡのデータも見させてもらったし、僕なりに相関分析と予測をかけてみた。気候に関して、および地球の気温の周期性に関しては、不確定要素があまりにも多く関わってくるから、断言することは――」

「おいおい、ネルソン。俺はおまえの評価にバイアスがかかっていないとは必ずしも見なしていないぞ。何しろアライド・グローバル・マイニング社が君の給料を払っているんだからな」

エレナは改めて地質学者を観察した。自己紹介した時、コンラッド・ネルソンは鉱山会社に雇われているという話を一切しなかった。

「それなら、君に助成金を提供しているのは誰だったかな、マック？」ネルソンが言い返した。「環境団体の協会だ。もちろん、そのことが君の評価に影響を及ぼしてはいないだろうけどね」

「データはデータだ」

「本当に？　データの歪(ゆが)みはありえないと？　バイアスのかかった立場を支持するように操作されることは絶対にありえないと？」

「もちろん、可能性はある」

ネルソンは胸を張った。自分の主張の正しさを証明できたと思ったのだろう。だが、相手も負けていなかった。

「鉱山会社がデータを操作するのは何度となく見てきたよ」

ネルソンが中指を立てた。「じゃあ、こいつを評価して見ろ」

「ふーむ、君は俺がいちばんだと認めているようだな」

ネルソンは鼻を鳴らし、腕を下ろした。「さっきも警告したように、データはその解釈を誤るおそれがある」

不意に周囲の濃霧の明るさが増し、両側に切れ間が見えたかと思うと、前方の景色があらわになった。

ネルソンが最後にもう一つだけ、自説を展開した。「あそこを見てみろ。それでもなお、もうすぐ氷河が消えると言えるのか?」

百メートルほど先にあるのは一面の氷の壁だった。視界の届く限り、氷河の断崖面が左右に広がっている。ひび割れた壁面は凍結した城の守りのようで、胸壁や崩れかけた塔が真っ白な霜に覆われているみたいに見える。午前中の陽光がその表面に乱反射し、ほのかな青色から何者も近づけまいとするような暗闇まで、光のスペクトルを輝かせていた。空気までもが氷の微粒子できらめいていて、ボートの接近に合わせて光が輝いては躍っている。

「ものすごい大きさね」エレナは口にしたものの、言葉ではその怪物級の広大さを的確に表現できない。

マックの笑みがさらに大きくなった。「まったくだ。ヘルハイムは幅が約六キロあり、内陸に向かって百五十キロ以上も延びている。場所によっては氷の厚さが一・五キロ以上に達する。北大西洋に流れ込む氷河としては最大規模だ」

「それでも、こうしてここにそびえている」ネルソンが言った。「そして、これから何世紀先でも」

「グリーンランドが毎年三百ギガトンもの氷を失っていることを考えると、そうとは思わないな」

「そんな計算に意味はない。グリーンランドの氷床はこれまでにも増減を繰り返してきた。氷期から次の氷期に移り変わりながら」

　エレナはそこから先の二人の会話に耳を傾けるのをやめた。内容がより専門的になってきたからだ。議論は続いているものの、エレナはこの二人が敵対関係にあるわけではないという気がした。意見のぶつけ合いを楽しんでいるのは明らかだった。この過酷な場所に耐えられる人間はまれだし、そのことが強靭な精神力とタフな性格という共通点を作り出し、気候変動に関して両極の立場にいるこの二人の科学者も含めて、すべての人たちの絆を強めるのだろう。

　エレナはまわりの様子に注意を向けた。海面に点在する静かな氷山を見つめる。小型ボートの操縦士――革製品のような皮膚をした丸顔で、感情が読み取れない黒い目をした年配のイヌイットの男性は、象牙のパイプを吹かしつつ、巧みに船を操っている。氷山から十分な距離を取って迷路を抜けるように進んでいくが、その理由はすぐに明らかになった。ちっぽけに見える氷山がひっくり返り、完全に裏返しになると、巨大な氷の塊が現れた。濃い青色の海面下に隠れている氷山の本体が、実際にはどれほどの大きさなのかがよくわかる。ちょうどあの氷山の近くを通りかかっていたりしたら、ボートごと巻き込まれていただろう。

この地に潜む危険の存在を思い知らされる。

氷河の名前も脅威をほのめかしていた。

「ヘルハイム」エレナはつぶやいた。「ヘルが治める地」

マックがその言葉を聞きつけた。「その通り。氷河はヴァイキングの死者の国から命名された」

「誰がそんな名前をつけたの？」

ネルソンが大きく息を吐き出した。「さあね。たぶん、北欧の研究者だろう。皮肉なユーモアのセンスの持ち主で、北欧神話が大好きだったのさ」

「名前の起源はもっと昔にまでさかのぼるんじゃないかと思う」マックが指摘した。「イヌイットたちは氷山の中に悪意を持つものがあると信じている。ある世代から次の世代に、警告が受け継がれてきた。ヘルハイムもそんな場所の一つだ。彼らはこの氷河が『トゥーンガク』の住みかだと信じている。『殺しの霊』の意味で、イヌイット版の悪魔といったところだな」

操縦士がくわえていたパイプを手に持ち、海に向かって唾を吐くと、注意の言葉をつぶやいた。「その名前を使うな」

どうやらそうした迷信はまだ完全にはすたれていないらしい。

マックが声を落とした。「誰かがこの氷山に『ヘルハイム』の名前を選んだ本当の理由は、そんな古い言い伝えにあったに違いない」

エレナは周囲を見回しながら、このボートに乗り込んでからずっと気になっていた疑問を口にした。「私たちはいったいどこに向かっているの？」

マックが氷の壁に見える黒い半円状の部分を指差した。かなり距離が近づいているため、それが氷河の壁面にできた裂け目で、その奥に通じる入口になっているのがわかる。その周囲を取り巻く氷は淡い青色で、まるで内側から光を発しているかのようだ。

「先週のことだが、あそこで大きな氷山が剝がれ落ちたら、融水の流れる巨大な水路の存在が明らかになったんだ」

エレナは裂け目から水が流れ出ていて、それも氷河と海面の境目に沿って浮かぶ細かい氷を押し流すほどの勢いだということに気づいた。ボートがさらに近づくと、割れた氷のかけらを押しのけながら金属の船体が進むのに合わせて、竜骨をナイフでこすっているかのような音が響いた。その悲鳴に似た音がエレナの神経を逆なでする。ボートの進む先に海岸らしきものがまったく見当たらないことにふと気づき、エレナは全身に新たな寒気が襲いかかるのを感じた。

「もしかして……氷河の内部に入るつもりなの？」エレナは訊ねた。

マックがうなずいた。「ヘルハイムの中心に真っ直ぐ突っ込む」

〈言い換えれば、死者の国を目指して進む〉

午前九時五十四分

氷河の壁面に近づきながら、ダグラス・マクナブは乗客の一人をずっと注視していた。横目でドクター・カーギルの様子をうかがうと、顔色がいちだんと青ざめているし、指でボートの船縁をきつく握り締めている。

〈頑張れよ、お嬢さん。それだけの価値はある〉

考古学者――それも女性が、エジプトからグリーンランドにやってくると最初に聞かされた時、マックは何を予期すればいいのか見当がつかなかった。インディ・ジョーンズの女性版を思い浮かべたり、こんな厳しい環境には不似合いな眼鏡姿の学者タイプを想像したりした。実物を見て判断すると、その中間といったところだろうか。圧倒されているのは明らかだが、尻込みしているわけでもない。目には恐怖の色が浮かんでいるが、その奥に見える好奇心が消えることもない。

また、こんなにもきれいな女性が来るとも予期していなかった。豊満すぎる肉体の持ち主ではないし、写真をソフトで加工したような艶があるわけでもない。スリムな体型だが筋肉質で、唇はふっくらとしており、少し突き出た頬骨のあたりが寒さのせいで赤くなっている。左右の目尻に小さなしわがあるのは、砂漠の太陽に目を細める機会が多いからなのか、それとも長時間にわたって学術書を読みふけっているからなのか。いずれにしても、そのせいで勉強熱心に見え、厳しい学校の先生を思わせる。ウールのキャップの下から一房だけ飛び出たホワイトブロンドの髪にも、どういうわけか魅力を感じた。

「マック、前を見ろよ」ネルソンが注意を促した。「海面の下にある氷山に船をぶつけたいのか」

マックははっとして正面に向き直った。頬のほてりを隠すと同時に、ボートの前方の海中をのぞき込むためだ。氷河が融けた水は沈泥を含んでいるので、青い水が濁った茶色になっている。

マックは船首での作業に戻り、隠れた危険に注意を払った。危険は海面下にも、周囲の崩落しそうな氷の壁にも存在する。けれども、氷を読むことに関しては、イヌイットの操縦士ジョン・オカリクの目の方がはるかに優秀だ。彼はこの油断のならない海域で少年の頃から、つまり五十年以上も船を操っているし、一族は何世代も前からその仕事に従事している。

それでも、融水が作った入口に近づく間、マックは慎重に監視を続けた。開口部の幅は約十メートル、高さはその二倍ある。もう一艘のスチール製のボートが見えてきた。氷の壁に杭が打ち込んであり、そこに通したロープで入口の片側に係留されている。ボートには二人の男性が乗っていて、それぞれ膝の上に銃身の太いライフルを置いていた。

船尾でジョンが立ち上がり、男性たちと早口で言葉を交わした。二人は操縦士の親戚に当たるとのことだが、タシーラクの村人はほとんど全員が親戚も同然だった。

マックは操縦士と二人を交互に見ながら、三人の会話についていこうと試みた。グリーンランドのイヌイットの主要言語であるカラーリット語には堪能な方だが、三人は地元の部族の方言のトゥヌミート語を使っている。

ようやくジョンが舵の横にある座席に腰を下ろした。

「ジョン、問題はないのか？」マックは訊ねた。

「いとこたちは問題ないと言っている。川はまだ通れる」

ジョンがモーターの速度を上げ、もう一艘のボートの横をすり抜けて水路に進入した。流れに逆らって進むボートの船外モーターがうなる音は、閉ざされた空間内だと増幅されて響く。

マックはエレナが次第に小さくなる半円状の明るい入口の方を振り返っていることに気づいた——それと、武装した二人組の方も。「どうして見張りが？」エレナが訊ねた。

「ホッキョクグマが海で泳いでいるのを心配しないといけないの？」

まずまず妥当な推測だ。巨大な白い肉食獣の脅威は絶えず存在していて、しかも長い距離を泳ぐことに関する彼らの能力には驚くべきものがある――ただし、縮小しつつある北極の大浮氷群は、そんなホッキョクグマの素晴らしい能力にも影響を及ぼしている。

「クマじゃない」マックは質問に答えた。「現場に到着すればわかる」

「どこ――？」

「そんなに遠くはないよ」マックは確約した。「それに予備知識なしで見てもらうのがいちばんいいと思う」ネルソンを一瞥する。「俺たちもそうやって発見した。ネルソンと一緒にここを訪れたのは三日前のことだ。冒険を楽しみたいという気持ちが大きかったんだが、同時にヘルハイムの凍結した白い地表の下で何が進行しているのか、もっとよく理解したいという思いもあった。深さ一キロ以上の氷床コアを掘削し、古い氷の中に閉じ込められた古代の気体を分析するだけでは、得られる情報にも限度がある。ここはその源への、氷河の中心部にまでたどり着けるまたとない機会を提供してくれるんだ」

　ネルソンが防水仕様の荷物を開けようと苦戦しながら説明した。「僕はこの深部でサンプルを採取するために同行したんだ。この巨大な氷のシャベルがグリーンランドの大地を削り取る時に、粉々に砕かれた貴重な鉱物を探すために」

「そもそもこんなところに何かがあるの？」エレナが質問した。

　ネルソンはうめき声をあげながら、蠟で封をしてあったジッパーをようやく引き開けた。「グリーンランドの本当の豊かさは氷となって閉じ込められた真水の量じゃなくて、氷の下に隠されているものにあるんだ。手つかずの富がありあまるほど眠っている。金、ダイヤモンド、ルビー、それに銅やニッケルの大鉱脈。希土類元素も。グリーンランドとここで暮らす人たちにとって、大きな恩恵となるはずだ」

「当然、鉱山会社の懐も豊かにしてくれるはずだ」マックは嫌味たっぷりに指摘した。

ネルソンは嘲笑うかのように鼻を鳴らしてその発言を受け流すと、携帯型の装置を取り出して調節を始めた。

エレナがトンネルの奥に注意を向けた。奥に進むにつれて、氷の青色がいっそう濃くなっていく。「このトンネルはどこまで通じているの？」

「岩でできている本当の海岸までだ」マックは答えた。「俺たちは岸から一キロ以上も突き出た氷舌の内部を移動しているのさ」

午前十時二分

〈まさか……〉

その情報を聞き、エレナは息苦しさを覚えた。この氷河からマンハッタンの南半分に相当する大きさの氷が剝がれ落ちたというマックの説明を思い返しながら、頭上にある氷の重さを想像しようとする。

〈私たちがこうして中にいる間にそれが起きたらどうなるの？〉

やがて周囲がすっかり暗くなったため、マックがボートの船首部分にあるライトのスイッチを入れると、一筋の光がトンネルのはるか先を照らし出した。その光で青っぽい輝きを発した氷の内部に、色の濃い筋が何本も現れた。古代の地図を思わせるその筋は、遠くの海岸から削り取られた鉱物が模様のように浮き出たものだ。

エレナは深呼吸をして、何とか気持ちを落ち着かせようとした。墓の内部に這って潜り込むことなら何でもないのだが、これはまったく別の経験だ。ここには氷だけしかない。舌には氷の味がするし、呼吸をするたびに氷が口の中に入ってくるかのようだ。完全に囲まれてしまっている。彼女は氷の中にいたし、氷は彼女の中にもいた。

船首のライトが届く先の暗がりに、ようやくぼんやりとした光が現れた。

振り返ったマックは、エレナが期待していた答えを提供してくれた。「あと少しで着くよ」

ひときわ大きなエンジン音を響かせながら、ボートは流れをさかのぼり、青い氷とアーチ状に口を開けた黒い岩との境目に向かった。水路はそのさらに奥にも通じていて、岩や氷の段差を伝いながらいくつも連なる滝となって流れ落ちている。だが、発電機とつながったライトを設置してある一本のポールがボートの終点を示していて、凍結した世界でたった一つの灯台の役割を果たしていた。

エレナは光に照らされた目の前の光景に唖然とした。あたかもこの灯台が冷たい港に船をおびき寄せたかのように見える。

「こんなの、ありえない」エレナはどうにか言葉を絞り出した。

ジョンが流れの端にできた小さな渦の方にボートの向きを変えた。マックが氷の壁に打ち込まれた杭と船首をロープで結ぶ。

エレナは氷のように冷たい水の危険も忘れ、バランスを取りながら立ち上がった。首を上に向け、大型の木造船の全体をまじまじと見つめる。竜骨と船体は長い年月の間に黒ずんでしまっていた。

「どうしてこれがこんなところに?」エレナはつぶやいた。

ボートから濡れた岩の先端部分に降りるのに、マックが手を貸してくれた。「推測するとしたら、船乗りたちはかつて海食洞だったところに避難しようとしたんじゃないかな」気候学者は頭上にある黒っぽい岩を指し示した。「だが、ここから身動きできなくなってしまい、氷に閉じ込められ、ついには完全に覆われてしまったのさ」

「どれくらい前のことなの?」エレナは訊ねた。

「氷の年代からすると」二人に続いてボートを降りたネルソンが答えた。「船が遭難したのは九世紀頃のことだと思う」

マックがエレナを見つめた。「以前はクリストファー・コロンブスが一四九二年に新大陸を発見したのだと、誰もが思っていた。その後、一番乗りはコロンブスではなく、ヴァイキングがそれよりも前の十世紀後半にグリーンランドとカナダ北部に定住していたと判明した」

「年代についての推測が正しければ、この船はそれよりも丸一世紀前にやってきたことになる」エレナは指摘した。「それに、これはヴァイキングの船とは違う」

「俺たちもそう思ったんだが、専門外なんでね」

ネルソンもうなずいた。「そこで君に来てもらったんだ」

ようやくエレナは理解した。古人類学と考古学という二つの博士号を持っているが、専門は海洋考古学だ。だから地中海に沈んだエジプトの港町を発掘する調査チームに選ばれたのだ。彼女が関心を寄せている領域は、人類が初めて海を行き来したのはいつなのか、その年代を過去へとさかのぼることにある。そのための人類の取り組みや、それぞれの進化を支える工学技術の歴史には、ずっと前から魅了され続けている。それは毎年夏にマーサズ・ヴィンヤード島の沖合で父とヨットに乗っていた子供の頃から、体にしみついている情熱だ。父と娘が充実した時間を一緒に過ごせる機会は少なかったため、エレナは今でもそうした子供時代の思い出を大切にしている。大学時代もボート部に所属し、スカル種目でアイビー・リーグの対抗戦に出場した。

「この船の出発地について、何か考えは？」マックが質問した。

「考えるまでもないわ」エレナは氷の外に出ている船尾に近づいた。船首側はすっかり氷で覆われてしまっている。「被覆板の縫い合わせ方を見て。それにココナッツのロープが使用されている。どれもこれも、とても特徴的な造りね」

「『ココナッツ』って言ったのかい？」

エレナはうなずくと、はるか昔に折れてしまったと思われる二本のマストのところに歩み寄った。トンネルからまるで二本の旗のように突き出ている。ちぎれた帆の一部がまだ残っていた。「この二枚の大三角帆……ヤシの葉を編んでできている」

ネルソンが眉をひそめた。「ココナッツにヤシの葉。つまり、どう考えてもヴァイキングの船じゃない」

「ええ。これはサムブーク。アラブ世界のダウ船——木造帆船の中で最大級のもの。この船は甲板を備えているみたいだから、アラブ世界の大洋航行用の商船で、かなり珍しい船のうちの一つということになる」

「君の話が本当ならば」マックが口を開いた。「別に疑っているわけじゃないんだが、そうだとするとこの発見は、この地に初めて足を踏み入れたのはヴァイキングではなくて、アラブ人だと証明することになる」

エレナにはまだそこまで断言する心の準備ができていなかった。まずは船体を放射性炭素年代測定法で調べなければならない。それでも、友人の――ここに来るように依頼してきた同僚の言葉は正しかった。この発見は歴史を書き換える可能性を秘めている。

ネルソンが携帯型の装置を左右に振りながら後ろをついてきた。「残念ながら、気の毒な船員たちは帰国して土産話をすることができなかったわけだ」

「少なくとも、船員の一人は」マックが補足した。「俺たちが船内で見つけた死体は一つだけだった。ほかの船員の身に何が起きたのかはわからない」

はっとして振り返ったエレナは、マックがちょうどスイッチを入れた懐中電灯の光で目がくらみそうになった。「あなたたちは中に入ったわけ?」

マックが指差す先を見ると、上から落ちた岩で船体の側面に穴が開いている。「君が推薦されたもう一つの理由はそこなんだ。俺たちが発見したのはこれだけじゃない。ついてきてくれ」

マックは先頭に立って氷に閉じ込められた船に近づき、横向きになって大きな体を折り曲げながら、船体にできた隙間を通り抜けた。「足もとに気をつけて。あと、柱などの支えに触れないこと。この船が氷でぺしゃんこにつぶされていなかったのは運がよかった。洞窟の天井がずっと守ってくれていたに違いない」

エレナもマックの後から中に入り、ネルソンも続いた。ボートに残るジョンはまだパイプを吹かしている。エンジンを切ってあるため、あたりは不気味なまでに静まり返っていて、まるで世界が固唾をのんで成り行きを見守っているかのようだ。だが、耳が慣れてくると、エレナは氷の音を聞くことができた。氷の壁からうめき声を漏らしたり、ため息をついたりするような音が出ている。トンネル内には巨大な獣が歯ぎしりをしているみたいな、低い耳障りな音がこだましている。

危険を思い出すと興奮が冷めていく――けれども、古代の船をくまなく調べたいという思いは止まらない。

マックの懐中電灯の光が船倉を照らし出すと、そこは氷によって黒く変色した何本もの木材で支えられていた。三人はこの死の森を急ぎ足で横切った。空気中に漂うほのかな油のにおいは、塗料、またはガソリンだろうか。両側には曲線を描く壁に沿って、肩まで届くくらいの高さの巨大な土器の壺が連なっていた。そのうちの一つはずいぶんと前に割れてしまっていて、あたかも内側から破裂したかのように見える。その前を通り過ぎた時、濡れたアスファルトのようなきついにおいがしたが、中身を詳しく調べるのは後回しにしなければならない。

案内役が一刻も早く何かを見せたいと考えているのは明らかだった。

先頭を歩くマックは船首に向かった。短い階段の先の木の壁には扉があった。「俺たちが思うに、ここは船長室だろう」

マックが階段を上り、体を二つ折りにして扉を抜けた。部屋の中に入ると脇にどき、続いて階段を上るエレナに手を差し出す。エレナはその手を握った。息切れのするような興奮状態が続いているせいで、両膝に力が入らない。それと、少しばかりの恐怖のせいもある。

マックに続いてエレナが入ったのは、窓のない部屋だった。両側には棚があり、そこにあったはずの本や巻物はとっくの昔に朽ちてしまって、ほとんど跡形もない。小さな部屋の奥の半分には、木製の船首部分に接する形で机が置いてあった。

「こいつを見る前に覚悟を決めておいた方がいいと思うぞ」マックが警告した。

気候学者は大きな体を横に移動させ、エレナが机に近づけるようにした。彼女は前に足を踏み出したが、すぐに後ずさりした。机の手前に椅子が一つある。ただし、そこには先客がいた。ホッキョクグマの毛皮でできた外套を着た人が座っている。上半身は机に突っ伏していて、顔は頬を机の表面にくっつけて横向きになっている。

エレナは気持ちを落ち着かせようと深呼吸をした。エジプト滞在中はミイラを調査していたし、何体か解剖したこともある。けれども、ここの死体の方がはるかに心を動揺させる。皮膚は黒ずんだ革製品のような色になっていて、古い机とほとんど同じだ。死体と机が一体化しているかのようにも見える。それなのに、死体は完全な形で保存されているみたいで、白い眼球のまわりのまつげまで残っている。エレナは死体が今にもまばたきをするのではないかと思った。

「船長は船と運命を共にしたらしいな」ネルソンは携帯型の装置に意識を集中させていて、心ここにあらずといった様子でつぶやいた。

「こいつを守ろうとしていたのかもしれない」マックが懐中電灯を動かすと、光が机の上にある二本の腕をたどった。骨ばった左右の手のひらで大きな四角い金属製の箱を抱えている。箱は縦横がそれぞれ六十センチ以上、高さは十五センチほどだ。ここにあるほかのすべてのものと同じように、箱の表面も黒く変色していた。向こう側に蝶番が付いていると思われる。

「それは何？」エレナはマックにすり寄った。大きな体の存在が多少なりと安心感をもたらしてくれる。

「こっちが教えてもらいたい」

マックが死体越しに手を伸ばし、箱のふたを開けた。その中からまばゆい光がきらめく――しかし、まぶしさにまばたきをするうちに、エレナは箱の内側の金色をした表面にマックの懐中電灯の光が反射しているだけだと気づいた。

明らかになった中身の正体に衝撃を受け、エレナは思わず身を乗り出した。「地図だわ」立体的に表現された海や大陸、島々を観察する。中央に位置する海の部分は、値段がつけられないほどの価値のありそうなラピスラズリで表してある。「あれはきっと地中海ね」

地図には広々とした地中海だけではなく、アフリカ北部、中東、さらにはヨーロッパ大陸全体とそれを取り巻く大洋までも含まれていた。その範囲は大西洋にまで及んでいるが、アイスランドやグリーンランドまでは地図に含まれていない。

〈この船員たちは地図の端のさらに先まで旅を続けた〉

でも、なぜ？　探検家たちは新しい土地を探していたのか？　強風で航路から外れてしまったのか？　命の危険から逃げていたのか？　ほかにいくつもの疑問がエレナの頭に浮かんだ。

黄金の地図のいちばん上には、精巧な造りの銀色の装置がはめ込まれていた。直径十五センチほどの球体は、黄金の地図に半分埋まっている。可動式の環状のアームが何本もその表面を区切っていて、緯度と経度を示す帯状の線もあり、そのすべてにアラビア文字や数字が刻まれている。

「それは何だい？」エレナの注意が向いていることに気づいたらしく、マックが訊ねた。

「アストロラーベ。時刻と船の位置の測定や、天体と星座の特定のために、船乗りや天文学者に使用されていた装置」エレナはマックに視線を向けた。「初期のアストロラーベのほとんどは簡単な構造で、平らな円盤状だった。この球体の造りは……何世紀も時代を先取りしている」

「しかも、それだけじゃないぞ」マックが言った。「見てごらん」

マックは死んだ船長が箱の側面に添えた指先のあたりに手を伸ばした。そこにあるレバーをはじくと、中からカチカチという音が聞こえてくる。アストロラーベがひとりでにゆっくりと回り始めた。外からは見えない仕掛けで動いているのだろう。ほかの変化にも気づき、エレナは地中海を表す青い宝石に目を向けた。小さな銀色の船が現代のトルコに当たる場所を離れ、青い海を横切り始めた。

「これについてはどう思う?」マックが訊ねた。

エレナは首を左右に振った。マックと同じで戸惑うばかりだ。

ネルソンが咳払いをした。「お二人さん、そいつはそのままにしておくのがよさそうだぞ」

二人は声の方を振り返った。ネルソンの視線は携帯型の装置の画面に釘付けになっている。彼が親指でダイヤルを回すと、小さなガリガリという音が聞こえた。

「どうかしたのか?」マックが問いかけた。

「さっき、ここグリーンランドにはあらゆる資源が埋まっていて、掘り出されるのを待っているという話をした。その時、ある資源の名前を出しそびれていた。ウランだ」ネルソンが装置を高く掲げた。「俺たちが最初にここを訪れた時には、ガイガーカウンターを持ってこなかった。今回は同じミスを繰り返さないようにと思っていたのさ」

エレナは天井を見上げ、甲板から岩盤、さらにはその上の氷まで見通そうとした。「私たちは今、ウラン鉱床のど真ん中に立っているっていうことなの?」

「そうじゃない。数値が出たのはこれが初めてだ。マックが箱を開けた後に」ネルソンは腕を下ろし、手に持ったガイガーカウンターを地図に近づけた。ガリガリという音がより大きく、切迫感を伴った調子に変わる。「そいつは放射線を帯びている」

マックが悪態をつき、すぐさま箱のふたを勢いよく閉じた。

三人揃って後ずさりする。

「どのくらいの値なんだ？」マックが訊ねた。

「一分ごとに、胸のレントゲン写真一回分に相当する被爆量だ」

「それなら、ひとまずはここに残しておくとしよう」マックは二人を押しながら船倉に戻った。「この宝物の噂がよからぬ人間の耳に届くといけないので、水路の入口にこの先もしばらく見張りを置いておく。鉛のシールドを用意してからここに戻り、装置を回収すればいい。安全な場所まで持っていく必要がある」

三人は氷に閉じ込められた船を出て、冷たい川岸に戻った。マックの提案は理にかなっているが、エレナは調査の遅れが気に入らなかった。座礁した船を名残惜しそうに振り返る。どんな歴史があるのか、知りたくてたまらない。

エレナが前に向き直った時、雷鳴のような轟音が水路を震わせた。川の水が岸に打ち寄せる。氷の塊がいくつも水面に落下した。

エレナはマックのそばに駆け寄った。「また氷河地震なの？」

「違う……」

音が次第に弱まると、それに代わって別の音が聞こえてきた。何かが短い間隔ではじけるような、爆竹が立て続けに破裂しているような音。

エレナはマックの顔を見上げた。

「あれは銃声だ」そう言うと、マックはエレナの手を取った。「俺たちは攻撃されている」

2

六月二十一日　グリニッジ標準時午後零時二十八分
アイスランド　レイキャヴィク

〈こいつがいい思いつきだなんて、どこのどいつが考えたんだ？〉

ジョー・コワルスキは不満そうに息を吐き出しながら、温泉の熱い湯に大きな体を深く沈めた。額には玉のような汗が浮かんでいる。指先はしわだらけで、病的な色のプルーンみたいだ。不快さに唇を歪めながら、コワルスキは硫黄分を含んだ湯から発する卵の腐ったようなにおいを吸い込んだ。今日はこの先ずっと、自分の体もこんな風にくさいままかもしれないと思うとぞっとする。

ロマンチックな寄り道とはほど遠い。

ガールフレンドのマリア・クランドールがブルーラグーンに立ち寄るために使った口実がそれだった。リゾート施設が位置しているのはモスグリーンの小高い丘が点在する黒い溶岩原の中だ。アイスランドのケプラヴィーク国際空港――二人が一時間前に到着した場所と、首都レイキャヴィクの郊外にある国内線用の小さな空港の中間地点にも当たる。グリーンランドへの便はその小さな空港からしか出ていないのだが、あいにく次の出発便は三時間後だった。

そのため、マリアが待ち時間を利用して寄り道をしようと提案してきたのだ。

ため息をつきながら、コワルスキは前腕部を湯の外に出し、時間を確認しようとした――何も付いていない手首を見て、やれやれと首を左右に振る。腕時計がないことで、コワルスキはリゾートの外れにある「リトリート」という施設に入場する際の三つの注意点を思い出した。

まず、湯の清潔さを保つため、温泉に入る前に裸でシャワーを浴びなければならない。コワルスキが悪くないと思ったのはその部分だけだった。専用の更衣室に備え付けのシャワーで、マリアのしなやかな体の隅々にまで石鹸(せっけん)の泡を塗りたくった時のことを思い出す。すらりとした片脚に体重をかけて立っているマリアの体の曲線も。濡れたブロンドの髪を頭の上でまとめて結ぶ仕草も。その時に両手を上げると、それに合わせて彼女の胸が揺れ……

〈やばい〉コワルスキは姿勢を変えた。〈今はほかのことを考えるのがよさそうだ〉

ここは貸し切りの温泉ではない。

気を紛らそうと、コワルスキはここにいるそもそもの理由を思い返した。
このリゾート施設の二つ目の注意点は、携帯電話についてだった。多くの人が自由に行き来できる広い温泉内へのそのような機器の持ち込みは禁止されている。それに関して、コワルスキに異存はなかった。蒸し暑いアフリカから凍てつくグリーンランドへの移動を余儀なくされたのは、上司のペインター・クロウからの迷惑な電話だったことを考えるとなおさらだ。

コワルスキとマリアはコンゴ民主共和国を訪れていて、ヴィルンガ国立公園に一週間滞在する予定だった。マリアが会いたいと――少なくとも、その目で存在を確認したいと思っていたのは、三年前に彼女が野生に返したオスのニシローランドゴリラのバーコだ。コワルスキも同じことを期待していた。毛むくじゃらの大きな坊やとしばらく会えずにいたため、それに負けないほど大きな穴が心にぽっかり開いていたからだ。そのため、ペインターからグリーンランドでの発見についての連絡があり、マリアの力を借りたいと聞かされた時、コワルスキは落胆の声が出そうになるのを我慢しなければならなかった。マリアはゲノム学と行動科学の二つの博士号を取得していて、その専門は先史時代に関係することすべてだ。どうやらグリーンランドの氷の奥深くで、とてつもなく貴重な宝物を積んだ古代の船が発見されたらしい。マリアはすぐさま興味をひかれ、海洋考古学を専門とするコロンビア大学の元同僚に協力を要請するよう提案した。

二人はグリーンランドに到着したらすぐ、その女性と合流する予定になっている。コワルスキはまた時間を確認しそうになり、この施設についての三つ目の注意点を思い出した。塩分を含む温泉水は腐食性のシリカを豊富に含んでいるので、金属製のものに損傷を与えるおそれがある。そのため、チェーン、指輪、腕時計は更衣室に置いておかなければならなかった。コワルスキの安物のタイメックスもそれに該当する。

だが、あきらめなければならないのが何よりも残念だったのは、そのことではなかった。

コワルスキは湯になおも深く体を沈め、むくれた。

バーコとの再会はまたとない機会になるのではないかと期待していたのだ。ところが、それがだめになってしまった。そのため、マリアから温泉へのロマンチックな寄り道という誘いを受けた時、代案としてはちょうどよさそうに聞こえた。頭の中に浮かんだのは、ヤシの木、泡風呂、シャンパンのグラス。コワルスキは現実を見て顔をしかめた。自由に行き来できるようにつながったコンクリート製のプール、硫黄くさい湯、それを取り囲むのは黒い溶岩から成る険しい断崖。

コワルスキは首を左右に振った。

〈そうならない運命だったのかもしれないな〉

どう見てもマリアは自分とは不釣り合いだ。

コワルスキは海軍の上等水兵で、たまたまＤＡＲＰＡ（国防高等研究計画局）傘下の極秘のエリート集団に迷い込んだにすぎない。シグマフォースの仲間たちは様々な特殊部隊から引き抜かれ、科学分野の再訓練を受けている。コワルスキが持っているのは高等教育修了認定資格と、何かを吹き飛ばす生まれながらの才能だけで、そのためチーム内では爆発物専門家に任命された。自分の役割を誇らしく思っている一方で、コワルスキは深く根差した不安から逃れることができずにいた――自分はふさわしい人間ではないという思いだ。シグマフォースの記号はギリシア文字のΣ（シグマ）で、それは「最高のものの総和」を表し、頭脳と肉体の、兵士と科学者の融合を意味する。けれども、コワルスキにはわかっていた。シグマは自分の頭脳の明晰（めいせき）さよりも、上腕二頭筋の厚さに期待しているのだ。

〈まあ、そのことは受け入れるしかないよな〉

だが、受け入れてくれない人がいるかもしれないことを恐れていた。

甲高い口笛が聞こえ、そちらの方に注意を向けると、仰向（あおむ）けの姿勢になり、足で水を蹴って泳ぎながら近づいてくるマリアのスリムな体が見えた。高く持ち上げた両手で器用に飲み物を運んでいる。

「そこの大きなおにいさん、女の子を手伝ってくれないかしら？」

コワルスキはにやりと笑い、ゆっくりと拍手をした。「すぐにでも白衣を捨てて、ウエイトレスに転職するべきだな。そのビキニ姿で働くといい。大金を稼げるぞ」

マリアはそれぞれのグラスから中身を一滴もこぼすことなくコワルスキの隣に泳ぎ着

き、水中に設置されたベンチに腰掛けた。「どうぞ」

コワルスキが受け取った背の高いグラスには、濁った緑色の液体がたっぷり入っている。「こいつはビールじゃなさそうだな」

「お気の毒だけれど、ここには健康的な生活のためのものしかないの」

「だから藻のジュースを持ってきてくれたわけか」

「新鮮よ。今朝、プールの底からこすり取ったばかりだから」

本気なのか冗談なのかわからず、コワルスキは相手の顔を見た。

マリアが目を丸くして、体を寄せた。「馬鹿ね、スムージーだから。ケールでしょ、ホウレンソウでしょ、あと……」

コワルスキはグラスを顔から遠ざけた。「プールの藻の方がましだ」

「ひょっとしたら本当にそれも少し入っているかもね。でも、バナナも混ぜてくれたから。それってぴったりだと思わない？　だって……」マリアは自分のグラスを持ち上げ、コワルスキのグラスに軽く当てた。「バーコに乾杯」

コワルスキは液体のにおいを嗅ぎ、顔をしかめた。「おえっ。腹ペコのゴリラでもこんなものは飲まないと思うぞ」

「バーテンダーに多めのお金を払って、あなたの方にはラムをスリーショット、加えてもらったのに」

ずいた。

「マジか……？」コワルスキは考え直し、飲み物を一口だけすすった。バナナの味がする──それに続いて、ラムの甘い風味が舌と鼻に広がっていく。コワルスキは満足してうなずいた。

〈こいつはいける〉

マリアは自分のグラスを傾けてぐいっと飲むと、濃い青色の瞳をコワルスキに向けた。

「もちろん、私の方にはフォーショット、入れてもらったけれどね」

コワルスキは悲しそうな表情を浮かべて相手を見た。

マリアの手のひらがコワルスキの脚をさすり、トランクスの裾の下に潜り込んだ。「あなたはあんまり酔いが回らないようにしないと。さっきのシャワールームに戻ったら、してあげたいことがあるの。それにあなたはお酒を飲むと乱れ──」

「失礼いたします」背後から声が聞こえた。

コワルスキはブルーラグーンのポロシャツ姿の痩せた男性が近づく気配にまったく気づかなかった。不意を突かれるのは気に食わない。特に今は。

「何だよ、おっさん」コワルスキは少し乱暴に反応した。

男性は携帯電話が載っているトレイを下ろした。「お邪魔して申し訳ありません。お相手様が緊急の要件だとおっしゃるものですから」

トレイを挟んで、コワルスキはマリアと目を合わせた。

「お相手様」は一人しか考えられない。

マリアがコワルスキの太腿(ふともも)からそっと手を離した。「司令官は何が何でも私たちの邪魔をしたいみたいね」

〈俺のお楽しみばかり邪魔してくる〉

コワルスキは電話を手に取り、耳に当てた。「今度は何ですか?」

午後零時四十分

専用の更衣室に戻ったマリアは、タオルでふいて髪を乾かした。化粧台の上のドライヤーを使わないことにしたのは、風の噴き出る大きな音が衛星電話の着信音をかき消してしまったらいけないと思ったからだ。

数分前、リゾート施設の番号に電話をかけてきたクロウ司令官から、グリーンランドで問題が発生したと知らされた。二人がまわりに誰もいないところに戻った頃を見計らって、暗号のかかったジョーの衛星電話に連絡を入れ、詳しい情報を伝えるということになっている。

けれども、マリアにとってはすでに十分すぎる情報だった。

〈グリーンランドで問題が発生した……〉

最悪の事態を恐れて、マリアは胸が苦しくなるのを感じた。難破船を調べるようエレナに勧めたのは、自分だったのだから。

〈彼女の身に何かあったら……〉

マリアは鏡に映るジョーが黒のジーンズをはく姿を見つめた。残りの服が置いてあるところに近づきながら、濡れた胸毛をかきむしっている。黒々とした濃い胸毛も、盛り上がった胸筋ときれいに割れた腹部を隠し切れていない。ジョーはうめき声をあげながらグレーのフード付きパーカーを羽織り、無精ひげ程度の毛が生えた頭にヤンキースの野球帽をかぶった。

自分の方に向き直ったジョーの険しい表情と、少しだけねじれた鼻の下のきっと結んだ唇から、マリアは相手の思いを読み取ろうとした。だが、察知できたのはいらだちだけで、その点では自分の気持ちも同じだった。ジョーが化粧台に近づき、二メートル近い体がすぐ隣の空間を占める。マリアは肘で押しのけて一歩下がらせた。自分のブラウスを取るためでもあるし、一息つくための余裕が欲しいからでもある。どんな部屋にいても、ジョーの存在感は大きい。それが耐えられなくなる時もある。

「大丈夫か？」ジョーが訊ねた。

マリアは頬が熱くなるのを意識しないようにしながら、ブラウスのボタンを留めた。「心配なだけ。こうして待っている時間が嫌なの」

「彼女は大丈夫だ」

「そんなこと、わからないくせに」マリアはきつい口調で言い返した。

はき慣れたハイキングブーツに足を突っ込む間に、不安が怒りに変わっていく。安心させようとしているだけなのだと、彼女の気持ちを傷つけまいとしているだけなのだとわかってはいるものの、そんなジョーの性格が不愉快に感じるようになっていた。

三年前に初めて出会った時、マリアはこの人と一緒だとはらはらすると思った——危険だとすら感じた。それまで付き合った男性とはまったく違っていた。学界関係での恋人候補たちは、もっと知的なタイプの男性に限られていた——そんな中、この大きな野獣のような男性が、彼女の人生に飛び込んできたのだ。騒々しくて、厚かましくて、何とも嫌なにおいの葉巻に目がない。自分がそんな男性に心をひかれるなんて、マリアは想像すらしていなかった。でも、ジョーは笑わせてくれた——しょっちゅう、心の底から。そしてもちろん、その肉体にも夢中になった。彼とのセックスはどうにかなってしまいそうなほど素敵だ。

でも、結局はそれだけなのだろうか？

初めての出会いで世界がひっくり返るような時間を一緒に過ごしながら、マリアはこの男性の心の奥にある何かを垣間見た。まだ子供だったバーコとの交流の際には、そのことをいっそう強く感じた。特にゴリラと手話で意思の疎通を図っている時には、威圧感のある態度に少しだけ隙間ができ、その下から優しさが顔をのぞかせた。一人と一頭は父親と息子のような間柄になった。けれども、この数カ月ほど、そんな優しさの隙間はすっかりふさがれてしまったらしい。今回のアフリカへの旅行にジョーを誘った理由の一つはそこにあった。バーコとの再会が優しさを覆った何かに風穴を開けて、その下に埋もれて見えなくなってしまった光を再び輝かせてくれるのではないかと期待していた。

でも、そうは事が運ばなかった。

そのため、マリアはこの先に果たして未来があるのか、疑問を感じていた。

〈もっと大事なことは――そもそも私はそれを望んでいるの？〉

マリアは一卵性双生児の姉のレナとともに育った。同じ子宮で一緒に成長し、同じDNAを持つ二人だからこその関係の親密さをうれしく思う一方で、そうした遺伝的な共依存には反発した。マリアは自立を求めている。一人の人間として、誰の影にも隠れずにいたいと思っている。

そんな彼女の人生に現れたのがジョーだった。人並み外れて大きな影を作る男性――それは身体的な意味だけの話ではない。近頃のジョーは彼女に対してますます過保護になり、束縛に近い状態だった。

さらに厄介なことに、この数週間のジョーはより心を閉ざしてしまっていて、話しかけてもうめき声くらいしか返ってこない。付き合い始めた頃の新鮮さが薄れ、関係に飽きてしまっているのかもしれなかった。

〈それとも、私の方が彼に飽きてしまったの？〉

そのことについてもっと深く考えを巡らせるよりも早く、衛星電話が大きな音で着信を知らせた。

ジョーはひったくるように電話をつかむと、隣にやってきた。マリアにも会話が聞こえるように体をかがめる。「二人とも揃っていますよ」ジョーが言った。「いったい向こうで何があったんですか？」

「君たちを不安に陥れるつもりはないが、十分ほど前、ドクター・カーギルが考古学的な遺物の調査をしている氷河の付近で銃声、もしくは爆発音が聞こえたとの報告が入った」

マリアの体に緊張が走った。〈そんな……〉

「だが、沿岸部一帯は濃霧で航空機の離着陸ができないため、空からの確認が取れない。ハンター、もしくはほかの何者かがホッキョクグマを追い払おうとしただけかもしれない。だが、危険の可能性が少しでもあるのなら、目をつぶるわけにはいかない。最も近い村――タシーラクには少人数の警察官がいるのだが、現在は内陸部での捜索活動で手いっぱいらしい。それでも、村に残っていた唯一の警察官が調査のために派遣されたところだ」

「俺たちは何をすれば？」

「できるだけ早く、現地に向かってほしい。海軍に話をつけた。米軍はアイスランドの基地を閉鎖してしまったが、つい先頃、北極海でのロシアの潜水艦の動きを監視する目的で、数機のP-8ポセイドン対潜哨戒機を駐留させる承認を得たばかりだ」

「予想してもいいですか」ジョーが言った。「俺たちはそいつに乗せてもらうわけですね」

「現在ポセイドンが一機、国際空港の滑走路で給油を行なっている。クルスク空港――タシーラクから約四十キロの地点まで、所要時間は四十五分。到着する頃には、君たちを氷河まで連れていってくれるヘリコプターが待機しているはずだ。ただし、その先は天候次第ということになる」

　マリアは司令官の最後の一言から緊張を感じ取った。「天候がどうかしたんですか?」

「向こうは天候が急速に悪化しつつある。内陸部で発生中の季節外れのピテラックが、あと二、三時間で沿岸部を直撃するかもしれない」

「ピテラックというのは?」マリアは訊ねた。

「暴風を伴う嵐だ。風速四十メートル以上、瞬間的にはその二倍に達する。そいつに見舞われたら、沿岸部のすべての航空機は当分の間、地上にとどまることになる」

　ジョーが鼻を鳴らした。「現地の空港が閉鎖される前に、俺たちはそのハリケーンをすり抜けて着陸するというわけか」

「間に合う可能性があるのは君たちしかいない」ペインターが認めた。「その間にここD

Ｃでは、状況が悪化した場合に備えて全隊員を動員しているところだ。その必要がなければいいのだが」

「でも、危険の可能性が少しでもあるなら、目をつぶらないんですよね」マリアは念を押した。

「君にはその理由がわかるはずだ」

マリアにはわかっていた。ドクター・エレナ・カーギルはただの親友ではない。上院議員の娘でもある。マリアはジョーと視線を合わせ、胸の内の恐怖を、罪悪感を伝えた。

〈彼女を危険に巻き込んだのは私だ〉

3

六月二十一日　グリーンランド西部夏時間午前十時四十八分
グリーンランド　ヘルハイム氷河

　エレナは古代のダウ船の冷たく暗い船倉内で震えていた。恐怖のあまり心臓が喉元（のどもと）までせり上がってきている一方で、頭の中では脱出の望みがありそうなシナリオがいくつも目まぐるしく駆け巡っている。〈水路のさらに奥へと逃げる、氷の裂け目に隠れる、迫りくる何者かに気づかれないように泳いでここから離れる〉
　達した結論は一つだけ。
〈逃げ場はない〉
　マックと地質学者のネルソンも船内に隠れていた。船体にできた裂け目の左右に立つ二人の間で、ジョンが腹這（はらば）いになって唯一の武器を構えている。銃声がこだました時、イヌイットの男性は小型ボートの船尾の座席の下に隠しておいたショットガンを取り出した。

それから四人でこの船までやってきたのだった。

今は不気味なまでに静まり返っている。

銃声が鳴りやんだのは一分ほど前のことだが、襲撃者たちを追い払うことに成功したのではないかなどという淡い期待は抱いていない。銃撃の激しさから考えると、敵はかなりの人数に違いない。それに氷を揺さぶる大きな爆発音から、泥棒たちがアサルトライフル以上の武器を準備していたとわかる。たぶん、手榴（しゅりゅう）弾だろう。襲撃の終わりを告げたのは大きな悲鳴で、それを聞いた時にジョンはびくっと体を震わせた。水路の入口を見張っていたのはジョンのいとこたちだ。

一点に神経を集中させながら、ジョンは頬を銃床（じゅうしょう）に添えて二連式のショットガンを構えていた。二つの銃身は融けた氷の水路の入口側を向いている。体の横に置かれた革製の弾帯には赤い薬莢（やっきょう）が収めてあった。〈全部で十一発〉それに加えて、すでにショットガンに込めてある分が二発。マックの話では、薬莢には散弾が詰まっているのではなく、鉛のスラッグ弾が一発だけ入っているのだという。その銃弾にはホッキョクグマの体をも貫通する威力がある。

だが、これほどの武器をもってしても、大人数の相手を押しとどめておくことはできない。

別の計画が必要だ。

ようやくネルソンが一つの案を口にした。エレナが考えてもいなかった手段だ。「大人しくあいつらに黄金の地図を渡すのはどうだ？　水路のすぐ脇に置いて、持っていってもらうのさ。とてつもない貴重品かもしれないが、死んでも守ろうとするほどの価値はない」

エレナはその意見に反発した。あんなにも重要な歴史的遺物を失うなんて考えたくもない。「あれを手渡したところであいつらが帰るとでも？　あの地図のほかにも宝物があると思うかもしれないでしょ」

「彼女の言う通りだ」マックも同意した。「誰が俺たちの発見の知らせを漏らしたのかわからないし、あの泥棒どもの耳に入る前にもっと話が大きくなったかもしれない」

「だけど、やってみる価値はある、そう思わないか？」ネルソンは食い下がった。「この場所に隠れたまま、ほかに宝物なんてないと言い張って、何とか信じ込ませるのさ。俺たちの説明で納得させることができなければ、ジョンのもっと騒々しくて危険な方法がある。戦いを長引かせるより、数百万ドルの価値があるものを手に入れてここから立ち去る方を選ぶかもしれないじゃないか」

「それもそうだな」マックが認め、エレナの方を見た。手のひらを当てて懐中電灯の光が漏れないようにしているが、エレナは相手の顔に詫びるような表情が浮かんでいることに気づいた。「ネルソンの言うように、やってみる価値はある。ほかにいくつもの策があるわけじゃないし」

エレナは両腕を組んだ。まだ納得できないが、多数決で負けてしまったようだ。

「よし、じゃああれを取ってこよう」ネルソンが言った。「手遅れになる前に」

地質学者は船首に向かった。エレナも一緒に向かう。

マックは二人の後を追う前に、ジョンに言葉をかけた。「すぐに戻る」

二人に追いついたマックは、懐中電灯を覆っていた手を下ろした。エレナは突然のまぶしさに目をしばたたかせた。思わず一歩後ずさりした拍子に、かかとで壺のかけらを踏んでしまう。破片が砕ける音に、エレナはしまったと思った。考古学者が第一に考えなければならないのは、歴史が何世紀にもわたって守り続けてきたものを、そのままの状態で保存することだ。

エレナが船倉の床を見下ろすと、ほかにも割れた壺のかけらが散らばっていた。視線を船倉の壁沿いに並んだ高さのある土器の壺のうちの一つに向ける。この壺ははるか昔に割れてしまっているが、ほかは無傷のままで、粘土の栓でふさいである。

マックがエレナの視線に気づいた。「調べてみたんだが、壺の栓は蠟で密閉されている」気候学者は懐中電灯の光を床に散らばる破片に向けた。「ここにまだ残っている石油のにおいから、中身は燃料の一種なんじゃないかと思う。鯨油かもしれないな。ほかの壺を壊してまで調べたいとは思わなかったが」

エレナはそんな配慮に感謝する一方で、彼の推測が正しいかどうかの答えがわかるまで生きていられますようにと祈った。壺から目を離しかけた時、無傷の壺の一つから何かをコツコツと叩くような音が聞こえ、エレナは再び注意を向けた。まるで中に何かがいるかのような音だ。

〈今のはいったい何？〉

「さあ、行くぞ」ネルソンが促した。音が聞こえなかったらしい。

マックも懐中電灯を前に向け、仲間の後を追った。エレナは首を左右に振りながら、二人に続いた。何かを叩いているような気がしたのは、暗がりの中で音がいつもとは違って聞こえたからかもしれない。

〈たぶん頭上の甲板に水滴が落ちただけ〉

三人は船長室に急いだ。

ネルソンが最初に階段を上り、狭苦しい部屋に入った。足早に部屋を横切り、机の上にあるふたの閉まった金属製の箱に向かう。

装置が放射線を帯びているという地質学者の警告を思い出し、エレナは部屋に入ってすぐのところで立ち止まった。机の上に置かれたまま、内部のギアがまだカチカチと音を立てている。さっきこの部屋を離れた時、小さなレバーを「オン」の位置にしたままだったに違いない。

エレナは机の前のネルソンに注意を促した。「装置のスイッチを切るべきかもしれない。

作動中に持ち上げたりしない方がいいと思う。ぶつけたら内部の仕組みがだめになるかもしれないでしょ」

ネルソンが顔をしかめた。「そんなことどうでもいいじゃないか。泥棒どもが壊れた地図を手にするだけの話だ。やつらが損するからって、悲しくも何ともない。どうせ金と銀を剝がして溶かし、さっさと売り払うつもりなんだろうし」

マックが懐中電灯をエレナに手渡し、ネルソンの横に体を割り込ませた。「とにかく、そいつを切っておこう」

あわてていたためか、二人の男性はもつれ合うような格好になった。そのはずみに、ネルソンが凍ってミイラ化した船長の死体を肘で押しのけてしまった。死体もろとも椅子がひっくり返る。

凍結した体が床にぶつかる鈍い音に、エレナはすくんだ。その衝撃で何かが船長の膝の上から離れ、エレナのつま先のあたりに落下する。体をかがめて拾い上げると、四角い包みだ。アザラシの毛皮でくるんであり、端は古い蠟でかたくなっている。誰かが厳しい環境でも中身を保存しようと考え、船長は死ぬまで文字通り肌身離さずに包みを抱えていたのだろう。

大切な何かだと直感し、エレナは包みを防水仕様のアノラックの中に押し込み、ジッパーを引き上げた。体を起こしかけると、ネルソンとマックが地図の入った大きな箱を持ち上げたところだった。低い姿勢のまま作業を見たエレナは、机の表面から青銅製の短い棒が飛び出たことに気づいた。ばね仕掛けになっていて、黄金の地図の重さで動かないようにしてあったようだ。

〈まずいかも〉

古代エジプトの墓への侵入者が、うっかり罠を作動させてしまったという話を読んだことがある。エレナは二人に注意しようとした。「それを動かしてはいけ――」

机の中で大きな銅鑼の音が鳴り響いた。

二人の男性は驚き、後ずさりしようとした。その拍子にネルソンが重い箱の角をつかんでいた片手を離してしまう。箱が大きく傾いた。掛け金をしっかり留めていなかったふたが開く。

まるでスローモーションの映像を見ているかのように、エレナの目の前で繊細な造りの銀のアストロラーベが地図上の台から外れ、床に向かって落下していく。マックもそれに気づいた。すぐに片膝を突いた姿勢になり、箱を太腿で支えてバランスを取りながら、大きな手でソフトボールくらいの大きさの球体をキャッチした。

マックはほっとして大きなため息をついた。

誰もがすぐに言葉を発することができずにいると、新しい音が飛び込んできた。ネルソンのベルトに吊るしてあるガイガーカウンターがガリガリと鳴っている。さっきよりも猛烈な反応だ。

「ふたを閉じろ！」ネルソンが叫んだ。

マックがアストロラーベをアノラックのポケットに突っ込んでから、二人は箱をしっかりと持ち直した。ネルソンが素早くふたを閉めたが、ガイガーカウンターは激しく音を発し続けている。三人は怯えて顔を見合わせた。罠が装置の中心にある有害な何かを作動させたのだろうか？

マックが船長室の扉を顎でしゃくり、移動するように指示した。「爆発したりする前に、こいつをさっさと外に捨てるぞ」

今度はエレナが懐中電灯を持って先頭に立った。光線が暗い船倉の奥深くを照らし出す。何かが動いたことに気づき、エレナは天井に目を向けた。甲板下の垂木の間に隠れていた何本もの青銅製の大きなハンマーが、木材に固定された部分を支点にして弧を描くように振り下ろされる。ハンマーが高さのある土器の壺に次々と命中した。それぞれの壺の側面に穴が開く。亀裂がその外側に延びていく。

呆然と立ち尽くすエレナの目の前で、巨大な壺から油のような黒い液体があふれ出て、緩やかな曲線を描く船底に広がった。

「いいから行け！」マックが叫んだ。

エレナは再び歩き出し、先を急いだ。船倉を横切る時、懐中電灯の光が黒い油の中でうごめく緑色の光の筋を照らした。その輝きは自然界にあるものとは思えない。どう見ても鯨油ではない。

ネルソンのガイガーカウンターがいちだんと短い間隔でガリガリと鳴り始めたことで、その予感は裏付けられた。その音に合わせて、エレナの心臓の鼓動も速まる。

「くそっ、光ってやがるぞ」マックが言った。

エレナが理解するまでに一呼吸の間があった。放射線を帯びた箱を持つ二人の男性が通り過ぎるのに合わせて、油が反応しているのだ。緑色の筋が薄気味悪く光り輝く様は、地図から発する何かが油に含まれる不安定な成分を刺激しているみたいに見える。

エレナは歩く速度を落としたが、ネルソンに後ろから押された。「動き続けろ！」地質学者が叫んだ。「とにかくここから出るんだ！」

「待って」エレナは言った。「耳を澄まして」

ガイガーカウンターが発する音のほかにも、奇妙な音が船倉内に響いていた。同じ音がさっきも聞こえていた。何かを叩いているかのようなコツコツという音。それが今では複数の壺が音を発していて、叩くというよりも引っかいているかのような――まるで何かが壺の外に出ようともがいているかのように聞こえる。

エレナは二人の男性の方を振り返った。「いったい何――？」

大きな爆音にびくっとして、エレナは前に向き直った。

船倉の先を見ると、ジョンがもう一発ショットガンを発砲した。

〈まずい〉

マックが箱を床に置いた。「君たちはここにいろ」そう注意を残すと、低い姿勢で船体の裂け目に向かっていく。

エレナは懐中電灯を握り締めたまま、有毒な油が自分の方にじわじわと流れてくるのを見つめた。ガイガーカウンターが鳴っているにもかかわらず、エレナの耳には何かを引っかくようなぞっとする音しか、黒板に爪を立てているような音しか聞こえなかった。両腕に鳥肌が立つ。あの罠で何を作動させてしまったのかはわからないが、ある一つのことだけは確かだと直感した。

〈私たちはここにいてはいけない〉

午前十時五十九分

マックはジョンの隣で腹這いになった。

年配のイヌイットの男性は視線を下に動かすことなく、ショットガンに二つの薬莢を込めた。目は連なる滝となって流れ落ちるすぐ前の水路をじっと見つめたままだ。冷たい川の深みに見える複数の光は、ダイバーの存在を意味している。その手前では断熱性の高い濃い色のドライスーツを身に着けた人影が、凍結した岸に倒れて血を流していた。

〈こいつらは泳いでここまで来たのか〉

少なくとも、襲撃者の先遣部隊は。

水路の入口の方からエンジンの回転音が聞こえ、一呼吸するごとにその音が大きくなる。残りの襲撃者たちも近づいているという事実を前に、ジョンのいとこたちは逃げ延びたかもしれないとの期待がかき消される。

流れの両側で、水中の輝きのうちの二つが明るさを増した。淡い青色の水面から黒いアサルトライフルが顔をのぞかせ、古代の船の側面に銃弾を浴びせる。しかし、凍りついた木材は持ちこたえた。

ジョンが一方の狙撃手に向かって発砲したが、相手が素早く水中深くに身を沈めるかたわら、もう一人が年配のイヌイットに狙いを向けた。銃弾がさっきよりも近くに降り注ぎ、岩に当たって跳ね返る。ジョンは体を回転させ、銃弾が飛んできた方角に狙いを向けたが、もう一人の襲撃者もすでに流れの深みに姿を消していた。それ以外にも水を照らす光が三つ見える。

相手がこの水中版の危険なモグラ叩きゲームを続ければ、いずれジョンは弾切れになってしまう。マックは友人の肩にそっと手を置いた。「放っておけ」注意を与える。「いちばん有効に使える時まで、弾を残しておくんだ」

ジョンは弾を込め直しながら不満そうなうめき声で同意した。

マックは腹這いのままその隣に移動した。

〈ここからどうなるのか、様子を見ようじゃないか〉

相手がただのこそ泥でないことは明らかだ。統率が取れすぎているし、装備も整いすぎている。

接近するエンジン音がトンネルいっぱいに響き始めた。黒いゾディアックのフロート付きボートが高速で視界に飛び込んでくる――次の瞬間、かすかな光がぎりぎり届くあたりで浮かんだまま、流れの上に停止した。

ボートから拡声器を通して呼びかけが聞こえてきた。

「嵐の世界図を手渡せ！　そうすれば生かしておいてやる！」

マックは眉をひそめた。黄金の地図を思い浮かべる。あれが「嵐の世界図」なのか？　襲撃者たちがすでにそういう名前で呼んでいるならば、自分たちよりもあの地図についてはるかによく知っていることになる。

〈やはり、ただのこそ泥じゃない〉

その予想は次の指示で確信に変わった。「ドクター・カーギルに地図を我々の仲間のところまで運ばせるように」

マックはひるんだ。どうしてあの連中はエレナがここにいることを知っているのか？

「以上の簡単な指示に従えば、すべてがいい結果に終わる」

〈ああ、そうかい。今の言葉をジョンのいとこたちにも伝えてみろよ〉

「一分以内に決めろ」

床をこする足音が聞こえ、マックは背後に注意を向けた。エレナとネルソンが二人で地図の箱を抱えながら近づいてくる。

「言われた通りにするから」エレナが言った。「ほかに選択肢があるわけじゃない。相手がその気になれば簡単に奪い取れるはずだし」

ネルソンがうなずいた。「僕たちにはあいつらを阻止するだけの武器がない」

マックは体を回転させて二人の方を向いた。「その世界図――呼び名はどうでもいいが、連中がライフルをぶっ放しながらここに乗り込んでこない唯一の理由はそいつだ。傷つけたくないと思っているのは間違いない。しかし、ひとたび手に入れたら……」

「そんなためらいは不要になる」エレナがその先の説明を引き継いだ。

「でも、僕たちは協力することで時間を稼げる」ネルソンが言った。「息をしていられる時間が一分でも長くなれば、その分だけチャンスが生まれる。そうしないなら、もう死んだも同然だろ」

マックは今の意見を考えた。少なくとも、敵はエレナを欲しがっている。彼女の知識が必要なのかもしれない。それとも、彼女が上院議員の娘だから、取引の材料として使おうと目論んでいるのかもしれない。いずれにしても、これ以上の厄介な事態になったとしても、敵は彼女を生かしておくだろう。それにマックはほかの解決策がまったく思い浮かばなかった。何もかもがあっと言う間の出来事だったからなおさらだ。やっぱりネルソンの言う通りなのかもしれない。もう少し時間があれば、何か考えつくかもしれないが。

拡声器を通して最後の警告が聞こえた。「あと十秒！」

間違いなく、十秒以上の時間が必要だ――ただし、一歩ずつ進めないと。

「わかった」マックは譲歩した。「そっちの言う通りにする」

〈今のところは〉

午前十一時十二分

エレナは苦労して箱を抱えながら、船から水際に向かっていた。大きな地図は少なく見積もっても三十キロ以上の重さがある。一人ではとても手に負えないため、ネルソンが一緒に運ぶことに同意してくれた。恐怖を感じているにもかかわらず、エレナは両手で持っている謎のことが頭から離れなかった。

〈嵐の世界図。どうしてそう呼ばれているの？　それに襲ってきた人たちは、どうしてその名前を知っているの？〉

エレナとネルソンが融水の流れる川に近づくと、三人のダイバーたちが凍てつく流れの中から姿を現した。全員がアサルトライフルを構えた姿勢だ。各自の覆面の両側には小さなライトが取り付けてあり、薄暗い世界でまぶしく輝いている。

真ん中のダイバーが歩み寄った。ある程度の距離まで近づくと、ライフルの銃身をネルソンに向け、続いて古代のダウ船の方に動かす。「下に置け。すぐに戻れ」

「わかったよ、わかったってば」地質学者はつぶやいた。

エレナはネルソンと一緒に地図の箱を川岸の岩の上に置いた。地質学者は心配そうに彼女の方を見てから、暗い船へと戻っていく。その間、敵はライフルの銃口をエレナの胸に向け続けた。残るように言葉で指示されなくても意図は通じる。

エレナは震えながら待った。

襲撃者のうちの一人が太腿の真ん中くらいまでの深さがある流れに浸かったまま、手首に装着した無線を口元に動かした。アラビア語と思しき単語が切れ切れに聞こえた。エレナはアラビア語の複数の方言にも詳しいのだが、後方で流れ落ちる滝の音のせいで言葉がよく聞き取れなかった。

その呼びかけに反応して、フロート付きボートのエンジン音がいちだんと甲高くなった。ボートが急発進したかと思うと、一直線にエレナの方に向かってくる。ボートが接近すると、五人が乗っていることに気づく。全員がドライスーツを着用していた。一人は船尾で舵を操作している。二人が左右のフロートの上に身を乗り出し、ライフルを構えている。その二人に挟まれた船首部分には、まったく不釣り合いな二人組が立っていた。筋肉の壁のような体つきの人物と、拡声器を持った小柄で痩せた人物。

痩せている方がリーダーのようだ。

ゾディアックの先端が川岸に達すると、リーダーは拡声器を横に放り投げ、軽やかな身のこなしで岸に飛び移った。そこで初めて、エレナはその人物が女性だということに気づいた。体にぴたりと貼り付いた黒のドライスーツを見れば、性別に疑いの余地はない。ネオプレーンのフードが頭のほとんどを覆っているが、ふっくらした頰、黒い瞳、濃いキャラメル色の肌から、この女性が中東系なのは間違いない。

エレナは古代のダウ船に、続いて地図に視線を向けた。

〈だからこの一団――全員が中東系と思われるグループは、この宝物のことをよく知っているのだろうか?〉

エレナはここで明らかになった歴史上の謎に好奇心をそそられずにはいられなかった。

濃い色の肌の女は無言で近づくと、岸に片膝を突き、箱のふたを開けた。黄金の輝きが姿を現す。エレナは改めて地図を観察した。どうやら元の状態に戻っているようだ。小さな銀色の船は現在のトルコ沿岸部と思われる港に帰還している。上から見下ろしていたエレナは、その港町がどこなのか不意に思い当たった。

「トロイ」思わず小さな声が漏れる。

女が顔を向け、黒い瞳を輝かせながらかすかに小首をかしげた。

「どうやらおまえをここに呼び寄せた人間の判断は間違っていなかったらしい」

評価してもらえたところで何の慰めも得られなかった。女の下唇を二つに切り裂く傷跡が、白っぽい色の線となって顎から喉に通じ、その先はドライスーツに隠れて見えなくなっている。その傷が彼女の魅力まで傷つけているわけではない。それでもエレナは、黄金の地図から発生している放射線のように、目の前の女性から危険な雰囲気が濃厚に漂っていることに気づいた。

地図も女も、美しいと同時に死の危険を持っている。

女は射抜くような視線をエレナに向けた。「どこにある？」女が訊ねた。

「何のこと？」

リーダーの女は地図上の窪(くぼ)みを指差した。銀色をした球体のアストロラーベが収められていた場所だ。空っぽの窪みの下では青銅製の仕掛けが明るく輝いている。エレナは時計の針を動かすのと同じような仕組みで、この歯車や輪がアストロラーベを回転させているのだろうと思った。

「ダイダロスの鍵はどこだ？」女はなおも訊ねた。

〈ダイダロスの鍵？〉

エレナは困惑の気持ちを表情に出し、それを利用して嘘をもっともらしく見せた。「何が言いたいのかわからない。私たちが見つけたのはこれで全部」

リーダーは立ち上がり、エレナの背後にいる仲間にアラビア語で指示を出した。エレナはあるフレーズを聞き取ることができた。〈タエリムハ〉その意味は、「彼女に教訓を与えろ」

エレナが振り返ると、見上げるような大男が無言で真後ろに立っていた。この巨漢の護衛がゾディアックから岸に上がる音すらも聞こえなかった。背丈は二メートルを優に超えていて、何らかの巨人症を患っているのは間違いないだろう。ごつごつした顔面は傷跡だらけだ。額は広く、前にせり出している。感情のこもっていない冷たい目は、ホオジロザメを思わせる。

男は拳を握り、エレナの脇腹をぶん殴った。

エレナは叫び声をあげ、その場に崩れ落ちた。殴られた場所から激痛が広がり、まともに息ができない。ずっとこらえていた涙が勢いよくあふれ出る。

女はエレナを見下ろした。「二度と嘘をつくんじゃない」続いて船の方を指差し、部下たちにアラビア語で命令した。大声の指示はエレナにも簡単に訳すことができた。「鍵を確保して、皆殺しにしろ」

4

六月二十一日　グリーンランド西部夏時間午前十一時十八分
デンマーク海峡上空

いらいらのあまりじっと座っていられないため、コワルスキはP-8ポセイドンの機内を行き来していた。この二十分間で四往復目になる。

ようやく機体後部の通称「ワインラック」のところまでたどり着いた。円筒形のソノブイを格納してある場所だ。コワルスキは樽と同じくらいの大きさの回転式ランチャーに寄りかかった。付近にいるロシアの潜水艦を監視する対潜哨戒機の作業を支援するため、海にブイを撃ち込むのがこのランチャーの役目だ。コワルスキはランチャーの筒を指先で叩いた。もう片方の手は丈の長いレザーのダスターコートのポケットに突っ込んだまま、キューバ産の葉巻のセロファンをずっといじっている。

〈ここなら少しくらい吸っても気づかれないんじゃ……〉

近くには誰もいない。大型ジェット機の乗員は九人だけで、全員が機体の前の方で任務を遂行中だ。乗員たちがモニターの前で作業に集中しているため、機内は神経がぴりぴりするような静けさで、それがコワルスキのいらだちをいっそう募らせていた。

機体最前部の操縦室からポセイドンの指揮官が姿を現し、中央のモニタリングステーションに向かった。監視窓が二つあり、そのうちの一つのすぐ隣の座席には、シートベルトを締めたマリアが座っている。指揮官が立ち止まり、マリアに話しかけた。マリアの返事に対して、指揮官が笑い声をあげる。座席の背もたれに手を添えている時間が、心なしか長すぎる。

コワルスキは首筋が少し熱くなるのを感じた。指揮官は若く、笑みを絶やさず、しかも『トップガン』当時のトム・クルーズにかなり似ている。

コワルスキはポケットの中から葉巻を出すことなく、機体の前方に戻った。

大股で歩きながら、電子機器や対潜水艦用の武器が収容されている部分を通り抜ける。左舷側に座席が五つ並んでいるあたりで指揮官と相対することになった。四人の男性隊員と一人の女性隊員が光を発する様々なスクリーンの前で身を乗り出すようにして座り、機体に搭載された高度なＡＰＩ-10マルチモード捜索レーダーとＡＬＱ-２４０電子支援装置を監視している。

乗り込んできた客人が元海軍だと知り、乗員の戦術航空士は一部の装備とその能力を説明しようとした。コワルスキは三語に一語の割合で単語の意味が理解できず、すっかり時代遅れの水兵になってしまったことを思い知らされた。最新の戦争にはついていけそうもない。

指揮官はコワルスキを見てうなずいた。「あと十分で着陸すると君に伝えるためにこっちに来たんだ。ドクター・クランドールのようにシートベルトを締めて座る方がいい。これから沿岸の悪天候の中に突っ込むことになるんでね」

まるで神様にその言葉が聞こえたかのように、足もとの機体ががくんと揺れる。コワルスキは座席の背もたれをつかみ、どうにか倒れずにすんだ。一方、指揮官は満面の笑みを浮かべることでバランスを保っているかのように平然としている。

〈気に食わない野郎だ……〉

「だから言っただろう」指揮官が注意を与えた。「シートベルト着用の時間だ」

コワルスキが体勢を立て直し、指揮官を肩で押しのけて前に戻ろうとした時、戦術航空士が座ったまま体の向きを変え、大きなヘッドホンを外した。

「プルマン指揮官、レイキャヴィクに帰還中の別のポセイドンからたった今、連絡が入りました。我々の進行方向前方の沿岸に沿って、潜望鏡深度で航行中の未確認潜水艦をキャッチしたとのことです。ただ、向こうの後方に嵐があり、海面は割れた氷に覆われているため、信号を見失い、十分な確認が取れなかったとか。我々に対して、着陸前に捜索を依頼してきています」

コワルスキは腕時計を確認した。「そいつはだめだな。ロシア人どもとの追いかけっこはまたの機会にしてくれ。俺たちは今すぐにでも着陸しなければならない」

指揮官の顔に浮かんでいた笑顔がしかめっ面に変わった。「はっきりさせておくが、これは私の指揮下にある機だ。君はついでに乗せてもらっているだけだからな」

機体が再び激しく揺れ、コワルスキの両足が床から完全に浮き上がった。今度はプルマン指揮官も両側の背もたれをつかんで体を支えた。もはや笑みは完全に消えている。

操縦士から無線で連絡が入った。張り詰めた調子の声だ。「前方の嵐は超弩級の規模に成長しつつあります。しかも、急速に。シートベルトを着用してください」

コワルスキは挑むように指揮官をにらんだ。「どうやら大自然があんたから指揮権を奪ったみたいだな」

プルマン指揮官は苦虫を嚙みつぶしたような表情で戦術航空士の方を見た。「連絡してきた相手に返事をしろ。捜索の実施は無理だと伝えるんだ」

「承知しました」

戦術航空士がモニターに向き直る前に、指揮官は付け加えた。「念のため、三つのランチャーすべてを作動させる。ここから沿岸にかけてソノブイを投下するように」続いてコワルスキを一瞥する。「飛び続けるのは難しいかもしれないが、だからと言って耳を使わない手はない」

コワルスキは肩をすくめ、指揮官を押しのけた。

〈メンツをつぶさないために必要なことをすればいいさ〉

コワルスキは機体の前方に向かい、マリアの隣の座席にどさりと腰掛けた。

「向こうで何の話をしていたの？」マリアが訊ねた。

「寄り道をしようなんて気を起こすやつが現れないように、注意していただけだ」

マリアが体をひねり、後方を見ようとした。その手がコワルスキの手をつかみ、ぎゅっと握り締める。「寄り道をすることになりそうなの？」

「俺が目を光らせている限り、そんなことはさせない」

マリアがため息をつきながら座り直した。手を離そうとしたが、コワルスキはつかんだまま握り続けた。マリアの手は熱を持っているものの、顔色は青ざめたままだ。どこかうつろな目からは不安と罪悪感をはっきりと読み取れる。友人は無事だと安心させるために何の裏付けもない慰めの言葉をかけても意味がない。伝えることができるのは事実だけだ。

「もうすぐ着陸するからな」コワルスキは約束した。

〈手遅れになる前だといいんだが〉

5

六月二十一日　グリーンランド西部夏時間午前十一時二十分
ヘルハイム氷河

感情のこもっていない目をした巨漢に腹部を殴られたエレナが、融水の流れる川岸に倒れ込んだ。

〈とんでもない野郎だ〉

マックは彼女を助けてやろうと、守ってやろうと思い、船体の裂け目に向かって足を一歩踏み出した。

ネルソンが肩をつかんだ。「君にできることは何もないよ」そう言ってマックのアノラックを握り締め、中に引き戻す。「それにこっちにもお客さんがおいでになるみたいだぞ」

外から命令を叫ぶアラビア語の声が聞こえた。攻撃部隊がそれに反応し、左右に展開しながら座礁したダウ船に向かって低い姿勢で走り寄る。一人が仲間の接近を援護するため、船体の裂け目を目がけてライフルの銃弾を浴びせた。

ジョンが撃ち手に向かってショットガンの二つの銃身から一発ずつ発射した。胸に弾を受けた敵の体が後方に吹き飛び、そのまま川に落下する。ジョンが転がりながら裂け目の片側に逃れるのとほぼ同時に、さっきまで彼のいた場所に敵の銃弾が降り注いだ。無傷のまま、ジョンがマックとネルソンに合流する。外ではジョンの反撃を受けて、襲撃者たちの接近がより慎重な動きになった。

それでも、大して時間を稼げるわけではない。

「隠れる場所が必要だ」ネルソンが暗い船倉の奥を指差した。「バリケードを築いて船長室に立てこもるのがいいかもしれない」

ほかにいい案が思いつかなかったため、マックは懐中電灯でそちら側を指し示し、友人を突き飛ばした。「行け」

三人は揃って船首に急いだ。船底に油がたまった一角に差しかかると、足音が液体を跳ね散らす音に変わる。地図が船の外に運び出されたためか、液体は再び暗くなっていた。

しかし、そのことから別の疑問が浮かんだ。

「もしかすると、こいつは可燃性かもしれない」液体の中を走りながらマックが指摘した。「火をつけたらバリア代わりにできるし、連中を追い払えるかもしれないぞ」

「あるいは、自分たちの命取りになるかもな」ネルソンが反論した。「いいかい、これは木造船なんだぞ。燃やすのは最後の手段にしないと」

ネルソンがしゃべっている時、彼のすぐ後ろにある巨大な土器の壺が、例の緑色の光で明るくなった。ハンマーで開いた穴や亀裂から輝きが外に漏れている。マックはその光の向こうで動く影に気づいた。鋭い爪でかたい粘土を引っかいているような音も聞こえる。

マックは立ち止まり、目を凝らした。

〈どういうことだ……？〉

間違いなく、あの中には何かがいる。でも、いったい何が？　何百年もたっているのに、まだ生きているなんてありえない。何らかの方法で、あの薄気味悪い油の中に保存されていたのだろうか？　マックの脳裏に天井から振り下ろされるハンマーがよみがえった。油が流れ出す様子は、まるで妊娠した女性が破水するみたいだった。何かが生まれようとしているのか？

「ぼやぼやするなよ」ネルソンが口を開いた。「君の光がこっちに必要――」

「静かにしろ」マックが小声で注意した。

だが、手遅れだった。

まるで声が聞こえていたかのように、ネルソンの後ろで輝きがひときわ明るくきらめいたかと思うと、壺が破裂し、中身を外に解き放った。クモの巣が一度にいくつも爆発したみたいに、カニを思わせる生き物の大群が飛び散った。何百匹もいる。一つがカップの受け皿くらいの大きさで、そのまわりには節を持つ長い脚が付いている。生き物は当てもなくあらゆる方向にうごめいていて、船倉の壁をよじ登り、垂木の上を這い、油の中に飛び込むやつもいる。動き回っているうちに、その関節から油に浮かび上がったのと同じ緑色をした液体が流出した。あたかもあの不気味な物質が燃料となっているかのようだ。

そんな薄気味悪い輝きの中で、マックはかたい甲羅がキチン質あるいは貝殻でできているのではないことに気づいた。青銅でできている。そのことを認識し、マックは唖然とした。これは命ある生き物ではない。邪悪な炎によって鍛造され、危険な液体を燃料として動く、人工の怪物だ。

その予想が正しいことを証明するかのように、そのうちの一匹が燃え上がった——続いてもう一匹、さらにもう一匹。流れ出る緑色の液体が湿った空気に反応しているらしい。謎の生き物は炎に包まれてもなお動き回り、ほかの仲間にぶつかると、その仲間も燃え上がる。

天井の垂木の下側を移動していた一匹が、その途中にできた太いつららを伝い始めた。高熱で氷が融けていくが、水が滴り落ちるわけではない——炎に包まれた水滴が床にたまった黒い油に落下していく。怪物の内部の液体が水にも引火しているかのように見える。

〈ありえない……〉

マックは地獄さながらの光景が理解できず、炎のショーのような恐怖に目が釘付けになった。

ネルソンはもっと激しい反応を示した。叫び声をあげ、前につんのめりそうになる。マックは友人の手を取って体を支えた。だが、ネルソンの悲鳴は船倉内に響きわたり、おそらくその影響からか、さらに二つの壺が破裂した。それとともに小さな青銅製の怪物がさらに何百匹も飛び散る。新しく生まれた怪物たちが壁や天井を目まぐるしく駆け回る。

ネルソンが背中をつかもうとして体をよじった。「取ってくれ……」

マックが友人を後ろ向きにすると、青銅製の燃えるカニが一匹、背中にしがみついていた。アノラックに突き刺さった何本もの鋭い足が激しく動いていて、ゴアテックスやダウンを引き裂いたり燃やしたりしながら、その下にある肉を求めている。

マックが反応するよりも早く、別のカニがネルソンの肩をよじ登り、喉に飛びついた。マックは懐中電灯で叩き落とそうとしたが、すでに数本の足がやわらかい肉に深く食い込んだ後だった。刺さったあたりの皮膚が黒くなり、煙を噴く。

ネルソンが苦しそうに表情を歪ませ、口を大きく開いた。喉の奥で獣を思わせるゴボゴボという音が鳴る。口からうっすらと煙が立ち昇っている。マックはこの怪物がつららを融かし、水を火に変えた様子を思い浮かべた。

こいつらにかかったら、人間の血はどうなってしまうのか？

自分の心臓の鼓動がはっきりと聞こえる中、マックは懐中電灯を船長室の方に投げ、ネルソンの喉にしがみついたカニの甲羅を両手でつかんだ。引き剝がして放り投げると、沸騰した血と炎がその後を追うように飛んでいく。マックに抱えられたネルソンは立っているのもやっとで、うめき声をあげており、痛みとショックで半ば意識を失った状態だ。マックは手のひらで傷口を押さえ、その周囲の黒く変色してひび割れた皮膚でまだちらちらと燃えている炎を叩き消した。

「手を貸してくれ」マックはかすれた声で言った。

近くにいるジョンは、警戒しながらショットガンの銃口を周囲に向けていた。マックの要請を受けて水音を立てながらやってくると、ネルソンの背中にくっついた生き物が肉をえぐる前に、武器の銃床で払いのけた。

二人はネルソンを抱えて船長室に向かった。

けれども、さっき投げ捨てた懐中電灯の光が照らす前方の床の上には、燃える青銅製の怪物の大群がうごめいていた。さらに多くの数が壁を這い回り、垂木にしがみついている。あれだけの数をやり過ごして通り抜けることなど無理だ。

だが、マックはカニの怪物たちが黒い油から距離を置いていることに気づいた。自分とジョンがまだ襲われずにすんでいる理由はそれしか考えられない。しかし、ネルソンは最初に破裂した壺のすぐ近くにいた。たまたま彼の方に吹き飛んだ二匹が、黒い海の中にあるいちばん手近な島に着地したのだろう。

マックは壺を叩き割るハンマーと、あふれ出る油を思い浮かべた。黒い油は絶縁体のような役割を果たしていたのだろうか？　この生き物を再び活性化させるためには、まず壺から油を取り出す必要があったのだろうか？

床にたまった油の端にたどり着いたマックは、自説を検証してみることにした。油の中で足を大きく振り、いちばん近くにいるカニに向かって黒い波を起こす。波がカニにたっぷりかかると、まばゆい炎がたちまちのうちに消える。カニが油の筋を残しながら這い回る——やがて動かなくなった。

ジョンがマックの顔を見た。

何らかの意味はあるが、この知識がどうやったら助けになるのだろうか？　油をまき散らしながら怪物の間をすり抜けようにも、残りの道筋はまだ距離がありすぎる。全身を油に浸せば虫よけのように使えるかもしれない。しかし、人体に有害かもしれないというリスクを冒してまでそうするべきなのか？

耳をつんざくようなライフルの発砲音が立て続けに響き、決断を迷っている余裕はなくなった。マックが首をすくめると同時に、銃弾が次々と油に突っ込み、跳ね返って壁に当たる。ジョンが声をあげると同時に、銃弾のかすめた頬に赤い筋が走った。マックは左腕を引っ張られたような気がした。アノラックに開いた穴からダウンが飛び散る。ネルソンの頭がマックの側頭部にぶつかる。マックは顔面に熱い血がかかると同時に、砕けた骨の破片がぶつかるのを感じた。

おそるおそるネルソンの方を見ると、友人の顔の半分が吹き飛んでいた。

それでも、マックはネルソンの体をしっかりと抱えたまま、床にたまった油の中に身を伏せた。

ジョンもそれにならう。

マックは船尾の方に顔を向けた。船体の裂け目からさらに何人もの男たちが侵入し、左右に展開する。ジョンが体をねじり、ショットガンを構えようとした。

「やめろ」マックは警告した。

ライフルの銃声はさっきのネルソンの悲鳴よりもはるかに大きかった――同時に、はるかに激しい反応の引き金になった。周囲の壺が不気味な予兆で震えたかと思うと、次から次へと破裂し、中身の怪物たちを解き放った。

大群が節を持つ脚で這いずり回りながら、新たな乗客たちの方に向かっていく。緑色の血液が金色の炎になって光り輝いた。その光景にあわてふためき、襲撃者たちが青銅製の大群に向かって乱射する――それはさらに多くの怪物たちを招き寄せる結果に終わった。船倉内のありとあらゆる表面を伝い、仲間の体によじ登りながら、獲物を目指してひたすら進んでいく。

〈こいつらは音に引き寄せられる……〉

その時ようやく、マックは青銅でできたカニが目を持っていないことに気づいた。何も見えないので、音に反応しているのだ。船長室の方に目を向けると、そちら側にいた怪物たちも騒ぎを聞きつけ、金色の燃える流れとなって壁や垂木をいっせいに伝いながら、銃声と新たな悲鳴の方に移動している。そのうちの一匹が頭上でバランスを崩し、たまった液体の中に落下した。油に触れた途端、炎がふっと消えた。

マックは罪悪感と悲しみで苦悩の表情を浮かべつつ、ネルソンの体から手を離した。ジョンをつつき、暗い船長室に向かうよう合図を送る。これはあの避難場所にたどり着くためのまたとないチャンスだ。二人は伏せていた油の中から立ち上がり、低い姿勢で船長室の入口を目指して走った。

先に到着したマックは中に入るようにジョンを促し、懐中電灯を拾い上げた。船倉の方を振り返ると、内部は地獄を思わせる輝きを放っていて、散発的に銃声が聞こえる。船内に入った者たちはのたうち回り、悲鳴をあげている。その体には皮膚を引き裂き、肉をえぐる青銅製の怪物が群がっている。肉が燃えて煙を噴く。体内で血が沸騰する。

呆然と見つめながら、マックは冷たく暗い船長室に後ずさりした。扉を閉めかけた時、左手にある巨大な――ほかと比べて二倍はありそうな大きさの壺が割れ、その中から馬鹿でかい何かが姿を現した。マックの脳は目の前の存在をすぐには理解できなかった。何枚もの青銅製のプレートが組み合わさってできていて、人工の口には炎が詰まっており、二本のがっしりした脚をピストンのように動かしながら歩いている。

ジョンがマックを部屋の奥に引っ張り、扉を閉めたので、この世のものとは思えない光景は見えなくなった。イヌイットの男性は青銅製のかんぬきを動かしてしっかりと固定し、怪物を締め出した。

〈いや、ただの怪物じゃない〉

ジョンが目を合わせ、その名前を口にした。「トゥーンガク」

マックはうなずいた。まさしくそれが正体だ。

〈悪魔〉

午前十一時四十分

エレナはラバー製のゾディアックの中でうずくまっていた。フロート付きボートは岸から離れ、融水の流れの上に浮いている。岸の方を見つめるエレナが震えているのは、寒さよりもほかの理由の方がはるかに大きかった。

視線の先では古代のダウ船が炎上していた。暗闇の奥で炎が躍り、煙が視界を遮っている。その手前に目を移すと、船の残骸から金色の炎が何本も帯状に流れ出て、冷たい川まで到達していた。水面では岸に沿って燃える筏を形成し、その先端をボートに向かって延ばし始めている。

　船首部分にいる女が操舵手に向かって怒鳴った。相手がうなずき、ゾディアックを方向転換させる。危険を冒して炎に近づく気などさらさらないようだ。今も高熱で天井部分の氷が融けつつある。はるか昔に氷河を形成した水が降り注いでいるが、炎は消えるどころか、むしろ雨によって激しさを増しているように見える。

　すでにヘルハイム氷河には中心部で発生した強い炎の影響が及んでいた。あちこちで氷が音を立て、亀裂が生じている。トンネルがいつふさがってもおかしくないと察したのだろう、操舵手はゾディアックの速度を上げた。

　ダウ船を見つめるエレナを乗せたまま、ゾディアックがカーブに差しかかった。古代の船が視界から消える直前、煙の間から何かが姿を現した。エレナはそれが奇跡的に生き延びたマックであってほしいと祈った。だが、煙幕に包まれて現れたのは盛り上がった肩を持つ怪物で、その内部では炎が燃えているために、大きな体が赤々と輝いている。角が生えているのも見えたような気がした——だが、ゾディアックがカーブを曲がったため、それ以上は確認できなかった。

　エレナは前に向き直り、左右の腕で両膝を抱えた。

　この数分間の恐怖で受けたショックのせいで、感覚が麻痺してしまっている。

少し前のこと、地図がボートに運び込まれた時、エレナの耳にネルソンの悲鳴が届いた。全員がダウ船の船倉から外に漏れる不気味な輝きに目を向けた。リーダーの女が無言で古代の船を指差すと、攻撃部隊が船体の裂け目を駆け抜けた。彼らが中に入ると、乾いた銃声が鳴り響いた。

エレナはマック、ネルソン、ジョンの顔を思い浮かべながら、ずっと手で耳をふさいでいた。

それに続いて、大勢の悲鳴が聞こえてきた。

手のひらでしっかりと耳を押さえつけても、叫び声から伝わる戦慄（せんりつ）と流血を遮断できなかった。敵の一人が再び姿を現し、船体の裂け目のすぐ外でがっくりと両膝を突いた。まるで燃える青銅の鎧（よろい）をまとっているかのように見えたのは、その青銅製のプレートの一枚一枚が動きながら体に食い込み、ネオプレーンのドライスーツや皮膚を引き裂いていたためだ。傷口からは沸騰した血があふれていた。男が激しく背中をそらすと、背骨やほかの骨の折れる音が鳴り響き――次の瞬間、爆発とともに黒ずんだ皮膚とまばゆい炎の塊と化したのだった。

巨漢のボディーガードはリーダーの肩をつかみ、彼女を引きずりながら残る部下たちとともにゾディアックに向かった。最初、女は抵抗し、ダウ船の方に一歩足を踏み出した。だが、すでに船は激しく燃えていて、炎が広がりつつあった。女は顔をしかめながらも船に背を向け、残った全員に対してボートに乗って水路に出るよう指示した。

苦労して手に入れた戦利品を失うような危険を冒すつもりはないということだ。たとえ地図が完全なものではないとしても。ゾディアックが冷たい川を高速で進む中で、女の黒い瞳がエレナをとらえた。無言でじっと見つめながら、女が二本の指でドライスーツのフードを外し、頭を左右に振ると、カラスの翼を思わせる漆黒の髪があらわになる。エレナは相手の険しく抜け目のない眼差しの奥で、ギアが回転しているような気がした。囚人をどう扱うべきか、熟慮しているところに違いない。

女がようやく顔をそむけると同時に、ゾディアックが氷河の外に飛び出した。すぐさま強風がエレナたちに襲いかかる。フィヨルドの海面には白波が連なっていた。海上にはまだ霧がかかっているものの、濃い部分が断片的に見えるだけだ。

嵐が近づきつつある。

ゾディアックが波にもまれながら進んでいくと、霧の合間に目的地が見えてきた。青い海から黒い艦橋が突き出ている。ゾディアックが高速でそこに向かううちに、潜水艦の浮上に合わせて波に洗われる甲板が姿を現した。操舵手はゾディアックの船首部分をその甲板に乗り上げ、ボートの動きを止めた。

リーダーが甲板に飛び降り、てきぱきとした口調で命令を発した。二人の部下が重い地図の箱を持ち上げる一方で、大男がエレナに近づいてくる。エレナは触られるのを避け、自力でボートを降りた。

全員が甲板に移ると、操舵手もボートを降り、ゾディアックを海の方に蹴飛ばした。続いてアサルトライフルを構え、左右のフロートに向かって乱射する。ボートがゆっくりと波の下に沈み始めた。海にのみ込まれていくボートを見るうちに、エレナは潜水艦の甲板を通じてエンジンの振動を感じた。どうやらチームは一刻も早くこの海域を離脱しようとしているらしい。

ただし、その前にまだ一つ、片付けるべき任務が残っていた。

エレナはこもった爆音が聞こえると同時に、足もとの甲板が上下に揺れるのを感じた。白波を切り裂くように一本の白い筋が延び、高速で遠ざかっていく。〈魚雷……〉エレナは手で首筋を押さえながら、ヘルハイム氷河の白い壁を見つめた。その直後、強風の吹き荒れる中で氷が空高く砕け散り、かなり離れた位置にいる潜水艦にまで衝撃波が伝わった。氷河の巨大な一部が剝落（はくらく）し、真っ白なギロチンとなって水路の開口部付近に落下する。

氷の塊が着水すると巨大な波が発生し、潜水艦の方に押し寄せてきた。

「来い」女が命令した。

エレナは無視して海に飛び込もうかとも考えた。

その迷いを察知したかのように、女はエレナの正面に立った。「おまえが知る必要のあることはたくさんある」鋭い視線がエレナに突き刺さる。「おまえが知りたいと思うはずのことも」

エレナは握り拳を作りながら、女に向かってふざけるなと吐き捨てようとした。けれども、例の地図と、それにまつわる謎が頭によみがえる。この女の言う通りだ。

〈知りたい〉

エレナは踵（きびす）を返すと、拳をきつく握り締めたまま艦橋に向かった。知的好奇心に突き動かされている一方で、エレナにはもう一つの目標ができていた。マックのにやけた顔を、ネルソンの目の楽しそうなきらめきを、ジョンの内に秘めた強さを思い返す。

〈絶対に復讐（ふくしゅう）してやる〉

6

六月二十一日　グリーンランド西部夏時間午後零時十五分
グリーンランド　タシーラク

〈エレナはまだ生きている……〉

マリアはこの小さな希望のかけらから慰めを得ようとしたものの、地元の警察官によるそのほかの報告は悲惨な内容だった。

レッドハウス・ホテルの居心地のいい食堂で、湯気が立つほど熱いコーヒーの入ったマグカップを両手で抱えて座っているところだ。室内には何組かのテーブルと椅子、こぢんまりとした読書用のスペースがあり、高い棚には新品のものからはき古したものまで、色とりどりのスノーブーツが並んでいる。真っ赤な下見板の壁にはキング・オスカルズ・ハーバーを一望できる大きな窓があり、いつもならば素敵な場所だと思うところだが、今の状況ではそんな気分になれない。

食堂には大勢の村人たちが集まっていた。魚雷の爆発音は村中に聞こえたらしく、誰もが情報を欲しがっている。

全員の視線は唯一の目撃者に向けられていた。

「トンネルは消えてしまった」テーブルの向かい側に座る警察官のハンス・ヨルゲンが報告した。カーキの制服の上に毛裏のシェルパジャケットを着用していて、ジッパーは開けたままだ。訛りからデンマーク系だとわかるし、短く刈り込んだ金髪にもそのことは見て取れる。「魚雷は氷河の壁面を広範囲にわたって吹き飛ばした。かなりの部分が崩壊してしまったよ」

「潜水艦について、ほかに何か教えてくれないか？」プルマン指揮官が質問した。グリーンランドに着陸後、近くの海域で潜水艦が目撃されたという情報は軍用機にも伝わった。指揮官はマリアとジョーを村まで運ぶヘリコプターに自分も同乗すると強硬に主張した。ほかの乗員たちは空港に残り、山岳地帯から吹き下ろす暴風で機体が飛ばされないように備えている。「艦橋に艦種記号が付いていなかったか？　文字や数字は？」

ヨルゲンは首を左右に振った。「さっきも言ったように、氷河のフィヨルドに着くと同時に爆発を目撃した。私が乗った巡視船はまだ三キロも沖合に位置していたんだ。潜航前の潜水艦を双眼鏡で確認できただけでも運がよかったよ」

マリアはマグカップを抱える手に力を込めた。「ドクター・カーギルが乗せられるのを見たというのは確かなの？」

警察官はうなずいた。「明るい青色のアノラックを着ていたから目立っていた。潜水艦のほかの乗員は黒のネオプレーンを着用していたんでね」

マリアはプルマン指揮官を見た。「その潜水艦を追跡する方法は何かないの？」

指揮官はとがめるような目つきでジョーを見た。ジョーは火のついた葉巻を上下の歯の間に挟み、平然としている。「地上からできることはほとんどない」指揮官が答えた。「だが、投下したソノブイの監視は続けている。幸運なことに、我々のポセイドンは最新鋭のマルチスタティック・アクティブ・コヒーレント・ブイを装備していた。数日間はソナーパルスを発信できるし、かなり離れた距離にも届く。ブイだけでもある程度までは導いてくれる。飛ぶことができさえすれば……」

その先は言うまでもないと、指揮官は肩をすくめた。

〈しばらくの間、それは無理〉

ここまでのヘリコプターでの短時間の飛行は、ペイントシェイカーの中を飛んでいるも同然だった。風は強まる一方で、刻一刻と激しさを増していた。飛行中、操縦士は関節が白くなるほど操縦桿(そうじゅうかん)を強く握り締めていて、声こそ出ていなかったものの、唇の動きは祈りを捧げているかのように見えた。無事に着陸した時には、操縦士の髪の毛は汗で額にべったりと貼り付いていた。

〈当分はどこにも行けない〉

集まった村人たちの中から誰かが呼びかけた。「ほかの人たちはどうなんだ？」大声の質問が聞こえた。「その女の人と一緒だった三人は？」

「アープ！」ほかの人の声が加わった。イヌイットの言葉で答えを要求しているのだろう。ヨルゲンが大勢の村人たちの方を向いた。「ウトカツェルプンガ」警察官はすまなそうに答えた。「わからない。ドクター・カーギルだけしか見なかった」

ジョーが大量の煙を吐き出した。「三人とも死んだか」ぶっきらぼうな調子で指摘する。「それとも、爆発で氷の塊の中に閉じ込められているか」

プルマン指揮官がテーブルに身を乗り出し、声を落とした。「もし生きているならば、何が起きたのかを知っているかもしれないし、誰がドクター・カーギルを連れ去ったのかも教えてくれるかもしれない」

「生きているならば、だけれどな」ジョーが言った。

ヨルゲンもうなずいた。「生きていようがいまいが、誰も三人のところまでは行けやしない」

「僕ならできるよ」村人の間から声があがった。動物の皮でできた上着にブーツといういでたちの、痩せた人物が前に進み出た。まだ十五歳にもなっていないような少年だ。毛量の多い黒髪をつるっとした額の上で真っ直ぐに切り揃えている。

ヨルゲンが声の方をさっと振り返った。「ヌカ、水路の入口はふさがってしまった。もう一度あの中に入る方法はないいんだよ」

「いいや、あるね」少年は半ば喧嘩腰で自信たっぷりに言い返した。

ヨルゲンが反論しようとしたが、ジョーが制止した。「どうやって？」

「見せてあげるよ」少年は親指で出口の方を指し示した。外では風がうなり声をあげていて、扉をガタガタと揺らしている。

「あきらめるんだな」警察官が警告した。「こんなピテラックの真っ最中に外出するやつなんていない」

「でも、僕は行くよ」ヌカは扉の方を向いた。「あそこにいるのは僕のおじいちゃんだからね」

マリアは少年の頑なな態度を理解した。まだ幼さの残る顔には、恐怖とともに断固とした決意が浮かんでいる。彼の祖父はエレナたちを氷河の内部に案内した年配のイヌイットの男性――ジョン・オカリクなのだ。

ジョーが立ち上がり、葉巻を靴で踏み消した。彼が吸いかけの葉巻を捨てるのは、状況が差し迫っている時だけだ。「坊や、俺も一緒に行くぜ」

マリアはジョーの方を見た。「ジョー……」

ジョーは手を振り、それ以上は何も言うなと合図した。「ここに座って何もしないまま、風がこの建物の屋根を引き剝がそうとする音をじっと聞いていられるかっていうんだ」その目がマリアを正面から見据える。「そいつらがまだ生きている可能性がほんのわずかでもあるのなら、バックホー一台しかなかったとしても掘り出してやる。君の友人の身に何が起きたのかを知っているのは、彼らしかいないんだからな」

マリアは手を伸ばし、ジョーの腕に触れた。「わかっているわ。さっきは『私もあなたと一緒に行く』って言おうとしたの」

ジョーが体をこわばらせた。「待てよ。俺が言いたいのはそういうことじゃないぞ。いちばんいいやり方は――」

マリアは相手の言葉を遮って立ち上がった。「もう決まったこと。あなたの言い分はとても説得力があったから」

ジョーが厳しい目で見つめている。どこまで押し通すべきか、見極めようとしているのだろう。やがて正しい決断を下し、返事の代わりに肩をすくめた。

ヨルゲンが二人を交互に見た。「君たちは頭がどうかしているぞ」

「もっとひどい言われ方をした経験もあるよ」ジョーがヌカに向かって手を振った。「君が知っていることを見せてくれ、坊や」

ヌカが扉の方に向かった。「じゃあ、行こう。おじいちゃんはきっとまだ生きている。でも、僕たちが急がないと、そんなに長くは無理だよ」

「君の考えている通りだといいんだがな」ジョーが少年の細い肩をバシッと叩いた。「ケツの穴が凍るような思いをして無駄足に終わるのはごめんだからな」

午後零時二十二分

「イチかバチか、やってみないと」マックは言った。

極寒の水に腰まで浸かりながら、マックは青銅製のかんぬきを船長室の扉から外した。ジョンの方を見ると、うなずきが返ってくる。

〈どうせ死ぬなら、やるだけのことをやってからだ〉

三十分前、すさまじい爆発が氷河全体を震わせた。その時マックは何トンもの氷の下敷きになると覚悟した。しかし、爆発音のこだまが聞こえなくなっても、マックとジョンはまだ生きていた。やがて船長室に水が流れ込んできた。融水の川が爆発で崩落した氷によってせき止められてしまったのだろう。

マックには何が起きたのか予想がついていた。連中は帰りがけに氷河を吹き飛ばし、出入口を完全にふさいだのだ。

罠にかかった二匹のネズミのように溺れ死ぬのを待つよりはと、マックは深呼吸をしてから扉を押し開けた。水かさが増しているので、かなりの力が必要だ。マックは燃えるカニの大群が襲いかかってくるのではないかとひるんだ。だが、懐中電灯の光を外に向けると、船尾側の半分は消えてしまっていた。船倉のまだ残っている部分も煙を噴く瓦礫と化していて、数カ所で燃える木材の炎が内部を照らしている。水が届いていない天井付近の垂木にも、まだ炎が残っていた。

濃い煙を通して見ると、暗闇で赤々と輝くカニの姿が確認できる。水面を漂う木材の上にうずくまっているやつもいれば、氷の塊に乗っかっているやつもいる。水に浮かぶ死体の背中にも二匹がしがみついていた。ほとんどのカニは動いていないようで、炎も消えかけている。数匹が弱々しく脚を動かしているだけだ。

怪物がどんな物質をエネルギー源にしているのかはわからないが、どうやらその力は失われつつあるらしい。マックはもっと大量にいたはずのカニの姿を探したが、ほかはどこにも見当たらない。急激な増水に対応できず、溺れてしまったのかもしれない。

そう思いつつも、先に立って船倉内をゆっくりと横切るマックは、目に見えるカニの怪物から慎重に距離を置いた。

ジョンがマックの肩を軽くつつき、船体の裂け目を指差した。それに続いて、今度は指先を上に向ける。マックはうなずいた。

〈水から出る必要がある〉

二人とも防寒着の下にドライスーツを着用していたが、それでも冷たさが体の芯にまで入り込んでくるのを防ぎ切れない。マックは歯を食いしばり、ガチガチと鳴らないようにした。太腿から足先にかけての感覚がほとんどなくなっているので、真っ黒な水の下に隠れた平らでない床を歩くのは容易ではない。

ようやく裂け目までたどり着いた二人は、まだ燃えている木から距離を置きながら船の側面をよじ登った。甲板に出ると、船の前半分はほとんど無傷だとわかった。船首部分はまだ氷にしっかりと埋まったままだ。

マックは甲板の上から周囲の様子を調べた。そうしている間にも、天井部分から氷の断片が剝がれ、水中に落下する。大きな波が船体の側面に打ち寄せると、燃える水面が揺れ、いくつもの死体が流れてきた。

マックは友人のネルソンのことを考えまいとした。

〈今は死を悼んでいる場合じゃない〉

氷の落下はより差し迫った危険の存在を示している。

船長室に隠れている間に、新たな震動や何かが割れる雷鳴のような音が断続的に発生していた。氷河の重みがこのもろい隙間を押しつぶそうとしているのだ。マックには何が起きようとしているのかわかっていた。この地で十年間も研究していれば、氷の動きを読むことくらいできる。

〈この場所はあまり長くは持たない。いつ崩れてもおかしくない〉

だが、それがいちばんの問題ではないかもしれなかった。目の前を流れる川は湖と化していた。しかも、水は引き続きここに流れ込んでくるので、水面が二人のいるところまで徐々に近づきつつある。水かさが増すのに合わせて、濃い煙は少なくなる一方の空気中に充満することになるため、息苦しさも増している。

ジョンが激しく咳き込んだ。

あいにく、何かがその音を耳にした。

船の右舷側の煙の奥から怒りの咆哮がとどろいた。心臓が口から飛び出しそうになりながらも、マックは甲板の手すりの近くに移動した。あの油を満たした壺から出現した怪物はカニだけではなかったことを思い出す。

マックは下をのぞいた。トンネルの天井のかなりの部分が剝がれ落ちて川岸に散乱し、船と流れ落ちる滝の間に積み重なって、氷と岩から成る防波堤が築かれている。

その瓦礫の中を何かが動いていた。

煙を縫うその進路を炎が照らし、巨体を垣間見ることができる。ジョンが咳き込んだ音に引き寄せられて二人の方に近づいてくるが、船の周囲の濃い煙幕に包まれるとその姿が見えなくなる。

マックは固唾をのんだ。息を吐き出す音ですら聞かれてしまうのではないかと怖くなる。暗がりを見通そうと懸命に目を凝らす。

〈どこに――〉

何かがダウ船の側面に激突し、船全体が大きく揺れた。マックは思わず甲板に片膝を突いた。ジョンはしっかりと立ったままショットガンを肩に添えて構え、二本の銃身を下の暗闇に向けている。

怪物がいらだちもあらわに吠えると、口から炎が噴き出し、燃えるカミソリのように連なる歯が浮かび上がった。野獣のような頭部には湾曲した青銅製の角が二本、生えている。一声吠えた怪物は後ろ足で体を支えて立ち上がり、左右の前足を振り回した。その裏側には剣のような突起が並んでいる。

次の瞬間、怪物は再び四つん這いになり、煙にかすんだ暗がりに姿を消した。

雄牛とクマが一つになったような殺人マシンが、船体の横を行ったり来たりしている音が聞こえる。

天井から新たに氷の一部が剝がれ、水かさを増しつつある湖に落下した。マックはジョンと顔を見合わせた。相手の表情にも恐怖が浮かんでいる。

〈ここにとどまっていてはだめだ〉

あの怪物に殺されなくても、寒さ、水、または氷のどれかが命取りになるだろう。二人には別の出口が必要だった。あの燃える雄牛の怪物につかまることなく逃げられる出口が。

〈しかし、どうやって？〉

午後零時五十五分

「冗談はよせ！」コワルスキは吹きつける強風に向かって叫んだ。

救助隊は三台の赤いスノーモービルの風下側に身を寄せていた。一緒にいるのは数頭のハスキーの雑種で、彼らが引いていた犬ぞりもある。毛深い犬たちは氷河の氷を削って窪みを作り、そこで体を丸めていた。吐く息は真っ白だが、寒さをまったく気にしていないように見える。

ヌカが犬ぞりに乗り、氷河を横断して三台のスノーモービルをここまで案内した。少年は自分の移動手段の選択についてこう説明していた。〈犬たちは氷の上のいちばん安全な道を知っている。見えない穴に落ちてしまうことがよくあるからね。犬たちの目や鼻を信じるようにしないといけないよ〉

タシーラクのホテルを出た後、一行はごつごつした大型のタイヤを持つラム２５００トラックに乗り込み、危なっかしい砂利道を移動してヘルハイム氷河の先端部分にたどり着いた。その間、嵐は絶え間なく吹きつけ、強風でトラックが横転しそうになることも一度や二度ではなかった。氷河の端に到着すると、青い色で塗られた数軒の小屋と十数台のスノーモービルの横にトラックを停めた。ヌカの家族は旅行会社を経営していて、氷河を横断するツアーを提供しているらしい。

両親はどこにいるのかとマリアが少年に訊ねたところ、父親と母親はタシーラクの捜索救難隊の一員だとの答えが返っていた。ヌカの両親は内陸部での緊急事態に対応するため留守にしていて、経験豊かな隊員のほとんども村を離れていた。

コワルスキは自分たちに残された人員を見た。

〈二軍の選手か……〉

ホテルでは反対していた警察官のヨルゲンも同行していた。がっしりとした体格の年配の男性二人も一緒で、ヌカの親戚だという話だが、たぶん村人全員が親戚みたいなものなのだろう。二人は一台のスノーモービルの後部に一本のロープを結んでいるところだ。

ヌカがロープのもう片方の端を肩に巻き付けた。スノーモービルのキャタピラの先を指差している。「あれが氷河の中心に入る唯一の方法さ。ムーランを下っていくんだ」

「冗談はよせ」コワルスキは繰り返した。

風よけ代わりのスノーモービルから身を乗り出してのぞき込む。強風で危うく顔からゴーグルを吹き飛ばされそうになった。ヌカがゴーグルのほか、ヘルメットと厚手のアノラックを貸してくれたが、防寒着はコワルスキの巨体にはサイズが小さすぎた。袖は手首に届きすらしない。

十メートルほど先では、氷河の白い表面に青い流れが深く刻まれていた。標高の高い地点から流れてきた水が、直径三メートルほどの穴のまわりで渦を巻き、氷河の奥深くにのみ込まれている。

あの少年は穴のことを「ムーラン」と呼んでいた。

コワルスキは首を左右に振った。

〈半分凍った渦巻じゃねえか〉

「ロープ一本であの穴の中に入るつもりだって？」コワルスキは鼻で笑った。

ヌカはすでに全身を覆うドライスーツを着込んでいて、フェイスマスクもかぶっていた。「前にも同じような経験があるんだ」

マリアが身じろぎした。「このムーランがヘルハイム氷河から流れ出ていたのと同じ川につながっているって、どうしてわかるの？」

「ドクター・マクナブが教えてくれたんだよ」ヌカが答えた。「観光客の相手をしていない時には、このあたりの流れや水路の地図を作成するマックの手伝いをすることもあるんだ。決して終わることのない仕事さ。いつもどこかが融けたり動いたりしているからね」

コワルスキは姿勢を元に戻した。「あの穴が下に通じているという君の判断が正しいなら、俺も一緒に行くべきだな」

ヌカが馬鹿にするかのように顔をしかめた。「太りすぎだから無理だよ」

遠慮のかけらもない少年の返事に憤慨すると同時にショックを受け、コワルスキは自分の腹部に視線を落とした。ついつい子供じみた反応を返してしまう。「これは全部筋肉なんだぜ」

「ふーん。たとえ穴の奥にある狭い隙間を何とか通れるとしても」ヌカは袖から突き出たコワルスキの手首を指差した。「予備のドライスーツが絶対に入らないと思う」

「私はどう？」マリアが訊ねた。少年の隣に立って並ぶ。「あなたと私はだいたい同じくらいの体格でしょ」

ヌカはマリアのことを頭のてっぺんからつま先までじろじろ見てから、肩をすくめた。

「うん、確かに」

「絶対にだめだ」コワルスキは氷を踏みしめ、マリアの前に立ちはだかった。

マリアはコワルスキを無視した。「ドライスーツを持ってきて」少年に指示してから、コワルスキの方を見る。「研究の一環として、姉と一緒に何年もケイビングをしてきた経験がある。ロープの扱いと懸垂下降の技術はこの任務にも十分通用するはず」

コワルスキはムーランを指差した。「あれがかたい岩盤に見えるのか？」

「ジョー、ヌカを一人で行かせるわけにはいかないでしょ」

その懸念は理解できるものの、コワルスキはまだ賛成できなかった。

ヌカがマリアに断熱性の高いドライスーツを手渡した。マリアはドライスーツを持ち上げてから、スノーモービルの陰に集まった男性たちを見回した。「それにあなたたちの誰一人として、このサイズに合いそうもないし」

この勝負に勝ち目はないと判断して、コワルスキは片手を差し出した。「わかったよ。君がこいつに着替えるのを手伝わせてくれ」

防寒着を脱いで厚手のドライスーツに全身を潜り込ませる間、マリアは寒さで小刻みに体を動かしていた。髪の毛を後ろでまとめてから、頭にフードをかぶる。「どんな感じ？正直な意見を聞かせて」マリアがヌカを指差した。少年は強風に逆らって前のめりになりながら、先端におもりをつけたロープをムーランの入口から垂らし、流れに任せて奥深くに送り込んでいるところだ。「どっちの方が似合っている？」

コワルスキはマリアをきつく抱き寄せた。「二人とも陸に上がったアシカみたいに見えるぞ」

腕の中でマリアが震えていることに気づいたコワルスキは、それが凍えるような風のせいだけではないと察した。これまでに数え切れないほど思ったことだが、この女性が自分に目を留めてくれたばかりか、三年という時間を共有させてくれたとは、どうしても信じられない。

「そろそろ離してくれないと、誰も助けることができないじゃない」

コワルスキはマリアの両肩をつかんだまま腕を伸ばし、真正面から顔を見た。「ヒロインを気取ろうとするんじゃないぞ」

マリアが笑みを浮かべた。「このスーツにマントを付ければ、ワンダーウーマンみたいに見えるかもね」

「君は俺にとっていつもワンダーウーマンだよ」

「ずいぶんと素敵な――」

「特に、ベッドの中では」

「はいはい、すっかり台なしにしてくれたわね」マリアが立ち去りかけた。「戻ってくるまで留守番をお願い。状況は無線で連絡するから」

コワルスキはマリアがスノーモービルの陰から離れ、ぎこちない足取りでヌカの方に歩いていく姿を見守った。ブーツには氷の壁を下降する時のために鋼鉄製のアイゼンが付いている。ムーランの手前でマリアが振り返った。

コワルスキとマリアは手話が堪能だ。声を出してもどうせ風にかき消されてしまうと思い、コワルスキは片手を上げ、親指と小指を広げてから、人差し指をマリアに向けた。

［愛している］

メッセージに気づかなかったらしく、マリアが背を向けた。ヌカはすでに二本目のロープの準備を終えていた。新しいロープのビレイデバイスをマリアの腰のハーネスにセットする。続いてすべての結び目と装備に問題がないか、ダブルチェックを行なった。確認を終えると、少年は両足のアイゼンを氷の壁に食い込ませながら、自分のロープを伝ってムーランを下り始めた。

マリアもその後に続き、二人とも姿が見えなくなった。

コワルスキは凍結した渦巻をじっと見つめた。これが時間の無駄ではないことを、余計な危険を冒しているのではないことを願うしかない。全員の救出を望んでいるのはもちろんだが、コワルスキは一つのことを強く祈った。

〈とにかく俺のもとに戻ってきてくれ〉

7

六月二十一日　グリーンランド西部夏時間午後一時十八分
グリーンランド　ヘルハイム氷河

マリアの片足が滑りやすいムーランの側面から外れた。落下するマリアを、ハーネスとロープが受け止めてくれる。体が大きく揺れたが、腰が氷にぶつかって止まった。

「大丈夫?」五メートルほど下で自分のロープにぶら下がっているヌカが呼びかけた。フェイスマスクをかぶっているので、声がこもって聞こえる。

マリアは改めて氷の壁にアイゼンを食い込ませた。「ええ」本心を隠し、自信があるふりをして答える。

ジョーに説明した時は、自分の技術を過信していたかもしれない。懸垂下降は何年もやっていなかったし、しばらく間が空いても簡単に自転車に乗れるのとは話が違う。腕が鈍ってしまっていた。それとも、今回の状況が特殊なせいなのかもしれない。螺旋(らせん)を描きながら落下していく細い流れを避けようと、最善を尽くしているつもりだ。それでも、しぶきが絶えずフェイスマスクにかかるので、まわりがよく見えない。しかも、氷は岩のようなかたさだし、かなり滑りやすい。懸垂下降というよりもアイススケートをしている気分だ。

「この先はトンネルの角度が緩やかになっている」ヌカが下から声をかけた。「今までよりも楽になるはず」

マリアはフェイスマスクにかかった水をぬぐい、下に目を向けた。第一段階はほぼ垂直の下降だったが、ヌカのフェイスマスクに装着されたライトの光が照らしているのは、三十度の角度で下っている通路だ。

〈助かった……〉

マリアは少し軽くなった気分でそこまで下り、距離を詰めてヌカに追いついた。前方のトンネルは幅が半分くらいの狭さになっているが、一列になれば進めそうだ。

〈でも、その先はどこまで続いているのだろう？　それにロープが底まで届かなかったら？〉

二人とも背中にピッケルを背負っているものの、マリアはロープなしでの下降に挑戦したくはなかった。

先に進むにつれて、通路の勾配（こうばい）は徐々に緩やかになったが、足もとの水も深さを増してきたので、強い流れの両側で左右の足をしっかりと踏ん張らなければならなかった。

　さらに数メートル進んだところでヌカが立ち止まり、マスクを外してにおいを嗅いだ。

「これは煙かな？」

〈煙？〉

　マリアも立ち止まり、ヌカにならってにおいを嗅いだ。最初に吸い込んだ空気で鼻毛が凍りついたが、かすかに木が燃えているような感じもした。この先にある可燃性の材質の候補は一つしか思いつかない。古代の船のことを思い浮かべる。

〈エレナを拉致(らち)した何者かが船に火をつけたということ？〉

　その答えはわからないものの、においがするということはかなり距離が近いに違いない。マリアはヌカに手を振って合図した。「先に進みましょ」

「ええっと、ちょっと問題があるんだよね」ヌカが手を伸ばし、凍てつく流れの中からロープの先端部分を拾い上げた。「ロープが届くのはここまで」

　マリアはヌカのすぐ後ろに近寄った。「ここから先はどうするの？」

　だが、どんな答えが返ってくるのかはわかっていた。

　ヌカがビレイデバイスからハーネスを外し始めた。「もうかなり近くまで来ているはずだよ」ロープから自由になると、少年は背中に引っかけていたピッケルを手に取った。「それに傾斜はそんなに急じゃないしね。気をつけていれば、あとは僕一人で底まで下りられると思う」

「あなた一人では行かせないから」

さっきは少し怯えていたものの、マリアはもう少し先まで進める自信が出てきた。これ以上は危険だという地点に達したら、ピッケルとアイゼンを使ってロープまで戻ってくればいい。

「ロープを外すのを手伝って」マリアは言った。

作業を終えてから、ヌカがマリアを見上げた。フェイスマスクを頭の上にずらしているので、左右の目がはっきりと見える。そこには恐怖と安堵感がはっきりと浮かんでいた。

「私の気が変わらないうちに出発しましょ」

少年が伝えた。「ありがとう」

ヌカが正しいやり方を示しながら下り始めた。両脚を大きく開き、アイゼンがしっかりと氷に食い込んでいることを確認しながら、一歩ずつ慎重に進んでいく。両手で握るピッケルは低い位置に構えていて、足を滑らせたらいつでも氷に打ち込めるようにしている。

マリアもヌカと歩調を合わせ、その後を追った。

単調な動きだが、ゆっくりながらも着実に進んでいく。労力と緊張のせいで、マリアのドライスーツの内側に汗がにじんだ。

「前方に光が見えるように思う」ヌカが告げた。

マリアは少し背中を伸ばし、少年の体の向こう側をのぞき込もうとした――次の瞬間、足が滑った。とっさに対応できず水中に落下したマリアは、流れにつかまって押し流された。ヌカにぶつかり、そのはずみで少年の両足も壁から外れる。

もつれ合った状態なので、ピッケルは役に立たない。

勢いよく流されるまま、段差が連なって小さな滝のようになっているところを落下し、少し広い地下空間に出た。開けた場所では流れの幅が広がり、水の勢いも弱まっている。前方で流れが二股に分かれていて、その真ん中にはとがった青い氷が突き出ていた。

ヌカがマリアの腰に手を回し、障害物に激突しないよう左側に強く引っ張った。その勢いのまま浅い流れの中を転がり、冷たい川岸に上がることができた。

マリアはかたい地面を手のひらで叩いた。

〈岩……〉

氷河の最下部まで到達したに違いない。落下の衝撃で肺から空気が押し出されてしまい、はあはあと息をしながらも、マリアは上半身を起こした。地下空間の向こう側では、暗がりの中で船の残骸がくすぶっている。

〈たどり着いたんだ〉

ほっと一息ついたのもつかの間だった。

船の方からあわてふためいた叫び声が聞こえた。

「走れ！　すぐにここから逃げるんだ！」

午後一時三十三分

少し前のこと、マックは目の錯覚だろうと思った。ここに流れ落ちる融水の滝のあたりにぼんやりとした光が見えたような気がしたからだ。しかし、それに続いて不気味にこだまする声も聞こえた。イヌイットたちは呪われている氷河があると信じているし、彼らの言い伝えにあるトゥーンガク——悪魔が燃えている姿を見たばかりなので、幽霊が現れた可能性も一概に否定できなかった。

ところが、氷や岩と同じく実態を伴った二人の人間が、もつれ合いながら滝を滑り落ちて姿を現したのだ。ダウ船の甲板から見守るうちに、二人は流れの中を転がり、川岸に上がった。

だが、侵入者の出現に気づいたのはマックだけではなかった。

甲板の手すりの下では、雄牛の怪物の影が煙の中を船体に沿って行ったり来たりしていた。二人の新たな登場人物がトンネル内に飛び込んでくると、怪物の鼻先から炎が噴き出し、暗闇の中で明るく輝いた。青銅でできた頭部が彼らの方を向く。重い足音を響かせながら、怪物は騒々しい物音の方に歩き始めた。

マックは何とかして二人に注意しようとした——だが、うまくいかなかった。

警告に対して問いかけが返ってきた。「ドクター・マクナブ？　マック？　そうなの？」

マックは思春期特有の鼻にかかったような声に聞き覚えがあった。ジョンの方を見ると、イヌイットの男性も声を認識したらしく、身を乗り出した。

マックは口に両手を添えて大声を出した。「ヌカ！　ここには危険な怪物がいる。音に引き寄せられるんだ。光にも反応するかもしれない。だからライトを消せ。静かにするんだ」

怪物をここに引き戻そうと、マックは甲板の古い木材を踏みつけた。雄牛がそれに反応し、速度を落とす。

それもヌカが再び叫ぶまでの間だった。「こっちにはロープがある！　登れば外に出られるよ！」

マックは心の中でうめいた。

〈どうして近頃のガキは言われた通りに大人しくしてくれないんだ？〉

またしても雄牛の怪物が滝の方に向かって移動を開始した。マックはもっと強く足を踏み鳴らしたが、怪物はその音を無視した。向こうにはもっと簡単に近づけそうな獲物がいるとわかる程度の知性を持っているのかもしれない。

マックには別の計画が必要だった——それも、無茶としか思えないような計画が。

「ヌカ！」マックは叫んだ。「いいから静かにしろ！　トンネルの奥に戻れ！　俺たちの方からそっちに向かう」

続いてジョンの方を見る。

「どうやらそろそろあの怪物を退治しなければならないみたいだ」

午後一時三十五分

マリアは両手でしっかりとピッケルを握り締め、腰を落とした姿勢で水路の上流に後ずさりした。泡立つ流れのせいで音がよく聞き取れない。割れた氷や氷河が削った岩で迷路のようになっている暗い川岸に目を凝らす。

ヌカもマリアについてくる。

〈こんなところに何が生きているっていうの？　あの人たちと一緒にホッキョクグマも閉じ込められたとか？〉

恐怖に怯えた男性の声から判断する限りでは、ほかの何か、ホッキョクグマよりもはるかにまずい何かに違いないという気がする。

でも、いったい何が？

二人はようやく地上に通じるムーランのところまで戻った。体をかがめて中に入ろうとした時、くすぶり続ける船の方からややこもった銃声がとどろく。

マリアはびくっとした。ヌカもだ。

手前に目を移すと、十メートルくらいしか離れていないところで、煙った暗がりが赤い炎で輝いた。ほんの一瞬、マリアはプレート状の鎧に覆われた大きな何かの姿を目にした。けれども、落下した氷の塊で視界のほとんどが遮られてしまっている——再び見えた時には、煙の中に潜む奇怪な何かは後方に炎の帯を引きながら遠ざかっていて、船の方に引き返しつつあった。

マリアの方を見るヌカの顔には、ショックがありありと浮かんでいた。

〈何だかわからないあれは、私たちのすぐ後ろにまで迫っていた〉

マリアはヌカとともにムーランをよじ登った。

新たな銃声が地下空間を震わせる。

マリアはあの人たちがあんなことをするにはちゃんと理由があることを祈った。

〈私たちみんなの命がかかっている〉

午後一時三十七分

マックは再び船内の凍えるような水に腰まで浸かり、ジョンが弾を込め直している間、真っ暗な船倉の向かい側を見つめていた。二人が隠れているのは割れてしまった巨大な壺の陰だ。マックはくすぶり続けるダウ船の船尾の残骸に注意を戻し、敵の姿を探した。

〈出てこい、この野郎、どこにいる?〉

甲板を踏む音で雄牛の怪物をおびき寄せるのに失敗した後、マックは武器の出番だと感じた。一発目のショットガンの銃声は、無視することなどできるはずがなかった。それでも、マックはうまくいかなかったかもしれないと恐れながら、固唾をのんで待った。そのうちに、再び船の方に近づいてくる重い足音が聞こえた。マックがジョンに合図を送ると、年配のイヌイットの男性は天井に向かってもう一方の銃身の弾を発砲した。

狭い船内での二発の銃声のせいで、耳鳴りがしている。〈あいつが餌に食いつかなかったら?〉マックは弾を込め直したジョンを見て、もう一発撃つように合図を送ろうとした——その時、咆哮が聞こえ、マックは船尾に視線を戻した。

雄牛が船尾側を回り込み、船倉内に侵入してきた。ありえないことに、水中に炎の尾を引いて歩いている。肩を揺らしながら二人の方に近づくのに合わせて、重なり合った青銅のプレートがこすれる。頭を左右に振り、湾曲した二本の角で威嚇（いかく）しているようにも見える。大きな鼻の穴から炎が噴き出す。口を開けると、その中にはカミソリのように鋭いプレートが奥まで連なっている。

〈何てこった……〉

マックの全身の血が凍りついた。隠れているにもかかわらず、相手からは丸見えで、どうすることもできないように感じられる。もっと奥に身を隠したいと思うものの、恐怖のあまり体が言うことを聞かず、身動き一つできない。

マックがパニックに陥っていることに気づいたのか、ジョンが口笛を吹いた。

その音を聞きつけ、怪物がイヌイットの友人の方に顔を向ける。

〈よせ、よせったら……〉

ようやくマックは計画通りに行動を起こした。懐中電灯のスイッチを入れ、扉を開けたままの船長室に投げ込む。回転しながら宙を舞う光が小さな部屋に飛び込んだ。奥の壁に当たって大きな音を立てた後、懐中電灯は机の上に落下してくるくると回っている。

雄牛の怪物が喉の奥から炎を吐き出しながら吠えた。船長室に向かって突進していく。音に引き寄せられたのだろう。それとも、見えているのかもしれない。怪物の顔には黒いダイヤモンドのような目が二つあり、その奥では炎が燃えている。ただし、ただの飾りだとも考えられる。

いずれにせよ、雄牛が二本の角を前に向け、水中を突き進んでいく。通り過ぎた後の水面には炎の筋が残り、燃える油のにおいも漂っている。怪物は飛び跳ねながら船長室に突っ込み、机を軽々と粉砕した。その体が丸みを帯びた船首に激突すると、船全体が激しく揺れる。

マックとジョンはすでに行動を開始していた。ジョンが船倉の中央に移動する一方で、マックは船長室に向かう。各自が配置に就くと、ジョンは雄牛の背中を目がけて二つの銃身から発砲した。弾が怪物の腰に命中し、金属音が鳴り響いたが、表面がへこんだだけだった。

それでも、大型の弾が当たった衝撃で怪物の動きが止まり、その隙にマックは開け放ったままの扉のところに到達した。肩で扉を押して閉める。ジョンもやってくると、外側に出しておいた青銅製のかんぬきをつかんだ。二人は力を合わせてかんぬきを扉と床の隙間に挟み、扉が開かないようにした。

室内で雄牛がもがく音と吠える声がするが、狭い部屋の中では思うように動けないし、扉を突き破るだけの勢いをつけることもできない。

〈そうであってほしいと期待しているところなんだが〉

「行くぞ！」マックは叫んだ。

二人は水をかき分けながら船の外に出た。川岸によじ登り、岩と氷の迷路の中を駆け抜ける。燃える湖が後方に遠ざかると、周囲が暗くなって見通しが悪くなる。

「ヌカ！」マックは大声を出した。「ライトをもう一度つけてくれ！」

遠くにぱっと光が広がった。

それと同時に、二人の背後で木材の裂ける大きな音が鳴り響いた。マックが振り返ると、雄牛の怪物が船体を突き破って外に現れたところだった。怒りの炎に照らされた体が高く飛び跳ねる。火花を散らしながら川岸に着地したかと思うと、炎と煙の塊となって二人の方に突進してきた。

「急げ！」マックはジョンをせかした。

二人は小さな滝が連なる段差に向かって走った。そこまで到達すると濡れた岩をよじ登り、光が漏れているトンネルを目指す。中をのぞくと、少し登った先で立ち止まっている二つの影が見えた。

「いいから行け！」マックは人影に向かって叫んだ。

雄牛の重い足音が後方から迫る。獲物を追い詰めようと急ぐ怪物が、氷の塊を突き破り、大きな岩を飛び越える。

マックはジョンをトンネルに押し上げてから、自分もすぐにその後を追った。

ヌカが斜面を滑り下り、マックにピッケルを手渡した。氷を叩くように身振りで示している。「掘りながら進むんだ！」

〈なるほど〉

ジョンは滑りやすいトンネルをものともせず、ＤＮＡに刷り込まれた腕前でよじ登っていく。マックもピッケルを氷に突き立てては体を引き上げるという動きを繰り返しながら、その後に続いた。思うように進まない。ほかの三人から引き離されてしまっている。

〈これじゃ間に合いそうもない〉

その予感は当たった。

雄牛がトンネルまでたどり着き、頭から勢いよく突っ込んだ。だが、大きな体がトンネルにつかえてしまう。怪物がマックに向かって吠え、炎の塊を吐きかける。急いでよじ登ろうとするマックの足を目がけて、鋭い歯を持つ口が食らいつく。

焦りからピッケルが氷から外れてしまった。マックは腹這いの姿勢で流れに落下し、待ち構える雄牛の方に流された。

「伏せて！」ヌカがわめいた。

立て続けの二発の銃声で、マックは何も聞こえなくなった。ショットガンの弾が頭をかすめて通過したのを感じる。二発の弾は雄牛の左右の角の間に命中し、その勢いで怪物はトンネルの外に放り出された。その隙にマックはピッケルを氷に突き立て、落下を食い止めることができた。

すぐさま登攀（とうはん）を再開する。雄牛はまた戻ってくるはずだ。

後方から咆哮がとどろく。

女性がマックに向かって叫んだ。「あと少しでロープのところだから！」

マックにはその女性が誰なのかわからなかったが、言われたことを信じた。登るペースを速める。ほかの人たちのところまでたどり着いた時には、ヌカと見知らぬ女性は腰のハーネスにビレイデバイスを装着し終えていた。

ヌカがそれぞれのハーネスの後部を指差した。「つかまって」

ジョンが女性のハーネスにしがみついた。マックはヌカのハーネスを握り締める。

「しっかりつかまっていて」女性が注意を与えた。「乗り心地はあまりよくないと思うから」

午後一時四十二分

マリアは無線を口に当てた。「今よ……できるだけ速く！」

薄暗いムーランの出口の方を見上げる。両手はしっかりロープを握っている。前触れはかすかな震動だけだった。ロープのたるみがなくなる――次の瞬間、四人の体が勢いよく動き、引きずられるがままに滑りやすい斜面を登っていく。

じりじりしながら待つ間に、マリアは地上に無線で連絡を入れ、すぐにでも地下から退避する必要が生じたと知らせておいた。二本のロープはスノーモービルの牽引用金具に結んであるから、わざわざ自力でよじ登る必要はなく、馬力で引っ張り上げてもらえばいい。

怒りの咆哮が追いかけてくる。

マリアは下を振り返った。今もなお、燃える怪物は何とかしてトンネル内に入り込もうとしている。

「ざまあみろ！」ひげを蓄えた男性が下に向かって叫んだ。

マリアは安堵のため息を漏らした――すると、トンネルが崩れ始めた。怪物が暴れているせいなのか、それともショットガンを発砲した時の衝撃の影響なのかはわからないが、耐え切れなくなってしまったらしい。下の方でトンネルに亀裂が入ったかと思うと、氷の破裂する音とともに斜めの通路が埋まった。

ようやく咆哮が鳴りやんだ。

なおも続く崩壊はムーランを伝いながら四人を追いかけてくる。マリアは出口を見上げ、地上にいる人たちに向かって心の中で祈りを捧げた。

〈エンジンの出力を惜しまないで〉

数呼吸するうちに、より幅の広い垂直の縦穴に出た。ロープに引っ張られるまま、体が壁に打ちつけられる。そのはずみで、年配のイヌイットの男性の片手がマリアのハーネスのベルトから離れてしまった。もう片方の腕だけでつかまった状態で、体が大きく左右に揺れている。自分の体はハーネスで固定されているので、マリアは両手をロープから離し、動物の毛皮でできた男性の上着をつかんだ。

「大丈夫だから」

ありったけの力で握り締めているうちに、がっしりした二本の腕が彼女の腰に回され、ヌカの祖父と一緒にムーランから引き上げてくれた。

マリアはイヌイットの男性から手を離し、仰向けにひっくり返った。

風焼けしたジョーの顔が見下ろしていた。「ヒロインを気取るなって言ったじゃないか」

マリアは肩をすくめた。「脇役のつもりだったんだけれど」

ジョーが上半身を起こすのに手を貸してくれた。ほかの二人も無事に脱出していた。マリアは鳶色のひげを蓄えた気候学者を見つめた。

「何がどうなっているのか、教えてくれない?」

「そのつもりだ。ビールでも一杯飲みながら。いや、一杯じゃ足りないな」

ジョーが名言を聞いたかのようにうなずいた。「ここしばらくの間では最高の案だな」

マリアは片手を上げて遮った。答えを後回しにしていられない。「まず、エレナはどうなったの? 彼女を連れ去ったのが誰だか知っているの?」

「ドクター・カーギルかい? 彼女はまだ生きているのか?」

「私たちの知る限りでは。詳しい話はビールでも飲みながら教えてあげる。でも、彼女を連れ去ったのが誰で、そいつらが何を望んでいたのか、知っているの？」

「やつらが何者かについては見当もつかない。ただし、このあたりの人間じゃないことは確かだ。アラビア語を話していた」

〈アラビア語？〉

「連中の望みに関してだが、はっきりとはわからない。黄金の地図を欲しがっていたのは確かだ。それを『嵐の世界図』と呼んでいて、まるでその正体をすでに知っているかのような口ぶりだった」

マリアは顔をしかめた。〈嵐の世界図？〉

「あともう一つ」男性がポケットに手を入れ、ソフトボール大の銀色の球体を取り出した。その表面には何やら複雑な目盛りや記号がびっしりと刻まれているみたいに見える。

「こいつも欲しがっていた」

Σ

第二部　ダイダロスの鍵

誰一人として足もとにあるものに注意を払わない。我々は皆、星を見上げている。

——クイントゥス・エンニウス（紀元前二三九年生、紀元前一六九年没）作の悲劇『イピゲネイア』より

8

六月二十二日　東部夏時間午前八時五十九分
メリーランド州タコマパーク

グレイソン・ピアース隊長はこれまでに数え切れないほど命の危険にさらされ、生き延びてきたが、父親になるための備えはできていなかった――しかも、トラのように厳しい母親と一緒に生活しながら。

「そんなのは無理だって」グレイは居間のソファーに座ったまま言い聞かせた。

「無理じゃない」

ペルシア絨毯（じゅうたん）の上であぐらをかくセイチャンは、ヨーロッパとアジアの血が混じった女王のように見える。コーヒーテーブルを横にどかし、二人の間に生まれた男の子の腋（わき）の下に手を入れて体を支えている。ゼリーでできているかのようなふにゃふにゃの脚の赤ん坊を何とかして立たせようと必死だ。ジャクソン・ランドール・ピアースは素直に協力してくれない。「うー」とか「ばあ」とか言いながら、つま先に手を伸ばそうとしている。

グレイはエンドテーブルの上の手あかが付いた本を指先でつついた。「ここに書いてあるじゃないか。赤ん坊が九カ月になるまでは歩くのを期待しないようにって。もっと長くかかることだってある」

「それは平均の話」セイチャンは山積みになったプリントアウトを顎でしゃくった。「いいこと、赤ん坊が六カ月までに歩き始めたという記事はたくさんある。珍しいことだけれど、前代未聞というわけでもない」

「ジャックはまだ五カ月だ。正確には、あと二日で」

「だから？　もう自力で座れるようになったし、少しだけどはいはいもできる。どっちも普通より早い。それに二カ月前には夜中に目を覚まさずに寝かせることができた。あんたはそれも無理だって言っていたじゃない」

「それは違う。俺が言ったのは、『神様、どうしてこの子はなかなか寝てくれないんだ』だったと思うぞ」

「私のおかげで寝るようになったでしょ」

グレイはワイヤレスルーターの電源を切るのがいいのではないかと考えた。セイチャンはインターネット上の子育てに関する記事を読むことに時間をかけすぎで、母親業を格闘技と見なしている。ジャックがすべての「初めて」を本に書いてあるよりも早く達成できるようにすると心に決めていて、その成果こそ自分が世界でいちばん優秀な母親だという証拠と見なしているのだ。

〈かつて自分の母性本能に疑問を感じていた女性が、今じゃこれだ〉

確かに、セイチャンには暗殺者の前歴があり、無情かつ冷酷になるための訓練を受けていた。そのため、彼女がそんな不安を抱いていたのも理解できる。グレイも自らの親としての能力を案じている。最初、グレイはセイチャンの頑なまでの決意を面白がっていたが、それが続くうちに心配が募ってきた。ジャックの誕生後、二人はシグマから長期の育児休暇を取得している。グレイは来月、ジャックが六カ月を迎えた後に復職する予定になっているが、どうやらその前に〇・五歳のお祝いを盛大に行なう必要がありそうだ。

グレイはソファーから床に下り、自分の膝がセイチャンの膝と当たる位置に座った。ジャックを手で抱え上げ、パンパースに鼻を近づける。かぐわしいとは言えないにおいがするので、歩行訓練はここまでにしなければならない。ただし、おむつの交換はもう少し後でもいい。グレイは片手でジャックを抱きかかえ、セイチャンの隣に移動した。後ろにある椅子に並んで寄りかかる。腕の中でジャックがむずかったが、グレイが黒髪の上から頭にキスをすると、赤ん坊は大人しくなった——少しの間だけだろうが。

セイチャンが両脚を前に投げ出し、グレイにもたれかかった。グレイが空いている方の腕で抱き寄せると、セイチャンもすり寄ってくる。彼女が着ているのは黒のヨガ用パンツと、同じ色のビキニタイプのトップスだ。長い髪をポニーテールにまとめているが、それでも背中の真ん中あたりまで垂れている。グレイはセイチャンの肌の濃厚な香りを嗅いだ。セイチャンはキャットと一緒に早朝のヨガ教室に出かけ、さっき帰ってきたばかりだった。ただし、ストレッチや呼吸のエクササイズが必要なわけではない。この意志の強い女性は妊娠中に付いた脂肪を六週間で落とし、彫刻を思わせるいつでも戦える体型に戻していた。

グレイは自分の腹部を見下ろした。少し贅肉が付いてしまっている。

〈彼女を見習うべきだった〉

そう思いながらも、数カ月間の睡眠不足と予想ができないジャックの日々の行動もあって、グレイは少し自分を甘やかしていた。キャットの夫のモンクからはバスケットボールに誘われたり、ジムで待っていると言われたりしたものの、グレイはそのほとんどを断り、家庭的な生活ができる時間を満喫した。それに加えて、セイチャンをジャックと二人きりにして外出することに対しては、いつも罪悪感を覚えた。自分にできることはなるべくこなしたいと考えていたのだ。

〈もしかすると、俺もセイチャンと同じように、何かを証明しようとしていたのかもしれない〉

この半年ほど、キャットとモンクはおてんばな二人の娘——ハリエットとペニーを連れて、何度もここを訪れていた。はっきりと言われたわけではないものの、二人の訪問は自分とセイチャンが殻にこもってしまわないようにするためなのではないのか、グレイはそんな気がした。初めての子育てを経験する親にとってそれは珍しくないことで、生活が赤ん坊を中心にして回るため、ほかのことをする時間がほとんどなくなってしまうのだ。たぶんモンクとキャットは、結婚生活と、親としての務めと、きつい仕事のバランスをどのように取ればいいのか、身をもって示そうとしてもいるのだろう。実際、二人はシグマの司令部での出来事を詳しく教えてくれた。まるで早く仕事に復帰しろよと誘っているみたいに。

エンドテーブルの上に置いたグレイの衛星電話が着信を知らせた。

グレイはうめき声をあげた。電話に出たくない。しかし、うとうとしかかっていたジャックも音に気づき、ぐずり始めた。大声で泣き出すのも時間の問題だ。グレイは赤ん坊をセイチャンに返した。

「おむつを換える必要があるぞ」

「そうはいかないから。おむつの交換から解放してあげるのは、あなたに母乳が出るようになってからね」

グレイはにやりと笑い、床を転がりながら電話の方に向かった、「わかったよ。たぶんモンクからだ。公園でバスケットボールをする気があるか聞こうとして、かけてきたんだろう」

「行くべきだと思うけれど」セイチャンの視線はグレイのおなかに向けられている。「真面目な話」

グレイは目を見開きながら衛星電話を手に取った。電話に出たところ、聞こえてきたのは意外にもキャスリン・ブライアントの声だった。

「キャット、セイチャンに話があるのかい?」

「いいえ、司令官に代わってあなたに電話しているところ。まだ育児休暇中なのは承知しているけれど、こちらで状況を監視中の事案があって。しかも、関係者があなたのことを直々にご指名なの」

グレイは胸の内で懐かしい炎が燃え上がるのを感じた。「誰だ?」

「話せば長くなるわ。詳しいことはあなたがこっちに来てから説明する」

グレイは電話を手で覆い、セイチャンの方を見た。「シグマで何かが起きているらしい。俺に来てほしいと言っている」

「そうなの?」緑色の瞳の中で金色の斑点がひときわ明るい輝きを発した。興味をひかれているのだろう。あるいは、嫉妬(しっと)しているのかもしれない。それでも、セイチャンは追い払うように手を振った。「行って。ここはいいから」

グレイは再び電話に出ようとしたが、セイチャンが手のひらを見せて制止した。

「ただし、ジャックのおむつを交換してから」

グレイは笑みを浮かべた。

〈間違いなく、トラのように厳しい母親だな〉

午前十時二分
ワシントンDC

「危険な現場に戻ってきた気分は？」ペインター・クロウが訊ねた。

グレイは司令官のオフィスに足を踏み入れた。この五カ月の間に何も変わっていない。窓のない部屋は「質素な」という形容がぴったりくる。調度品は二脚の椅子と部屋の中央を占める幅の広いマホガニーの机だけ。唯一の装飾品は部屋の片隅の台座の上に載ったレミントンのブロンズ彫刻だ。疲れ果てたアメリカ先住民の戦士が馬の背中に突っ伏した姿をかたどっていて、司令官の血筋を表すと同時に、すべての兵士に共通する戦いの代償を象徴している。

ペインターは三方の壁面で映像を表示している三台のフラットスクリーンモニターの前に立っていた。ネイビーブルーのスーツの上着は脱いでいて、椅子の背もたれに掛けてあ糊付けされた白いシャツの袖を肘までまくっているのは、昨夜からずっととではいかないにしても、少なくとも数時間前から司令官が忙しくしている印だ。ナショナルモールのスミソニアン・キャッスルの地下に位置する司令部全体が活気を帯びていた。グレイがシグマの中枢に当たる通信室の前を通った時も、キャットは中から手を振っただけで、副官とともに身を乗り出すようにしてモニターを眺めていた。

〈明らかに何かが全員をざわつかせている〉

グレイの胸に嫉妬といらだちがよぎった。育児休暇を取得する前、グレイはシグマでもトップクラスの隊員の一人として、常に任務を率いる存在だった。それが今では、話の途中で割り込んできた部外者のような気がする。情報の輪の外にいるばかりか、ここのリズムからも外れている感じだ。

グレイはそのことが気に入らなかった。

ペインターが机の方に戻ってきた時、グレイは司令官が凝視していたモニターの映像に気づいた。映っているのはグリーンランドの東海岸の地形図だ。周辺の海域には赤いVの記号が一定のパターンの線を描いている。その横にあるコールサインから、V字は軍用機を表しているとわかる。

「座りたまえ」ペインターが言った。「ビデオ会議の準備を終え次第、キャットもここに来る予定だ」

グレイが椅子に腰掛けるのに合わせて、司令官も机の向こうで腰を下ろした。グレイより十歳以上も年上のペインターだが、鍛え抜かれた筋肉質の体型を維持している。体に余分なところがまったくない。この五カ月間での目に見える変化と言えば、漆黒の髪が伸びて襟に届きそうな長さになったことくらいだ。あと、顔は前よりも日に焼けていて、アメリカ先住民の血がいっそう引き立って見える。

グレイはそうした外見の変化の理由を知っていた。モンクの話によると、ペインターは妻のリサと休暇を取り、アリゾナ州でホーストレッキングを楽しんだという。子供のいない夫婦の気ままな暮らし振りがうかがえる。

〈俺にもそんな頃が……〉

はるか昔のことのように感じられる。

クロウ司令官が休暇から戻ったのはつい先週のことだ――今回の危機の対応にはちょうど間に合ったということになる。ペインターは口を開く前に、片方の耳の後ろの一房だけ雪のように白くなっている髪の毛をかき上げ、まるでワシの羽根を整えるみたいな仕草を見せてから、グレイをまじまじと見つめた。

「父親の務めは君に合っているみたいだな」司令官がようやく言葉を発した。

「二カ月前に会っていたらそうは思わなかったはずです」グレイは顎の下に伸びた無精ひげをさすった。ひげを蓄えていた時期のことを思い返す。しばらくの間は疲れていてひげを剃る気力もなく、見た目の清潔感などまれにしか気を使わなかった。今だってはいている黒のジーンズは洗濯かごから引っ張り出したものだし、上もフード付きのグレーのスウェットだ。

ペインターがうなずいた。「ともかく、休暇を中断して来てくれたことに感謝する」

「何が起きているんですか？」

「どうやらグリーンランドでの状況が我々のところに飛び火したようだ。数日前のこと、氷河の中心部に埋もれた難破船の発見という知らせが届いた」

ペインターはリモコンを手に取り、座ったまま椅子を回転させた。左側のフラットスクリーンモニターにリモコンを向ける。画面上に解像度の低い画像が表示された。写っているのはマストが折れた船で、船体の半分が氷に閉じ込められている。

「現地にいた二人の研究者——気候学者と地質学者が、偶然に船を発見した。船内には貴重な品物もあった」

ペインターがリモコンのボタンを押すと、黒っぽい色の箱に収められた金色の地図の写真が表示された。地図には球体が埋め込まれている。

グレイは椅子から立ち上がり、もっとよく見ようとモニターに近づいた。「理解できないんですが。どうしてこの発見がシグマに関わってくるんですか？」

「それに関しては後で話す。今のところは、発見の信憑性を確認し、すぐにそれを確保する必要があったということだけ頭に入れておいてほしい。何カ所かに問い合わせをしたところ、マリア・クランドールの知り合いにエジプトで作業中の海洋考古学者がいて、エレナ・カーギルというその女性に船の調査を依頼することになった」

「マリアというと、コワルスキのガールフレンドの？」

「そうだ。二人もアフリカを訪れていたところだった。考古学者に続いて二人にもグリーンランドに向かってもらい、発見が本物だと判明したら、現物を確保して運び出す手筈になっていた」

グレイはグリーンランドでの事態がペインターの言うようにシグマに「飛び火した」理由の察しがつき始めた。

〈コワルスキが関与していたなら、火に油を……〉

ペインターは話を続け、調査隊が襲撃に遭ったこと、地図が盗まれたこと、考古学者が拉致されたことを説明した。しかし、話はそれで終わらず、船の中から何かが、恐ろしいと同時にありえないとしか思えないような何かが、解き放たれたのだという。

「詳しい情報は今も入りつつある」ペインターが認めた。「激しい嵐の影響でグリーンランドとの通信が途切れがちだった。ようやく天候が回復したので、ポセイドン五機を飛ばして潜水艦の行方を捜索しているところだ」

グレイはグリーンランドの地図が映るモニターに目をやった。赤いVの記号が北極海の上をゆっくりと移動している。グレイはほかとは別の針路を取っている記号を指差した。

「目標を捕捉したんですか?」

ペインターがモニターを振り返った。「いいや。数個のソノブイが海岸に沿って北に向かう潜水艦を検知した。ブイの電波が届く範囲の外に移動してしまったが、針路と速度から北極の海氷の下に隠れようとしていたのではないかと見ている」

「氷の下ならば、見つからずにどこにでも移動できる」

「そういうことだ」

「襲撃部隊はアラビア語を話していたということでしたが、その正体に関して何か情報は?」

「今のところはない。キャットがあらゆる国際情報機関を動かして、その疑問の答えを得ようとしている。また、キャットはコンラッド・ネルソン——殺害された地質学者が、さっき君にも見せた写真を送った先を突き止めた。雇い主のアライド・グローバル・マイニングだ。そこから先は写真が広く拡散した可能性も否定できない」

「そのうちに間違った人間の耳に届いた」

「同時に、正しい人間の耳にも。同じ写真が別の組織の目に留まった。そこから我々に援助の要請が入り、シグマがこのごたごたに巻き込まれた」ペインターが意味ありげにグレイのことを見た。「そのグループが君の手を借りたいと依頼してきたのだ」

「俺の？　なぜです？」

「彼らの希望は――」

ペインターの言葉は外の通路から聞こえた激しい口調の声に遮られた。キャットの声も聞こえる。何者かを落ち着かせようとしている。一緒にいる男性は呆気に取られていると同時に怒ってもいて、その声には明らかなボストン訛りがある。「こんなものが地下にあるなんて、いったい誰が知っていたっていうのだ？　しかも、我々のすぐ目の前に」

ペインターが立ち上がり、腕時計を見た。「予定よりも早いな」司令官はグレイに向かってため息をついた。「大統領からシグマが直々に彼の訪問の相手をするようにとの要請があった。状況を考えればやむをえまい」

グレイは眉をひそめた。DARPAの関係者以外でシグマの存在を知る人間はほんのひと握りしかいないし、ナショナルモールの端にあるこの秘密の司令部の存在となると、さらに人数は限られる。

キャットが先に到着した。杖で体を支えている。去年のクリスマスの災難からはほぼ回復したものの、まだ左半身に思うように力が入らないらしい。海軍の制服の襟の折り返しには、失われたかつてのチームメイトをしのんでエメラルド色のカエルのピンが留めてある。

キャットは訪問客をオフィスに通すため脇にどいた。「こちらへどうぞ、上院議員」

オフィスに入ってきたのは背が高く片幅の広い男性で、ぱりっとしたアルマーニのスーツに青いネクタイ姿、黒の革靴はきれいに磨いてあって艶が出ている。ジーンズにスウェットという格好のグレイは、あまりにも軽装すぎたと後悔した。到着した人物のことを考えると、その思いがいっそう強まる。

ペインターが机の向こうから出迎え、男性と握手をした。「カーギル上院議員、シグマの司令部にようこそ」

グレイは心の中で自分を責めた。さっきはペインターの話に聞き入るあまり、関連を見落としてしまっていた。休暇中にすっかり勘が鈍ってしまったことを示す証拠だ。拉致された考古学者——ドクター・エレナ・カーギルの名前を聞いてもピンと来なかったなんて。

〈シグマが大騒ぎしている理由はこれなのか?〉

ケント・カーギル上院議員は素早く室内を見回した。ほんの一瞬、その視線がモニター上のグリーンランドの地図に留まったものの、すぐペインターのもとに戻る。年齢は五十歳、身長は一メートル八十センチ以上あり、引き締まった筋肉質の体型は歩兵隊の一員としてデザート・ストーム作戦を含む二度の中東への従軍当時から変わっていない。ダークブロンドの髪は軽くカールがかかっていて、少しぼさぼさに見えるが、それがかえって親しみやすさを醸し出している。

アメリカ国内で彼の顔を知らない人間はほとんどいない。彼のことを二十一世紀のJF

Kともてはやす声もあり、ボストン訛りがあるのでなおさらだ。ケネディと同じくカーギル上院議員もカトリック教徒だが、元大統領とは違って対立をあおるようなことはない。共和党員からも民主党員からも好かれている。カトリックの教えには敬虔だが、偏見を持ってはいない。確固たる信念の持ち主だが、歩み寄りの姿勢を示すことも厭わない。キャピトル・ヒルでは珍しい存在だ。ホワイトハウスの座を目指して、次期大統領選挙に立候補するのではないかとの噂もある。

グレイはペインターと顔を見合わせた。グリーンランドで発見された船の調査をエレナに依頼したのは司令官だった。そのことが彼女を危険に巻き込み、拉致される結果を招いた。

カーギル上院議員の冷たく厳しい眼差しからは、この件に関しては歩み寄るつもりがないとわかる。

「娘はいったいどこにいるのだ？」

9

六月二十二日　トルコ時間午後五時三十二分
エーゲ海上空

〈どうやら元の場所に戻ってきたみたい〉

エレナはプライベートジェットの窓から陽光の降り注ぐ青海原と点在する島々を見つめていた。研究生活のすべてをこの地域の調査に捧げてきたので、目印になるような地形を特定するのは容易だし、だいたいの現在地も推測できる。

〈地中海に戻ってきた……たぶん、エーゲ海の上空〉

あの忌々しい潜水艦に乗せられてから、二十四時間あまりがたっているはずだ。でも、確かなことはわからない。寝台が一つしかない船室に監禁されていて、そこには舷窓がなかったため、時間の経過がほとんどわからなかったのだ。食事やそのほかの対応は不愛想だったが、ひどい扱いを受けたわけではなかった。神経が張り詰めていたものの、途切れ途切れながら仮眠を取ることもできた——だが、それも潜水艦が激しく震動し、びっくりして目が覚めるまでの話だった。

心臓の高鳴りとともにパニックに陥ったエレナは、魚雷か爆雷の攻撃を受けたのではないかと案じた。すると、あの巨漢のボディーガードがやってきて、船室から潜水艦の発令所に連れていかれた。艦橋の開いたハッチからまぶしい陽光が差し込み、凍えるような冷気も吹きつけていた。銃を突きつけられたまま梯子を上ると、外には風に舞う雪と目もくらむような真っ白い氷原から成る世界が広がっていた。それを見たエレナは、少し前の衝撃は潜水艦が北極の海氷を突き破って浮上したためだと気づいた。

潜水艦からそれほど遠くない地点には氷を削った間に合わせの滑走路ができていて、一機のターボプロップ機の姿もあった。エレナと襲撃部隊の六人を降ろすと、潜水艦はすぐに再び氷の下に姿を消した。発見されるのを避けようとしていたのは明らかだった。ターボプロップ機に乗り込むと、これといった特徴のない島に連れていかれ、そこでこのプライベートジェットに乗り換えたのだった。

機内の動きに気づき、エレナは我に返った。襲撃チームのリーダーがこちらに向かって通路を近づいてくる。プライベートジェットの機内はトネリコ材と金色のレザーという贅沢な仕上げが施されていた。機体後部のバーコーナーにはバカラのクリスタルグラスが並んでいる。そんなことまでわかるのは、向かい合わせになった座席との間のテーブルに高価な脚付きグラスが置いてあるからだ。グリーンランドでの襲撃が古代の地図に使用されている貴金属の価値と無関係なのは間違いない。

もっと大きな何かが動いている。

女がテーブルを挟んで向かい側の座席に腰を下ろした。エレナはこのリーダーの表情がやつれ、口数も少なくなっていたことに気づいていた。キャラメル色の肌が青ざめて見える。目もどこかうつろだ。グリーンランドから急いで脱出した後、女は現地での出来事を振り返ったに違いない。十分な分析を行ない、古代のダウ船の船倉から解き放たれた恐怖との折り合いをつけようとしていたのだろう。

「間もなく着陸する」女が口を開いた。

エレナは女をにらみつけた。好奇心のあまり、口を閉じていられない。罰を受けることになってもかまわない。何らかの答えを得られる時間は今しかない。「あなたは何者なの？」

しばらくリーダーから答えが返ってこない。教える価値があるかどうかを見極めているかのように、エレナのことを観察している。女がようやく口を開いた。「ビント・ムーサーと呼ぶがいい」

エレナはその名前を声に出して翻訳した。「モーセの娘」

それに対してうなずきが返ってくる。無意識の仕草なのか、女は指先で顔の傷跡をなぞった。「苦労の末に手に入れた称号だ」

相手の言葉にエレナははっとして息をのんだ。同時に、表情を変えまいと努める。腰のあたりにある物体の存在感が不意に大きくなる。これまでのところ、ずっと隠し持っていたものは発見されていない。脅威には当たらないと判断されたのか、武器を持っていないことを確認するための簡単な調べを受けただけで、携帯電話を没収された後、潜水艦内に監禁されたのだった。

船長の死体から回収した遺物――アザラシの毛皮にくるまれた小さな包みをアノラックの内ポケットに突っ込んでおいたのだが、それは見つからずにすんだ。潜水艦での移動中、気になって仕方がなかったし、気を紛らす材料も必要だったため、エレナは危険を覚悟のうえで遺物を調べた。蠟の封を切って古い毛皮を開けると、中には二冊の小冊子が保存されていて、保護用の革が紐で縫い付けてあった。

もろい本をだめにしてしまうのではないかと思い、エレナは保護のためのカバーを開かなかったものの、長い年月の間に書名が革に焼きついていて、表からも十分に読めるようになっていた。どちらにも筆記体のアラビア語で記してあった。一冊は一つの単語だけ――『オデュッセイア』だ。その時、エレナはホメロスの叙事詩の翻訳版かもしれないと思ったものの、本を傷める危険を冒してまで開いて確認する気にはなれなかった。

それにもう一冊の書名の方により興味をそそられた。

今でも脳裏にくっきりと焼きついたアラビア文字が、その翻訳とともに浮かび上がる。

『モーセの四人目の息子の遺言』

エレナはそれが死んだ船長の航海日誌に違いないと想像した。自らの船がどのような経緯でグリーンランド沿岸の海食洞に行き着いたのか、なぜそこにとどまったままなのか、あんなにも恐ろしい積荷をどこから運んできたのかについて、記されているはずだ。エレナはその航海日誌を開きたいと思ったものの、これほどまでに貴重で歴史的な記録文書を、「モーセの息子」の最後の言葉をだめにしてしまうかと思うと、怖くてどうしても開けなかった。

エレナは向かい側に座る顔に傷がある女を見つめた。「モーセの娘」という称号の持ち主だという。どんな関係があるというのだろうか？　何らかの関係があるのは間違いない。自分を拉致した人間たちは、ダウ船と黄金の地図についてほかの誰よりもはるかに多くのことを知っているようなのだから。

操縦士が客室に連絡を入れてきた。聞こえてきたのがトルコ語だったため、エレナは驚いた。ほかの全員がアラビア語を話していたからだ。「十分後に着陸の予定です。シートベルトを締めてください」

エレナはすでにシートベルトを締めていたので、窓の方に顔を向け、下を眺めた。前方に海岸線が見える。眼下に広がる青海原がエーゲ海だという予想が正しいならば、進行方向に見える岩がちの海岸はトルコの沿岸部だろう。恐怖を抑えつけておくために、エレナはトルコの沿岸部のどのあたりに向かっているのかを見極めようとした。目印となる地形を探し、太陽の位置を考慮するうちに、寒気が走るのを感じる。その原因は確信と戦慄だ。

北東方向に幅の広い水路が見える。〈あれはダーダネルス海峡に違いない〉古くはヘレスポントス、すなわち「ヘレの海」と呼ばれていた。海峡はトルコ北西部を突っ切り、マルマラ海に通じている。

〈やっぱり戻ってきたんだ……ヘルハイムからヘレの海に〉

エレナは近づきつつある海岸線に注意を戻した。深く切れ込んだ湾と、その両側に高くそびえる断崖には見覚えがある。つい最近、この港の地形を目にしたばかりだ。黄金の地図上のまさにこの海岸線に停泊していた、小さな銀色の船を思い浮かべる。ダウ船の近くの川岸でこの場所の名前を口にした時、向かい側に座る女からその通りだという反応が返ってきた。

飛行機が沿岸に差しかかり、高度を落とした。

古代の城壁と基礎部分が視界に入り、エレナの確信はいっそう高まった。

この場所を知っている。

〈トロイの遺跡〉

エレナは女に視線を戻した。ビント・ムーサーに、「モーセの娘」を自称する女に。黒い瞳がエレナを見つめ返す。

〈いったい何が起きているの？〉

10

六月二十二日　東部夏時間午前十一時八分
ワシントンＤＣ

グレイは司令官の机の前にある革張りの椅子に再び腰掛けた。「彼の娘さんを見つけ出さないと」

ケント・カーギル上院議員がキャットに付き添われてオフィスを後にしたところだ。ペインターは立ったまま、苦悩の表情を浮かべている。「同意見だ。あの男性を敵に回すのは避けたいものだな。ホワイトハウスの主人になる可能性があるのならばなおさらだ」

司令官は四十分間をかけて、上院議員に対して捜索活動の最新情報と、世界中の情報機関や法執行機関とともに進めるこの先の計画について伝えた。上院議員は細かい内容を理解し、適切な質問を投げかけ、上院外交委員会の委員長としての立場からの協力を申し出た。

グレイは話に耳を傾けるだけにして、議論はすべて二人に任せた。パニックに陥った父親――自分の思い通りに事を運ぶことに慣れている上院議員が、自らの地位をひけらかし、司令官に反発し、次々と要求を突きつけてくるのだろうと予想していた。実際、カーギル上院議員の目には疲労が浮かんでいたし、不安できつく結んだ唇からは赤みが失せていたが、それでも話し合いがおかしな方向にそれることはなかった。娘を取り戻すためのチャンスを得たいのならば、はったりや脅しは通用しないとわかっていたのだろう。

グレイは何者かにジャックを誘拐された場合、自分はどんな風に行動するだろうかと想像した。〈我を忘れて暴れ回っているかもしれない〉そうした危機に直面した中での上院議員の理性ある冷静さを考えると、彼はきっと素晴らしい大統領になることだろう。鋼のようなしっかりした芯を持っているし、鋭い判断力はどんなナイフよりも切れ味がいい。

娘を巻き込む結果になってしまったシグマの責任の話になると、上院議員は娘が無鉄砲な性格で、自分と同じように仕事に対して情熱的だから仕方がないと、すぐに言ってくれた。グリーンランドの氷に埋もれているのを発見された古代のダウ船について、およびその発見はアラブ人の探検家がヴァイキングよりも一世紀前に新大陸に到達していたことを証明することになるかもしれないとペインターから聞かされた時には、上院議員の目に興味が浮かびすらした。

いきさつをすべて聞くと、カーギル上院議員は頭を左右に振り、少し面白がる様子を見

せながら次のように認めた。〈エレナがそんな話を嗅ぎつけたとしたら、現場から引き離しておくことなどできやしないよ〉

互いに相手への敬意を抱く形で話し合いが無事に終わり、ペインターは机の向こう側に戻った。椅子に座り込むと、グレイに鋭い視線を向ける。「君もわかっているだろうが、今回の件の対応にはトップの隊員がどうしても必要だ」

グレイは言葉の裏に隠れた要請を理解し、自分がまだその評価に当てはまっていることを願った。

「しかし、君の力を借りたいと考えているのは私だけではない」ペインターの言葉に、グレイは上院議員が訪れる前の会話を思い出した。

「誰の話をしているんです？」

「地質学者の撮影した写真が雇い主に送られ、そこから広く拡散した可能性については、さっきも話をした」

「そして間違った人間の耳に届いた。それは理解できます。でも、その写真が正しい人間の耳にも届いたというのは、どういう意味だったんですか？　別の組織がこの件を聞きつけたという話でした。どこなんですか？」

ペインターが答えるよりも先に、キャットが扉の枠を軽くノックし、オフィスに入ってきた。「大切なお客様がお帰りになったので」キャットは言った。「改めてビデオ会議の手筈を整えました」

キャットがペインターのコンピューターに歩み寄り、司令官に向かって問いかけるように片方の眉を吊り上げた。ペインターはうなずき、デスクトップコンピューターを操作するように促した。キャットが高速でキーボードを打ち込むと、司令官の背後のフラットスクリーンモニターが点滅し、画面がちらちらと揺れた後、一人の男性の姿が映し出された。机の上に身を乗り出しているのだろうか、向こう側のウェブカメラのすぐ近くに顔がある。

緑色の瞳が何かを面白がっているかのように輝いていた。男性が額にかかる髪の毛をかき上げる。黒髪は司祭服と同じ色だ。白のローマンカラーが画面でいっそう輝いて見える。

フィン・ベイリーだ――フィン・ベイリー神父。

自分の担当を希望したのが誰なのか、グレイはすぐに理解した。

「我々の問題児が戻ってきてくれたようだ」司祭の声には強いアイルランド訛りがある。向こうからはペインターのオフィス全体が見渡せるらしい。「お帰り、ピアース隊長」

グレイは神父を無視してペインターを見た。「発見を聞きつけた別の組織、地質学者の写真を見た別の組織というのは……ヴァチカンだったんですね」

「そこまで大きくはない」画面の向こうからベイリーが答えた。「情報機関に所属する我々だけだ」

グレイは間もなく話の全体像が明らかになるのだろうと感じた。ヴァチカンに独自の情報機関、すなわち独自のスパイ網があることを知る人間は数少ない。何百年とまではいかないにしても、何十年にもわたって、その情報機関は差別的な扇動集団、秘密結社、敵対国家など、ヴァチカンの利害が脅威にさらされるところに、諜報員を秘密裏に派遣してきた。わかりやすく言えば、彼らは司祭のカラーを身に着けたジェームズ・ボンドたちだ。ただし、殺しのライセンスは持っていない。

グレイとヴァチカンのこの機関との関係は、モンシニョール・ヴィゴー・ヴェローナと初めて出会った十年ほど前にさかのぼる。かつてこの情報機関の一員だったモンシニョールは人格者で、グレイは何度か命を救われたし、彼の姪に心を奪われたこともあった。二人とも世界を救うためにその身を犠牲にし、今はこの世にいない。

ベイリー神父を見ただけで、そんな昔のつらい思い出がよみがえった。画面に映る司祭はグレイと同年代、ローマの教皇庁キリスト教考古学研究所でのモンシニョール・ヴェローナの教え子で、後に恩師の誘いを受けてヴァチカンの情報機関に加わった。大切な友人と縁のある人物なので、グレイはこの司祭から詳しく話を聞くことに異存はなかったものの、心のどこかでこの男性に対して釈然としない思いがあった。うぬぼれが強く、以前の師の代役が務まると思い込んでいるところが気に障る。

〈無理だ〉グレイは思った。〈おまえは絶対にヴィゴーのようにはなれない〉

だが、その思いを言葉にはしなかった。「今回のことがヴァチカンとどう関係してくるんだ?」

「そうだな」ベイリーは答えた。「話せば長くなる。この場で説明するには長すぎる。まずは現在の話から始めるのがいいだろう。数日前のこと、グリーンランドでのとある発見にまつわる写真が出回っているとの情報が、我々の機関に届いた。我々は発見された品物、なかでも黄金の地図と銀のアストロラーベの重要性と、それがここヴァチカンでの何世紀も昔にまでさかのぼる謎とつながっていることに気づいたのだ」

「謎というのは?」グレイは訊ねた。

神父は片手を上げて制止した。「その話は後にさせてくれ。我々は発見の信憑性を確認したうえで、貴重な品をここに移送したいと考えている。それが我々の最優先事項なのだが、君にも想像がつくように、グリーンランドにはカトリック教会の数が多くないし、現地にいる我が情報機関の一員の数については言うまでもないだろう」

「だから彼らは我々の援助を求めたというわけだ」ペインターが補足した。

「この件は早急な対応が必要とされると考えている」ベイリーが説明した。「しかも、噂が広まりつつあるようなのだ」

コンピューターの前にいるキャットが反応した。「それが正しいことは悲劇的な形で証明されました」

「地図を盗んだのが何者なのか、君は知っているのか？」グレイは訊ねた。「誰がドクター・エレナ・カーギルを拉致したんだ？」

「残念ながら、我々も知らない。しかし、この泥棒たちの現地での略奪が完全な成功には終わらなかったことならわかっている」

グレイは眉をひそめた。「どういう意味だ？」

ペインターが答えた。「居合わせた気候学者のダグラス・マクナブが、たまたま地図から外れた球体のアストロラーベを確保できた。その男性の話では、彼らを襲撃した一団はそれも欲しがっていて、『ダイダロスの鍵』と呼んでいたということだ」

〈ダイダロスの鍵だって？〉

「彼らがなぜそのような名前で呼んでいるのかはわからない」ベイリーが認めた。「しかし、我々の一人――教皇庁キリスト教考古学研究所の同僚でもある人物が、そのような球体のアストロラーベについて詳しい。かなり珍しいものだそうだ。また、泥棒たちがそれも手に入れようと躍起になっていた理由も当たりがついている」

「なぜなんだ？」グレイは問いただした。

「説明はモンシニョールに任せるとしよう」

ベイリーが前に手を伸ばしてキーボードを叩くと、ウェブカメラの映像が広がり、神父の左側に立つ別の人物を映し出した。グレイは椅子に座ったまま身構えた。その反応は、向こうの部屋にはほかにも人がいて、会話を聞いているとベイリー神父があらかじめ伝えていなかったことだけに対するものではなかった。もちろん、そのことが神父の軽率さを示しているのは言うまでもない。

ペインターさえも動揺した様子を見せた。キャットは視線が険しくなっただけだ。

グレイは何とか最初のショックを隠そうとしながら、画面に身を乗り出した。ベイリーが「モンシニョール」という言葉を使ったせいなのかもしれない。しかし、ほんの一瞬ながらも、グレイはそこに立っているのがヴィゴー・ヴェローナで、幽霊が現れたのではないかと思った。しかし、その男性が画面に近づくと、グレイは他人の空似だということに気づいた。モンシニョールはその身分に合わせた正装をしている。年齢もヴィゴーと同じくらいで、六十代後半、あるいは七十代前半か。剃髪した頭頂部のまわりに残る白髪の感じも似ている。

「こちらはモンシニョール・セバスチャン・ローで、大学教授であると同時に、長年にわたって我々の情報機関の一員として活動している。彼の前では遠慮なく話をしてもらってかまわない」

〈この瞬間までこちらに選択の余地を与えなかったくせに、よく言うよ〉

モンシニョールはベイリー神父と位置を入れ替わり、照れ笑いを浮かべた。「君たちの表情から察するに、どうやらベイリー神父は私の存在を事前に伝えていなかったようだね」そう言うと、神父に向かってたしなめるような表情を見せる。「以前に人から言われたことを思い出した。『若者は老人を愚かだと思うだけで、老人は若者が愚かだと経験から知っている』」

グレイの顔に思わず笑みがこぼれた。この男性は話し方までヴィゴーに似ている。

モンシニョール・ローは画面とそこに移る人たちに注意を戻した。「私の説明が教師じみた口調になったとしても、どうか勘弁してもらいたい。四十年も教壇に立っていると、複数の人を相手にしゃべる時にはどうしてもそうなってしまうのでね」

モンシニョールは咳払いをしてから説明を始めた。「凍結した船から回収されたものの重要性を理解するためには、まずはその珍しさをわかってもらわなければならない。アストロラーべというのは天球図とアナログコンピューターを合わせたような装置で、星や星座の位置、日の出と日の入りの太陽、さらには海上での方角などを特定できるのだが、アストロラーべを最初に発明したのが誰なのかについては、明らかになっていない。だが、有力視されているのは紀元前二世紀のギリシア人が発明したという説で、おそらくアポロニウス、あるいはヒッパルコスではないかとされている」

ローは最後の細かい話は関係ないと言うかのように手を振った。「ともかく、最初は原始的な装置だった。その後、アストロラーべはイスラム黄金時代の中東で最も精密な形へと発展を遂げた。だが、その当時でさえも、アストロラーべの形は平らだった。見せてあげよう」

モンシニョールがキーボードを打つと、画面の片隅にウィンドウが開き、針や目盛りや文字に覆われた金属製の円盤が表示された。

「九世紀まで、アストロラーベはどれもこのような見た目だった。最初の球体のアストロラーベを発明したとされるのが、イスラムの数学者アル＝ナイリジだ。しかし、こんにちに至るまで、そうした球体の装置はたった一つしか見つかっていない。オックスフォード大学の科学史博物館に展示されている」

ローが再びキーボードに入力すると、黒ずんだ真鍮製の球体の画像が表示された。表面には記号、アラビア数字、星座が刻まれていて、そのまわりを環状のアームと目盛り付きの帯が取り囲んでいる。

「この遺物の歴史は中世の十五世紀にまでさかのぼるもので、シリアで製作されたと思われる。だが、何よりも興味深いのは、底に記されている内容だ」モンシニョールが球体の下半分の画像に切り替えると、かすかな文字を認めることができた。

「書いてある文字は『ムーサーの作品』と読める」

グレイはもっとよく見ようと立ち上がった。「ムーサー？　それは作者の名前ですか？」

ローはモニターの画面越しにグレイを真っ直ぐに見つめているように見える。「これまでそう信じられてきたが、歴史を深く見ていけば――」

ベイリーが歩み寄り、モンシニョールの言葉を遮った。「さっきも言ったように、過去に深入りするのは後回しにして、今起きていることの話に戻ろうじゃないか」

グレイは眉間（みけん）にしわを寄せた。神父は重要な何かを隠し持っていて、なかなか明かそう

としない。

「グリーンランドで回収されたものは」ベイリーが続けた。「発見された球体のアストロラーベとしては歴史上で二つ目に当たる。それだけでも十分に貴重なのだが、それと同時に例の船から奪われた機械仕掛けの地図の重要な部品でもある。まさしく『鍵』なのだ。だからこそ、それが何を表すのか、どこを指し示すのかを知るチャンスが少しでもあるのならば、ローマまで運んでもらいたいと要請しているわけだ」

ペインターが立ち上がり、グリーンランドの地図が映る画面に近づいた。消息不明の潜水艦の捜索は依然として継続中で、状況がリアルタイムで表示されている。ペインターは一つだけほかから離れて大西洋を東に向かっている赤いV字を指差した。

「コワルスキ、マリア、ドクター・マクナブの三人が、このポセイドンに乗っている。遺物を届けるため、すでにヴァチカンに向かっているところだ」

「君にもこっちまで来てもらいたいのだ、ピアース隊長」ベイリーが言った。「あの銀のアストロラーベはもっと大きなパズルの最初の一ピースにすぎず、まだ見つかっていないピースがいくつかある。パズルを完成させるために、我々は君のユニークな才能を借りたいと考えている」

〈ようやく話が見えてきたぞ〉

グレイは自分がシグマに引き抜かれた理由はまさにこの才能にあり、戦闘面での技術よりもそちらをはるかに高く評価されたためだとわかっていた。成長期のグレイは常に対極的な要素の狭間で揺れていた。母はカトリック系の高校で教鞭を執っていたが、優秀な生物学者でもあった。ウェールズ系の父はテキサス州の油田労働者だったが、人生の半ばで事故のために片脚を失い、その後は「主夫」としての役割を強いられた。グレイが人とは違った目で物事を見るようになったのは、両極端の間でバランスを取ろうと努めていた、そんな養育環境が原因なのかもしれない。それとも、それは遺伝的な何かによるもので、DNAに刷り込まれた特質のおかげで、ほかの誰もが気づかないパターンを見抜くことができるのかもしれない。

〈だからベイリーは俺を指名した〉

「ローマへ行くことに同意する前に」グレイは切り出した。「この地図がどこを示しているのか、君にはだいたいの察しがついているように思える。教えてもらいたい」

ベイリーの瞳がいちだんと明るく輝いた。「もちろん、君もすでにそのことはお見通しのはずだな、ピアース隊長。わからないようならば、もうしばらくの休暇をお勧めしていたところだ」

グレイは司祭をぶん殴ると天罰が下るのだろうかと考えたものの、確かに神父の言う通りだった。グレイにはほぼ予想がついていた。「あの船は常人には理解できない積荷を運んでいた。その恐ろしい何かは、不安定な放射性物質が燃料に――」

モンシニョール・ローがうなずいた。「我々もそれに関して話をした。ある種のギリシア火薬──」

ベイリーが片手を上げて制止した。「ピアース隊長の意見の邪魔をしない方がいい」ローが首を左右に振った。グレイと同じく、まだ若い青二才の司祭へのいらだちが募っているようだが、何も反論せずに腕を組んだだけだった。

グレイは話を続けた。「機械仕掛けの地図はある種の航海計器として機能するために製作されたに違いない。船の危険な積荷がもともとあった場所に導くために」

ベイリーの笑みが大きくなる。「その通りだ。では、君を父親としての務めから誘い出すために、その源の場所の名前を教えるとしよう」

グレイは不快感をあらわにしながらため息をついた。秘密を使った駆け引きはもうたくさんだ。「その名前は？」

「地図を作った者たちは、その場所を『タルタロス』と名づけた」

ペインターが眉をひそめた。「タルタロス？　ギリシア版の地獄のことなのか？」

グレイは船倉から解き放たれたものに関するペインターの説明を思い返した。なるほど、その名前はしっくりくる。

ベイリーがうなずいた。「ただし、心に留めておいてもらいたいのだが、タルタロスはギリシア版の苦痛と苦難の奈落だけなのではない。そこはハデスの一角で、タイタンが封じ込められていた場所でもある。オリュンポスの十二神に先立つ巨神族のことだ。すさまじい力を持つ神々で、炎と破壊の化身」

神父はそこで説明を中断し、相手側の反応を待った。

キャットがペインターを見た。「神話の内容はともかくとして、この謎の場所には何らかの未知の燃料が蓄えられているばかりか、悪魔のような兵器も存在していることは明らかです。情報機関でのベイリー神父の同僚がこの場所のことを知っているのであれば、エレナ・カーギルを拉致した何者か——この件に関して誰よりもよく知っていると思われる一団も、その言い伝えに気づいているはずです」

グレイはうなずいた。「やつらはその場所を発見し、資源を強奪するつもりだ」

ペインターがグレイの方を見た。「それを許すわけにはいかない」

「だからピアース隊長にはローマにいる我々のもとまで来てもらいたいと考えているのだ」ベイリーが言った。「事態は一刻を争う。ブライアント大尉がいみじくも述べたように、未知の敵はすでに我々よりも多くの情報を手にしているのだから」

ペインターがグレイを見つめた。

「行くことに同意する前に」グレイは告げた。「相談しなければならない相手がいます」

〈彼女はいい顔をしないだろうな〉

午後零時三十三分
メリーランド州タコマパーク

セイチャンはカップを左の乳房に合わせながら舌打ちをした。〈左右同時にできるタイプの母乳ポンプを買うべきだった〉キッチンの椅子に座ったまま姿勢を変える。背中と背もたれの間には枕を挟んである。一時間前にジャックにミルクを与え、ベビーベッドに寝かしつけたところだが、いつ目を覚ましてもおかしくない。

ジャックが眠っている間、セイチャンはデジタルフォトフレーム上で一枚、また一枚とゆっくり入れ替わる画像を眺めていた。生まれたばかりで病院の乳児用ボンネットを頭にかぶったジャック、その一カ月後に水兵服の着ぐるみを着たジャック、顔からこぼれそうな笑顔を浮かべたジャック、誇らしげな表情を浮かべるグレイの腕に抱かれたジャック。

全身が温かい気持ちに包まれるのを感じながら、セイチャンはカップを右の乳房に移した。

別の画像が現れる。〈くすくす笑うジャックを裏庭のベビープールから持ち上げる、水泳用のトランクス姿のグレイ〉セイチャンはグレイの引き締まった肉体を、太陽の光を浴びてきらめく淡い青色の瞳を、濡れて乱れた黒髪を見つめた。ジャックのことは愛している。胸が痛くなるほど愛しているが、同時に親としての責任が、何よりも夜の睡眠時間を奪われることが、自分とグレイの間の親密度にマイナスの影響を及ぼしていることにも気づいていた。その一方で、ジャックが生まれたことによって二人の関係に多くの要素が加わったのは言うまでもない。

人生とは変わりゆくもの。セイチャンはそのことを痛いほどわかっていた。愛の絆も時とともに変化する。そうでなければ、不貞が関係を破壊するように、停滞も二人の間を引き裂く。

画像が次の画像に切り替わるのを見ているうちに、セイチャンは初めてグレイと出会った時のことを思い返していた。あれはフォート・デトリックの生物学研究施設だった。あの時、セイチャンはグレイを撃った。その瞬間のことははっきりと覚えているが、今では引き金を引いたのがまったく別の人間だったかのように感じられる。自らの人生で起きた出来事の映画版を眺めているみたいな気分だ。

あの当時、セイチャンはテロ組織に所属する暗殺者だった。やがて組織を裏切り、その壊滅に手を貸した。その後、一人きりになって行き場を失ったセイチャンは、シグマに身を寄せ、グレイと家庭を築いた。

それでもなお、セイチャンは自分の中に無慈悲な一面が存在しているという事実を打ち消せずにいた。いまだに消えることはないし、消すこともできない。セイチャンは子供の頃から、暗殺者になるべく過酷な訓練を受けていた。今もどこかに、そんな血液中のアドレナリンが高まる経験を恋い焦がれている自分がいる。

セイチャンの耳に再びあの時の銃声がこだました。倒れるグレイの姿を心の目で見つめる。そのほかのはるかに血なまぐさい死が脳裏をよぎる。恐怖は感じない。あるのは懐かしい冷たさだけ。満足感に近い冷たさだけ。

傍らのデジタル画像が自分の写真に切り替わった。赤ん坊の頭頂部のまだやわらかい泉門にそっとキスをしている自分。

〈この女は誰?〉

〈私は誰?〉

自分でもはっきりとはわからない——しかも、答えを知るのが怖い。それればかりか、ここ数週間ほど、セイチャンは自分を見失いつつあるように感じていた。そうなってしまったら、自分はグレイに何ができるのだろうか?　ジャックにとってどんな母親になるのだろうか?　気を紛らそうと、セイチャンは目の前の仕事に意識を集中させようと努めた。暗殺者として過ごす間に研ぎ澄まされたその能力を向けたのは、ジャックを育てること。セイチャンはそこにすべてのエネルギーを注いだ。なぜなら、その方が鏡に映る自分を見るよりも楽だったからだ。

けれども、もはやそれも通用しなくなった。

何かが彼女の中で大きくなり始めていて、それとともに新たな恐怖も生まれた。

〈本当の私は誰なのかがわかるまで、ジャックにとっては私がいない方がいいのかもしれない〉

母乳の出る量が少なくなってきたことに気づき、セイチャンはポンプのスイッチを切ると、ボトルを外してふたを閉める作業に取りかかった。

そうしているうちに玄関の扉が開き、名前を呼ぶグレイの声が聞こえた。

「キッチンにいるから！」セイチャンは叫び返した。声が少し上ずる。

〈戻ってくる頃だと思っていた〉

床の硬材を踏みしめる足音がしたかと思うと、扉を押してグレイがキッチンに入ってきた。グレイは汗をかいていて、呼吸が速い。たちまちその存在がキッチンいっぱいに広がる。彼のにおいまでもが母乳の甘い香りを押しやり、濃厚な男くさい体臭が室内を満たした。

「おまえに話さなければならないことがある。シグマは俺に――」

「知ってる」セイチャンはグレイの言葉を遮って立ち上がった。「キャットから電話があって、事情を話してくれた。あなたは行くべき」

「本当にいいのか？」

「もちろん。なぜなら、私も一緒に行くから」

グレイが体をこわばらせた。「でも、どうする――？」

「キャットがジャックの面倒を見てくれるから。モンクがジャックを迎えにくるため、もうこっちに向かっている。ハリエットとペニーは大喜びしているみたい」セイチャンは冷蔵庫に歩み寄り、二本のボトルを棚の奥にいれた。ほかに何本ものボトルが並んでいる。「ここ数週間、ポンプで定期的に母乳を出していた。ここに四日分はあるし、冷凍庫にも予備がたっぷりあるから」

セイチャンはグレイと視線を合わせた。

〈私にはその必要があるの〉

セイチャンは反論が返ってくるものと覚悟していた。だが、グレイの瞳の輝きの奥には興奮が見え隠れしている。セイチャンはずいぶんと長い間、そんな輝きを目にしていなかった。自分の心臓もそれに反応する。その裏にある真実を悟り、鼓動が高鳴っていく。

〈私たちにはその必要がある〉

グレイが手を伸ばし、セイチャンを引き寄せた。「俺たちは地獄に乗り込むことになるかもしれない。文字通りの意味で、そうなる可能性だってある」

セイチャンはグレイの顔を見上げ、笑みを浮かべた。顔いっぱいに笑みが浮かんだのは久し振りのことだ。

「そうこなくっちゃ」

11

六月二十二日　トルコ時間午後八時四十五分
トルコ　アンカラ

その神聖なる称号を名乗る四十八代目となるムーサーは、アンカラ最大の祈りの場所であるコジャテペモスクを後にした。トルコの首都を訪れる際には、必ずそこで祈りを捧げる。日没の祈りマグリブを終えたところで、ラカート三回、スンナ二回、任意のナフル二回もこなした。

〈今は中途半端なやり方をしている時ではない〉

モスクの重厚な建物と四本の細いミナレットから離れ、広場を横切る。その後を追うのは彼に仕える三人組で、彼らはバヌー・ムーサー、すなわち「モーセの息子たち」と呼ばれる。男と三人の間に血縁関係はない。そうした称号は虐殺と炎の試練によって獲得されるものだからだ。男には子供がいない。二人目の妻はイスタンブール郊外の彼女の実家にいる。それは政略結婚で、彼の地位には必要な取り決めだった。結婚後は初夜を共にしただけで、ほとんど話をしたこともないし、肌に触れた回数はそれ以上に少ない。

彼にとっての本当の家族は、自分を守るこのモーセの息子たちだった。三人はスーツの上に着用したショルダーハーネスにカラカルFセミオートマチックライフルを二挺(ちょう)ずつ携帯している。周囲を警戒する目は、保護する人物へのいかなる脅威も見逃すまいとしていた。

男は装甲を施したリムジンに案内された。車を見張っているのは二人のビント・ムーサー――残忍で危険な「モーセの娘たち」だ。息子たちと同じようにライフルで武装しているほか、手首の鞘(さや)には投げナイフが収められている。

そのうちの一人が扉を開け、男は後部座席に乗り込んだ。

息子たちもその扉から後に続く。娘たちはリムジンの前部に回り込み、一人が運転席に座ると、アイドリングさせていたエンジンをかけた。長いリムジンが夕方の車の流れに乗り、まばゆく照らされた都会を抜けていく。空港への到着は一時間後の予定だが、その前に彼にはあと一つだけ、アンカラで果たさなければならない務めがあった。

男は座席に深く体を落ち着けたが、胸の高鳴りはまだ収まらない。不安と興奮で体中の筋肉が張り詰めた状態にある。

〈何百年もの年月を経て、ようやく……〉

これまでに大勢の男たちがムーサーの称号を受け継いできた。初代のムーサー・イブン・シャキールは九世紀の偉大な天文学者で、ペルシア北部のホラーサーンで生まれた。彼には四人の息子がいた――だが、ほとんどの歴史家はそのうちの三人しか知らない。頭脳明晰だった息子たちは、イスラムが黄金の輝きを享受していた時代にバグダッドの名高い「知恵の館」で学んだ。ローマ帝国の衰退後、息子たちは遠方への旅に出てはイタリアやギリシアから珍しい資料を持ち帰り、それらを保存するとともに、その中に見出した知識を蓄積した。彼らは運河の建設や独創的な装置の製作のほか、何十冊もの本を執筆するなど、驚くべき業績を残した。

しかし、バヌー・ムーサーの兄弟の秘密の歴史は、限られた少数の人間しか知らない。四兄弟が三兄弟になった事情について。ムーサー・イブン・シャキールの息子たちのうちの一人が、ほかの兄弟たちを裏切って最大の宝物とそれが守っていた秘密を盗み、すべての記録を破壊して行方をたどれないようにした経緯について。この裏切りのせいで、彼の名前は本から削除され、一族内での彼の存在も抹消されたのだ。

まるでフナイン・イブン・ムーサーなど、初めから存在していなかったかのように。

それでも、兄弟の一人が盗み、世界の目に触れさせまいとしたものを、バグダッドの知恵の館におけるある一派が忘れることはなかった。彼らはその知識を隠したまま、ある世代から次の世代に、あるカリフの時代から次のカリフの時代に、ある国家から次の国家に伝えてきた。これまでに四十七人の男たちがこの一派を率い、それぞれがムーサーの称号を受け継ぎながら、いつの日か失われたものが再び見つかると信じてきた。

そして今、世界にその時が訪れた。

〈私は四十八代目のムーサー――そして最後のムーサーになるだろう〉

この地位に就くために、男は大いなる苦しみを味わってきた。それは血と悲しみに彩られた、生まれながらの宿命だった。最初の妻――愛するエスラと、生まれて間もない男の子は、クルド人が仕掛けた爆弾によって殺害された。やがて男は首謀者たちを追い詰め、真夜中にその妻や子供たちともども抹殺した。それほど大量の血をもってしても、男の悲しみを洗い流すことはできなかった。

その代わりに、男は自分に仕える新たな息子たちと娘たちを集めた。いずれも目標のためならばどんなことでもする者たちだ。男はすべてのクルド人に苦しみを与えるだけではなく、この地域全体に火をつけるつもりでいる。中東一帯の緊張がこれまでになく高まっている中、アルマゲドンを起こすべき時が訪れたのだ。失われたものの出現こそが、その前兆に当たる。

〈この火薬庫にマッチを一本だけ投げ入れるのではない――千本の松明を放り込んでやる〉

男はグリーンランドのチームに降りかかった運命に、彼らを惨殺した恐怖に思いを馳せた。フナインが隠そうと努めたものは実在するという証拠だ。それが判明した今、ムーサーには自分が何をするべきなのかわかっていた。胸の内で信じていたことは、自らの宿命なのだ。

〈私が地獄への入口を見つけ、その門をこじ開け、アルマゲドンを解き放つ〉

男はこれまでずっと、世界に終末の時が迫っていると感じていた。異常な自然災害、地球の汚染、終わることのない戦争、そして何よりも問題なのは、世界中にはびこる道徳の退廃。予兆はいくらでもある。そのことに気づいたムーサーは、イスラムの黙示文学を研究し、ハディース――預言者ムハンマドのものとされる言行録のうちの、この世の終わりについて述べた部分を読んだ。それによると、その時にはイーサーが復活するという。キリスト教徒は彼のことをイエスと呼ぶ。

男は目を閉じ、これまで何度も引用されてきたハディースによる終末を暗唱した。〈マルヤムの息子は間もなく公正な裁き人として降臨される。十字架を壊し、ブタを殺す〉キリスト教の終末論とは異なり、イスラム教ではイーサーが復活するとキリスト教徒を否定し、イスラム教徒の側につくと信じられている。イーサーは十字架を破壊することで自らへの崇拝に終止符を打ち、以前からイスラム法で定められていた通り、ブタの肉を食べることを禁じる。

しかも、イーサーは一人でやってくるのではない。

イーサーの大いなる降臨に先立ち、ムハンマドの子孫で指導者だった十二代目のイマームが現れ、不正を追放し、悪魔と戦い、世界を焼き払って清める。

その人物は「マフディー」と呼ばれる。「導かれた者」の意味だ。

ここ何世紀もの間、多くの人間たち――偽の預言者たちが十二代目のイマームを自称してきたが、ムーサーは真実を知っていた。世界を清めることができるのはたった一人しかいないと確信していた。そしてグリーンランドでの発見――四十八代目のムーサーの時代での発見は、間違いなくその証拠だ。

〈私が地獄の門を開き、悪魔の炎を盗み、世界を火で清める〉

その後、彼の称号は永遠に変わる。

ムーサーからマフディーに。

これまでずっと、それこそが自分の真の定めなのだと確信していた。

ポケットの中の電話が音と振動で着信を知らせた。かかってくるのを予期していた男は、すぐに電話を取り出した。聞こえてきたのは予想通りの声だった。

「我が敬愛するムーサー、私たちの飛行機は沿岸部に着陸しました」ビント・ムーサーが毅然（きぜん）とした声で伝えた。一派の中で交わされる会話の伝統にならって、アラビア語を話している。これは古代の創設者の母語に敬意を表するためだ。「知恵の館に向かっているところです」

「よろしい。それで地図は確保したのだな？　考古学者も一緒なのだな？」

「はい。ただし、すでにお知らせしたように、ダイダロスの鍵の回収には遺憾ながら失敗しました」

ムーサーは不首尾を伝える声から苦悩を感じ取った。通常ならば処罰に値する失態だが、この娘は多くを回収してくれたし、凄惨な喪失を負った。許しを与えるとしよう——そして、希望も。

「恐れることはない、我が娘よ。我々は必ずやダイダロスの鍵を手に入れる。すでに計画が進行中だ」

安堵のため息が聞こえた。「そのような素晴らしい知らせを聞くことができて、ありがたく存じます」

「日付が変わる前に知恵の館で会うとしよう」

男は電話を切り、アンカラでの最後の務めに立ち会うための心の準備をした。リムジンがアタチュルク大通りに入った。並木道を走る車の進行方向には石壁の間に高さのあるゲートが見える。アメリカ大使館の入口には星条旗が掲げられている。

ゲートは開け放たれていて、その両側に見張りが立っていた。

リムジンが入口前の歩道脇に停車すると、ムーサーは車を降りた。施設の入口の奥からはクラシック音楽の調べが流れてくる。中庭ではすでにパーティーが始まっていた。

アメリカの首席公使が手を差し出しながら近づいてきた。「ホシュ・ゲルディニズ」公使はトルコ語で挨拶した。「フィラト大使、あなたがこの街にいらして今夜の夜会に出席いただけるとは喜ばしいことです」

「こちらこそ光栄ですよ」男は首席公使と握手した。「美しい貴国の大使として、どうして出席せずにいられるでしょうか」男は首席公使に付き添われてゲートを抜け、自国内にある外国の領土に足を踏み入れた。

〈間もなくそうした国境はすべて焼かれて消え去る〉

男は中庭からリムジンを振り返った。車内には息子たちと娘たちがいる。男は笑みを浮かべながら前に向き直った。家族のほかの者たちは、すでに計画の次の段階の準備を進めている。

ダイダロスの鍵を手に入れるために。

12

六月二十二日　中央ヨーロッパ夏時間午後十時四分
イタリア　ローマ県

　ランドローバーがローマを周回する幹線道路から離れて南西方向に向かうと、コワルスキは顔をしかめ、背筋を伸ばした。都会の輝きが後方に遠ざかる中、SUVは速度を上げ、小さな村の明かりが点在するだけの暗い斜面を上っていく。黒雲が夜空の星をすっかり隠してしまっていて、今にも夏の雷雨が襲いかかりそうだ。標高の高い地点からこだまする雷鳴は、遠くで大砲を撃っているかのように聞こえる。

「どこに向かっているんだ？」後部座席のコワルスキはローマの明かりから顔をそむけて訊ねた。「教皇が暮らしているところに行くんだと思っていたんだが」

「その予定」隣に座るマリアがいらだちまじりのため息とともに答えた。

「それってローマ市内じゃないのか？　ヴァチカンだろ？」

「ええ。でも、さっき言ったように、私たちが向かっているのは教皇の夏の離宮。カステル・ガンドルフォという町で、ローマの南二十数キロほどのところ。ローマ郊外の丘陵地帯にある。クロウ司令官からアストロラーベをそこに持っていき、ベイリー神父とモンシニョール・ローに会うようにとの指示があったの」

コワルスキは座席に深く座り直した。疲れ切っているので、それ以上は詳しく聞く気力もない。その件に関してはマリアがクロウ司令官と電話で打ち合わせてくれて助かった。もともと細かい話を詰めるのは得意じゃないし、緊張と睡眠不足の日々の後だからなおさらだ。ようやくグリーンランドを離れられるようになった頃には、暴風は収まっていたが、目的地も変わっていた。アメリカに帰国するのではなく、イタリアに行き先が変更になっていて、銀のアストロラーベを届けるように命令されたのだ。誰も事情を説明してくれなかった。だが、命令は命令だ。そればかりか、予定の変更はプルマン指揮官の機嫌を損ねることにもなった。ポセイドンの指揮官は例の消息不明の潜水艦の捜索から外され、コワルスキたちを送り届ける役回りになったことに対して、露骨に不服そうな顔をした。

二十分前、ポセイドンはローマ郊外にあるイタリア空軍のグイドーニア空軍基地に着陸した。プルマンは厄介者を追い払うかのように、一行を飛行機から降ろした。

〈少なくとも、俺にはそういう態度だったたな〉

滑走路で待機していた黒のランドローバー・ディフェンダーには、イタリアの国防省所属の国家憲兵を意味する「カラビニエリ」の文字が、車体側面に白文字で記してあった。運転手はレイナルドという名前の若い憲兵で、濃いネイビーブルーの制服に同じ色のベレー帽という格好だった。コワルスキは憲兵のホルスターに収められたベレッタ92をうらやましそうに眺めた。武器を持っていないのは素っ裸でいるのも同然だ。

ダグラス・マクナブがSUVの三列目の座席から身を乗り出した。「マリア、君のチームメイトたちはいつ到着する予定なんだ?」

「明け方頃」マリアが答えた。

そのことを思い出し、コワルスキのいらだちが募った。クロウ司令官が今回の件の対処をコワルスキ一人には任せられないと判断したように思えたからだ。わざわざ応援を派遣するなんて。

不意に不安になり、コワルスキはマックの方を振り返った。ポセイドンから大急ぎで降ろされた時、ひげを蓄えた気候学者が荷物を機内に置き忘れていないことを確認せずにはいられなかったのだ。今も銀色のスーツケースがちゃんと男性の隣の座席にあるのを見てほっとする。低レベルの放射線が検出されたため、アストロラーベは内側に鉛を貼って遮蔽したスーツケースの中に保管されている。誰かがうっかり開けてしまうことのないように、側面には危険物を示す黄色と赤のシールが貼られていた。

もっとも、マックが荷物から目を離す心配はなさそうだった。

気候学者はアストロラーベについていくと言い張り、その理由も納得のいくものだった。〈友人がこいつのせいで死んだ。それにエレナは俺が見ている目の前で連れ去られた。いったい何が起きているのかを突き止めるまでは、この忌々しいボールのそばから離れるつもりはない〉

コワルスキはもっと簡単な「見つけたものは俺のもの」という説明でも納得していただろうが、何としてでも今回の件の真相を知りたいというマックの頑固さと決意は評価できた。

あとはそのせいでこの男性が殺されないことを願うだけだ。

ランドローバーは急カーブの多い二車線の道路を走り続け、村を通過する時にはスピードを落とした。フラットッキエという村を抜けて加速している時、ついに夏の嵐につかまった。さっきまで路面は乾いていたのに、カーブを曲がった途端、強風とともに滝のような雨が車を打ちつけたのだ。大きな雨粒が屋根を叩く。フロントガラスのワイパーが懸命に雨をぬぐう。

「悪天候が俺たちにつきまとっているみたいだな」後ろでマックがつぶやいた。

マリアが携帯電話で地図を確認した。「カステル・ガンドルフォまではあと五キロくらい。もう間もなく到着するはず」

先に進むにつれて、嵐はますます激しさを増した。視界はＳＵＶのフロントバンパーのあたりまでしか利かない。レイナルドが舌打ちし、仕方なく速度を落とした――それはちょうどいいタイミングだった。前方がよく確認できないまま次のカーブを曲がると、材木運搬用のトラックがハザードランプを点滅させ、道路を斜めにふさぐ格好で停車していたのだ。運転手は急ブレーキを踏み、衝突を回避した。

〈目的地に間もなく到着することは難しくなったな〉

ランドローバーのエンジンをアイドリングさせたまま、運転手はイタリア語で悪態をつくと、扉を押し開けた。「何が問題なのか見てきます」

憲兵が足を外に踏み出した瞬間、運転席側の窓が飛び散った。立て続けに銃弾を浴び、その体が後方に吹き飛ぶ。黒い服に身を包み、銃身の短いカービンで武装した三人の男が、トラックの後部を回り込んでこちらに向かって走ってくる。

コワルスキは最初の銃声が鳴り響くと同時に行動を起こしていた。マリアを床に押さえつけてから、座席の背もたれを飛び越え、運転席に座る。頭を下げた姿勢を保つ間も、銃弾の雨を浴びてフロントガラスが粉々になって飛び散る。壊れた扉を閉めようともせずに、コワルスキはギアを切り替え、アクセルを踏み込んだ。四つのタイヤが濡れた路面をしっかりととらえ、ランドローバーが急発進した。

トラックの側面に向かって突っ込みながら、三人の襲撃者のうちの二人を跳ね飛ばす。三人目は転がりながら車をよけた。相手が体勢を立て直して発砲するまで、ほんの数秒の余裕しかない。

コワルスキはギアをリバースに入れ、車をバックさせた。

バックミラーに光が映ったかと思うと、二台のバイクが脇道から道路に進入してきた。加速しながら接近する二台のバイクのドライバーの後ろに座るライダーが、それぞれサブマシンガンを構えた。退路をふさごうという意図だ。

〈予想はしていたけどな〉

コワルスキは急ブレーキをかけた――血まみれになったレイナルドの死体の真横で停止する。開けっ放しの運転席側の扉から身を乗り出し、片手でハンドルにつかまったまま、もう片方の手を下に伸ばす。親指で憲兵のホルスターのフラップを開き、ベレッタを引き抜いた。体幹の力を使って素早く元の姿勢に戻る。

〈ちょっとした仕返しの時間だ〉

コワルスキは両手で拳銃を構え、アクセルを踏み込んだ。ギアはリバースのままなので、ランドローバーは高速で後退する。コワルスキは前方に狙いを定めた。トラックのそばにいる襲撃者は雨の降りしきる路面に再び立ち上がったところだ。コワルスキはフロントガラスに向かって二度、引き金を引いた。相手の体も同じ数だけびくっと動く。二発とも命中していた。

男が倒れてもなお、コワルスキはアクセルを踏み続けた。

「伏せたままでいろ!」二人の乗客に向かって叫ぶ。

SUVが猛スピードで後退してくるため、二台のバイクはその両側によけるよりほかなかった。コワルスキは砕けた運転席側の窓から左側のバイクに向かって残った弾を撃ち尽くした。後ろに乗っていたライダーが転がり落ちる。バイクは大きく道を外れ、岩にぶつかり、宙を舞ってから木に激突した。

もう一台のバイクが巧みなハンドルさばきで方向転換すると、発砲しながらランドローバーに向かってきたので、コワルスキは低い姿勢を取らざるをえなくなった。

だが、相手の狙いはコワルスキではなかった。

右の前輪のタイヤが吹き飛び、ランドローバーが濡れた路面でスピンした。ダッシュボード上の計器が警告を示して次々に点滅する中、コワルスキは弾切れになった拳銃を捨て、ハンドルをつかんだ。何とか車の制御を取り戻せたのは、ランドローバーのタイヤのグリップ力よりも、コワルスキの必死の祈りのおかげだったかもしれない。もと来た道を引き返す向きになり、コワルスキはギアを切り替えてアクセルを踏み込み、追跡を開始したバイクから逃れようとした。

そのままだったら逃げ切れたかもしれないが、嵐の中を前方からもう一台の大型トラックが接近してきた。意図的に道路をまたいで停車し、退路を断とうとする。しかし、道が完全にふさがれる前に、別の黒のSUVがその隙間を抜けて高速で向かってきた。

〈この連中は予備の予備まで計画を考えていやがった〉

「これじゃ逃げられそうにない」後ろからマリアが声をかけた。

〈まだわからねえ〉

コワルスキはハンドルを切って道を外れ、開けた原っぱを突き進んだ。あいにく、突然の豪雨で休耕地は泥沼と化している。コワルスキはまともなタイヤが三つになったランドローバーのハンドルと懸命に格闘したものの、野原を半分ほど横切ったところで泥にはまってしまい、タイヤはむなしく空回りするばかりになってしまった。

コワルスキは罰当たりな言葉を吐きながらバックミラーをのぞいた。後続のＳＵＶも似たような状況で、むしろもっと苦戦している。ランドローバーの轍をたどろうとする間違いを犯したためだ。タイヤによって撹拌された泥はより始末が悪く、あっと言う間に車軸まで埋もれてしまっていた。

すでに数人が車外に出ている。

道路の方からさらに大勢が迫ってくる。

「ここからは駆けっこだ」コワルスキは伝えた。「車を出ろ」

全員が車から降りると同時に、マリアが息をのんだ。コワルスキは彼女の方を見た。マリアに続いて降りてきたマックの顔は苦痛で歪んでいる。片手で左肩を押さえていて、雨が洗い流すよりも多くの血が流れていた。銃撃戦のどこかで被弾したに違いないが、気候学者は一言も声を漏らさなかった。

マリアが手を貸そうとした。

だが、マックは開いた扉の方を顎でしゃくった。「スーツケース」

マリアは意図を理解し、鉛で中身を遮蔽してある容器を回収した。新たな銃声が草地を切り裂き、ランドローバーの後部に当たって跳ね返る。

コワルスキは前方に見える木々の連なりを指差した。あそこが身を隠せるような森の外れなのを祈るしかない。「行くぞ！」

三人は沼地と化した原っぱを横切り始めた。泥が靴をとらえてなかなか離してくれない。三人は追っ手との間にランドローバーの大きな車体を挟みながら移動したものの、そのわずかな防御も長くは持たない。それでも、木々があるところまでどうにか無事にたどり着き、転がり込むようにその中に身を隠した。残念ながら、そこで一息つくことはできなかった。太いマツの木が密生しているものの、ちょっとした雑木林程度の広さしかない。

小さな林の向こうは下り斜面になっていて、火山岩の断崖に縁取られた一・五キロほど先の真っ暗な湖に通じていた。その手前に見える嵐の中の明かりは、町の存在を表している。

「あれがカステル・ガンドルフォ」マリアが教えた。「アルバーノ湖を見下ろす位置にあるの」

「あと少しで着くところだったのにな」マックがうめき声を漏らしながら言った。ここに来るまでにかなりのエネルギーを失ってしまったようだ――それに大量の血も。これ以上は動けそうにない。

マリアもマックのつらそうな様子に気づき、苦渋の表情を浮かべた後、コワルスキの方を向いた。「あなただったらできる」

「できるって、何をだ?」コワルスキは訊ねたものの、すでに答えはわかっていた。

マリアがスーツケースを差し出した。「これをあの町まで持っていくこと。あそこまで走れるのはあなたしかいない」

「おまえを残していくわけにはいかない」

「私が一緒に行っても足手まといになるだけ。それに――」マリアの視線がマックに向けられる。「出血している彼を一人きりにすることはできないでしょ」

コワルスキはマリアの言う通りだとわかっていたし、彼女が絶対に怪我人を置き去りにしないだろうということも承知していた。

それでも、コワルスキはためらった。

マリアが斜面の途中にある蒸気を噴き出している穴を指差した。そこから湧き出る細い流れがはるか先の湖まで通じている。「あそこに小さな洞窟がある。たぶん、温泉の噴き出し口だと思う。私たちはあの中に隠れるから、あなたは村に急いで」

後方から複数の叫び声が聞こえる。敵が距離を詰めつつある。

コワルスキはマリアを見つめた。心臓の鼓動が耳に鳴り響く。自分にできることをするしかない——コワルスキはスーツケースを手に取った。

午後十時四十八分

マリアとマックは蒸気でかすんだ生暖かくて浅い洞窟の奥で身を寄せ合った。左側から足音と声が聞こえ、びくびくしながら息を潜めたが、追っ手は二人が隠れている場所に気づかなかった。

全員の目はジョーに向けられているようだ。茂みや大きな岩の陰を利用しながら斜面を駆け下りていくジョーの影が見える。洞窟の奥からぶくぶくと泡を立てて湧き出る湯が、マリアとマックの間を流れていく。負傷した気候学者は大きな体を狭い空間に押し込むため、折り曲げた左右の膝が顎の先端にくっつきそうな姿勢になっていた。洞窟内はかなりの熱気なのに、マックはぶるぶると震えている。失血と痛みでショック状態に陥る一歩手前なのだろう。

銃声に地元の警察が対応してくれたらしく、丘陵地帯の向こうからサイレンの音が聞こえてくる。マリアは敵にもあの音が聞こえていますようにと祈った。きっと追跡を中止するはずだ。マリアはもっと多くの助けを呼びたかった。携帯電話は手に握り締めていて、いつでも救助を要請する準備はできている。ジョーが必死にそっちに向かっているとカステル・ガンドルフォに知らせるために、マックに医者の手当てを受けさせるために。

〈でも、まだだめ〉

誰にも声を聞かれず、誰にも携帯電話の画面の光を見られないと確信できるまでは。そのため、マリアは息を殺したまま、追っ手が全員、獲物を追ってカルデラの斜面を下るまで待った。ジョーの姿も追っ手の姿も見えなくなってから、ようやくマリアは電話を顔に近づけた。

マックが小声でささやいた。「彼は目的地まで行けると思うかい？」

「できる人がいるとすれば、彼しかいない。たとえ失敗しても――」

その可能性を考えることすらできなかった。強い罪悪感に苛(さいな)まれ、恐怖のあまり息が詰まりそうだ。立ちこめる湯気の向こうの冷たい雨が降る夜を見つめながら、マリアはジョーの姿を探した。

〈私は何てことをしてしまったんだろう？〉

午後十時四十九分

　コワルスキは激しく息を切らしてよろけながらも、草の間に岩が散らばる斜面を砂利道に向かって下っていた。スーツケースが太腿に当たるのも気にせずに湿った空気を肺いっぱいに吸い込み、この先に控える全力疾走に備える。小道の向こう側の五十メートルほど先には真っ黒な湖が見える。湖面には大きな雨粒がひっきりなしに落ちている。

　アルバーノ湖だ。

　左手を見ると、湖を一周する遊歩道と思われる小道が、カステル・ガンドルフォの明かりに向かって延びている。

〈あそこを目指さないと〉

　コワルスキは再び速度を上げた。逃げる自分が敵を引きつけ、マリアとマックから引き離していると思うと、少しは元気が出てくる。まるでアメリカンフットボールのフィールドにいて、ボールを持つ自分が全員に追われているかのようだ。しかし、コワルスキは自分が俊足のランニングバックではなく、体の大きさで勝負するディフェンシブエンドなのを自覚していた。エンドゾーンを目指して疾走するよりも、ぶちかまして相手を倒すのに適した体格なのだ。

　それでも、時にはラインバッカーだってタッチダウンを決める。

そのことを証明してみせるとの決意のもと、コワルスキは大きな体で懸命に砂利道を走り続けた。すでに前方には窓の明かりや、石壁と屋根の暗い輪郭が確認できる。

〈俺ならできる〉

次の瞬間、周囲に閃光が走った。驚くと同時に目がくらみ、コワルスキはあわてて立ち止まった。あたかも竜巻が発生したかのような、いちだんと激しい風が吹きつける。

しかし、その正体は竜巻ではなかった。

頭上から銃声が聞こえる。まぶしさにまばたきしながら手をかざして光を遮るコワルスキの目の前で、小道の砂利が飛び散る。

首を曲げて上を見ると、ヘリコプターが一機、ホバリングしていた。敵はさらなる予備の計画を発動し、今度は空からの援護を要請したらしい。コワルスキは再び光を見つめながら、ラインバッカーがゴールラインの数ヤード手前でタックルされたことを悟った。

コワルスキは地面に両膝を突くと、スーツケースを小道に置き、両手を上げた。

数秒後、ヘリコプターのローターの回転音の合間に、砂利道を踏みしめる足音が聞こえてきた。そちらに顔を向けた途端、ライフルの銃床が鼻の付け根に叩き込まれる。骨が折れ、痛みで視界に赤みを帯びた光が飛び交う。体が横倒しになるのに合わせて、夜の闇よりも濃い暗闇が襲いかかろうとする。

コワルスキは意識を失うまいとした――しかし、その試みすらもうまくいきそうにない。

ヘリコプターが戦利品を回収するために降下し、ローターの巻き起こす風が吹きつけるのを感じる。遠くからサイレンの音が聞こえるが、とても間に合いそうにない。それでも、サイレンは敵の耳にも聞こえたようだ。影がまわりを取り囲む。アラビア語の怒鳴り声がする。

すぐ近くで、誰かがスーツケースをつかんだ。

コワルスキは取り返そうと腕を伸ばしたが、足で払われた。

もはや持ち上げていることもできなくなった頭が沈み、砂利にぶつかる。血の味がする。血のにおいがする。薄れゆく視界までもが血の色に染まるものの、コワルスキはしっかりと目で確認できた。

スーツケースの掛け金が外され、ふたが開く。

中身が空っぽなのを見て、コワルスキは咳とも笑い声ともつかぬ音を漏らした。

〈賢い子だ……俺の相手としては賢すぎる〉

午後十一時四分

ヘリコプターが離陸して高速で飛び去るのを見ながら、マリアは携帯電話を切った。不意に息苦しさを覚える。胸をふくらませても、肺に空気が入ってこない。ペインターに連絡を入れ、事の次第をどうにか伝えたものの、残った気力と体力のすべてをそれで使い果たしてしまった。ペインターはすでにこの近辺の当局に連絡を入れてくれたが、それでも三人のうちの一人には不十分だし、間に合わない。

〈ジョー……〉

先ほどの銃声を聞き、マリアは最悪の事態を恐れた。

〈私は何てことをしてしまったんだろう?〉

ジョーを無意味な全力疾走に送り出してからずっと、その言葉を呪文のように繰り返している。マリアは彼に事実を伝えなかった。アストロラーベを持っていると信じ込ませる必要があったからだ。マリアはジョーに力を出し切って走ってほしかった。それはハンターたちを引き寄せるためでもあるし、彼が生き延びるためでもあった。ジョーが敵を振り切ってカステル・ガンドルフォまでたどり着ければ、彼もアストロラーベも無事のはずだった。

〈でも、彼がたどり着けなかったら――〉

マリアが上着の前を開くと、膝の上に銀のアストロラーベが載っていた。雑木林を目指して走っている間にスーツケースから取り出し、上着の下に隠しておいたのだ。マリアの専門は行動科学だった。その対象は主に霊長類だが、そこには人間も含まれる。追跡に必死の敵はジョーを追いかけるはずだとわかっていた。逃げる敵を追いかけることは、アドレナリンの高まりによって引き起こされる肉食動物の本能的な行動だ。

だから、マリアはそのことを利用した。

しかし、そう思ったところで、罪悪感が和らぐわけではない。

マリアは息を詰まらせながら深呼吸をした。

〈ごめんなさい、ジョー〉

13

六月二十三日　中央ヨーロッパ夏時間午前五時三十分
イタリア　カステル・ガンドルフォ

グレイはバリケードが築かれた広場を横切った。前方に見えるのは四階建ての黄色い建物で、鎧戸の下ろされた窓が連なり、巨大な木製の扉がある。玄関はかつての教皇の離宮の入口で、避暑用の山荘として使用されてきたが、現在は博物館として一般にも公開されている。

しかし、今日はその予定が変わった。

昨夜の襲撃事件を受けて、離宮は防御を強化した要塞(ようさい)同然になっていた。石畳の通り、土産物店、こぢんまりとしたカフェなどがあり、絵の中から飛び出してきたかのように美しいカステル・ガンドルフォの町は、全域が封鎖された。趣のある通り沿いに軍用車が停まっている。バリケードが築かれた広場を、防弾チョッキにヘルメット姿の銃を持った兵士たちが巡回していた。彼らはヴァチカン市国の憲兵隊で、犯罪捜査に当たるだけでなく、対テロ作戦用の訓練も受けている。ローマ市内にあるヴァチカン市国と同じく、敷地面積四十万平方メートルの夏の離宮はイタリア領土ではない。所有者は教皇だ。

グレイとセイチャンは二カ所の検問所で身分証明書の検査を受けた。バリケードの手前では係官による身体検査のほか、電子機器によるチェックも行なわれた。

高さのある玄関の扉のところでは、濃い青のブレザー姿の男性が近くに来るよう手招きし、再び書類を見せるよう促した。険しい表情と、テイラーメイドのイタリア製生地の下の盛り上がった筋肉から推測するに、この男性も軍関係者だろう。その左右にも同じような服装と体型の男性がいて、三人とも無線のイヤホンをはめている。グレイは上着の下からヘッケラー&コッホMP7サブマシンガンが見え隠れしていて、ホルスターにはシグ・ザウエルP230が収められていることにも気づいた。

通常の青、赤、黄の三色から成る制服姿ではないが、グレイは任務に忠実なこの兵士たちの正体を見抜いた。スイス衛兵だ。ただし、ただの兵士ではない。制服を着用せずに任務に就くのを認められているのは精鋭中の精鋭だけで、教皇版のシークレットサービスとも言える存在だ。

両腕を組んだ姿勢で待つ間、グレイは広場を挟んだ向かい側を見つめた。夜明け間近の東の空はすでにほんのりと輝き始めているが、太陽はまだ昇っていない。周辺に多くの兵士たちがいるにもかかわらず、グレイの目は脅威の気配を探した。深呼吸を繰り返す。すぐにでも行動を起こしたい。こうして何度も検問を受けなければならないことが、グレイのいらだちを募らせた。うんざりするような長時間のフライトの後、空軍基地から延々と車に揺られて、ようやく到着したというのに。

セイチャンがグレイの腕に触れた。「彼なら大丈夫だから」グレイの不安の原因がどこにあるのか、お見通しだ。

移動中、グレイはコワルスキの行方の捜索に関して、定期的に最新情報を受けていた。これまでのところ、三人が待ち伏せを受けた周辺で彼の死体は発見されていない。血痕とマシンガンの薬莢が見つかっただけだ。今もダイバーたちが近くにある火山湖の濃い緑色の水に潜り、死体を探している。

ようやく見張りが二人の身分証明書を返却した。「ボサード大佐だ」男性の声には強いスイス訛りがある。「私が君たちに付き添う。ヴァチカンの領土内では私の目の届かないところに行かないように。ついてきてくれ」

男性の案内でいくつもの扉をくぐりながら、グレイたちは教皇の離宮の中心部に向かった。不愛想な大佐を先頭に、大理石の通路を進み、教皇たちの胸像の前を通り、高価なアンティークの調度品を備えた豪華な客間を抜ける。グレイはベルベットのロープで仕切られた区域が何カ所かあることに気づいた。ツアー客たちも同じ場所を経由して案内されているのだろう。

しかし、グレイは観光で訪れているのではない。

ボサードに続いて次の扉を抜けると広いバルコニーがあり、そこからは手入れの行き届いた生け垣が迷路のように続いている庭園を一望できる。ここの敷地はヴァチカン市国よりも広く、宮殿と庭園だけでなく、古代ローマの円形競技場が隠れている小さな森や、面積三十万平方メートルの酪農場も含まれている。

庭園の景色を堪能できるような向きにテーブルが置かれていた。

その上には食べかけの朝食が載っている。三人が椅子から立ち上がり、グレイとセイチャンを迎えた。

マリア・クランドールが駆け寄り、セイチャンをハグした。「あなたたちがここに来てくれてよかった」途切れ途切れの声だ。

ベイリー神父もやってきて、グレイの手を握った。今はその目に面白がっているような輝きは見えない。あるのは強い決意だけだ。「私もドクター・クランドールと同じ気持ちだ」

モンシニョール・ローはテーブルの近くにとどまったまま、二人に向かってうなずいた。年配の司祭は正装ではなく、ジーンズに黒のシャツという格好で、明け方は冷え込んでいるため薄手のジャケットを羽織っている。

グレイはもう一人の人物の姿が見えないことに気づいた。「ドクター・マクナブの容体は?」

マリアが答えた。「大丈夫そう。教皇の山荘にある医療施設で治療を受けているところ。かなりの出血があったけれど、幸運にもちょっと深いかすり傷程度ですんだから」

「コワルスキに関して何か知らせは?」セイチャンが訊ねた。相手を気づかっての質問だったが、マリアの心が負ったのはかすり傷程度ではすまなかった。

マリアは両腕を組み、少しだけ顔をそむけた。「何も」つぶやくような声が漏れる。

「それなら、あいつは生きているに違いない」グレイは断言した。

マリアがグレイの方を見た。「どうしてそう思うの?」

「襲撃者たちはただちに現場を立ち去らなければならなかった。コワルスキを殺したのだとしたら、そのまま放っておいたはずだ。死体をわざわざ持ち去ったり、どこかに隠したりしたところで、何の意味もない。君のちょっとした作戦がコワルスキの命を救ったんじゃないかな」

その言葉にマリアが反応を見せた。それについての確証を得たいと思っているのだろう。「どういう意味なの?」

「あの連中が襲撃時にアストロラーベを入手していたら——道路上だろうと、または湖畔の遊歩道上だろうと、君たちを生かしておく必要はなくなる。間違いなくその場でコワルスキを撃っていたはずだ。だが、スーツケースが空っぽだとわかると、やつらはコワルスキを連れ去った。尋問にかけ、知っていることを聞き出そうという狙いだ」

「どうしてそうだと言い切れるの？」

グレイは肩をすくめた。「俺だったらそうしていたからだ」

マリアが胸の前で組んでいた腕をゆっくりとほどいた。その表情から恐怖がいくらか消えたものの、罪悪感はまだ残っている。「そもそも、あいつらはどうして私たちがここに来ることを知っていたの？」

〈まったく、その通りだ〉

グレイはベイリー神父を見た。「どうして俺たちはこんなところにいるんだ？　アストロラーベを教皇の夏の離宮まで持ってくる必要があったのはなぜなんだ？」

ベイリーはテーブルを指し示した。「まずは食べたまえ」

グレイは相手が背を向ける前に腕をつかんだ。「なぜだ？」グレイは食い下がった。

ボサード大佐が前に足を踏み出した。手のひらをホルスターに収めた拳銃に添えている。

ベイリーは手を振って大佐を下がらせ、質問に答えた。「我々がここにいるのは、モンシニョール・ローの要請によるものだ」神父が腕を振りほどいた。「一緒のテーブルに着いてくれたら、彼から理由の説明があることだろう」

グレイは息とともに不満を吐き出し、神父の後を追った。

スクランブルエッグ、たっぷりのパン、美しいペイストリーなどの皿が並んだテーブルに全員が着くと、モンシニョール・ローは申し訳なさそうな表情を浮かべた。「すまないことをした。今になって考えると、この場所を選ぶべきではなかった」

「あなたのせいではありません」グレイは応じた。「でも、なぜ俺たちに夏の離宮まで来てほしいと考えたのですか？」

司祭はため息をついた。考えを整理しようとしているのだろう。ようやく口を開く。「君はホーリー・スクリニウムについて何を知っているかね？」

グレイは奇妙な問いかけに顔をしかめ、首を横に振った。

ローが説明した。「最初のヴァチカン図書館が正式に設立されたのは、一四七五年のことだ。その後、十七世紀になってローマ教皇レオ十三世がその中から最も重要な文書や記録を選び出し、別の形でまとめた。アルキヴィオ・セグレト・ヴァティカノだ」

「ヴァチカンの機密公文書館」グレイは言った。

モンシニョールがため息をついた。「そうだ。だが、ヴァチカン図書館ができるよりも前、機密公文書館よりもはるか前には、ホーリー・スクリニウムがあった。それは教皇の私的な書庫で、四世紀にユリウス一世によって設立された。その書庫は歴代の教皇によって受け継がれ、誰一人として手放すことはなかった。そこにはキリスト教の成立期にまでさかのぼる書物や神学に関する文書が含まれていた」

グレイはこの話の先を予想できた。「ホーリー・スクリニウムは今も存在している」

司祭がゆっくりとうなずいた。「それこそが本当の意味でのキリスト教の機密図書館だ」

ベイリーが身を乗り出した。「モンシニョール・ローはスクリニウムの代表を務めている。正式な管理人だ」

ローは自らの立場を説明した。「ホーリー・スクリニウムに所蔵されている貴重品には、あまりにも珍しくて重要なために公開できないもの、あまりにも異端的なために外部に出せないもの、さらにはあまりにも危険なものまである。アストロラーベをここに持ってきてもらわなければならなかった理由はそこにある」

グレイは夏の離宮の大きな建物を振り返った。日の出直後の太陽の光を浴びて、黄色い外壁が赤みを帯びた金色に輝いている。「ホーリー・スクリニウムはここに隠されていると？」

「いいや」ローが答えた。「厳密にはそうではない」

午前六時四分

〈いったいどこに向かっているわけ？〉

セイチャンはほかの人たちの後について教皇の離宮の屋上を横切っていた。

この高さからは、アルバーノ湖の全貌（ぜんぼう）や、その周囲の木々に覆われた丘陵地帯やカルデラの斜面を一望できる。冷たい風が湖から吹きつけている。風はオレンジとラベンダーの香りがかすかにする。

〈ローマの息苦しいまでの暑さから逃れるために教皇がこの場所を選んだのもうなずける〉

屋上からの眺望は二つの巨大な銀色のドームで遮られていた。天文台だ。

モンシニョール・ローがグレイに説明している。「これらの天文台は、現在ではほとんど過去の遺物になっている。新たな天文台が二つ、一・五キロほど南にある尼僧院を改築して設置された。向こうで開かれているサマースクールの課程がそろそろ終わる頃だ。天文学と天体物理学を教えている。科学は今もなお、そしてこれからもずっと、我々のここでの宗教生活の一部であり続けるという証拠だ」

前を歩く二人の男性をセイチャンとマリアが並んで追い、スイス衛兵のボサード大佐が最後尾に就いている。

〈私たちを目の届かないところに行かせるつもりはまったくないということ〉

煙突を回り込んだ時、セイチャンは乳房の張りを感じた。そのたびにジャックのことを、アメリカに残してきた責任のことを思い出す。セイチャンはすでに三回もキャットに電話を入れ、何も問題はないか、ジャックは落ち着いているか、母親がいなくてぐずっていないか、確認していた。

〈モンクは天にも昇る気持ちでいるから〉キャットは教えてくれた。〈ずっと女性ばかりに囲まれてきて、ようやく家庭内にほかの男性がやってきたんだもの。もうジャックに小さなキャッチャーミットを買ってあげたくらい。あなたに返そうとしないかもね〉

安心できるような言葉を聞いたにもかかわらず、セイチャンは罪悪感をぬぐい切れなかった——ジャックを置き去りにしたことに対してではない。胸の内にあるスリルに対してだ。こんなにも自由に、こんなにも心が軽く感じたことはなかった。赤ん坊を身ごもってから九カ月間を過ごし、誕生後もジャックの世話に明け暮れていると、本当の意味で一人きりになれる時間がまったくなかった。自分自身を、本当の自分を取り戻せたのは、何年振りかのような気がした。

それも再び乳房の張りを感じるまで、もう少ししたら母乳ポンプを使わなければならないと気づかされるまでの話だった。まだ身体的につながっている相手がいることを思い知らされる。

〈これはつかの間の解放にすぎない〉

セイチャンがそれ以上の思いを巡らせる前に、一行は銀色のドームの入口に通じる階段の下に達した。

階段を上りながら、グレイが巨大な構造物を見上げた。「理解できないんですが、天文台と機密図書館にはどんな関係が？」

「実を言うと、この敷地内に図書館があるのは、ピウス十世がヴァチカン図書館から天文学関係の貴重品をここに移した一九〇〇年代初め以降のことだ。それらの中には、コペルニクス、ガリレオ、ニュートンの手による作品も含まれている」

マリアはモンシニョールのすぐ後ろを上っていた。「だから古代のアストロラーベをここに持ってこさせたのですか？　天文学の図書館に？」

階段を上り切ったところで、ローはマリアの方を振り返った。「残念ながら、答えは『ノー』だ。アストロラーベが必要とされている場所はその図書館ではない」

モンシニョールは扉を開け、先頭に立って小さな控えの間を抜けると、広々としたドームの内部に入った。油とレモンオイルの磨き剤のにおいがする。巨大な望遠鏡が斜めの角度に設置されていて、その先端は閉じたままの天文台の屋根を向いていた。ドームの内側はすべて木でできている。

望遠鏡の傍らを通り過ぎる時、ローは友人に挨拶するかのように軽く手で叩いた。「この年代物の機器は一九三五年製だ。その十年後に私が生まれた」司祭は足もとを指差した。「この真下にある部屋で」

セイチャンはびくっとした。「ここで生まれたっていうの？　離宮の中で？」

ローはにやりと笑ってセイチャンの方を振り返った。「そればかりか、私は教皇の子供思いがけない告白に面食らったのか、グレイがモンシニョールの歩みを止めさせた。

「いったい何の話ですか？」

モンシニョールの笑みがいちだんと大きくなる。「第二次世界大戦中、教皇はナチの占領下からの避難民のために夏の離宮を開放した。カトリック教徒に対しても、ユダヤ教徒に対しても。一万二千人以上の人々がここに身を寄せていた。その中には妊娠中の女性たちもいたのだ。教皇の寝室は即席の分娩室になった。聖下のベッドで五十人ほどが産声をあげたのだよ」

「なるほど」グレイが言った。「その人たちが『教皇の子供たち』なのですね」

ローは肩をすくめ、ドームの奥に進んだ。「私が今でもここを自宅としているのも、当然だと思わないかね？」

ドームの向かい側にたどり着くと、モンシニョールは特に変わったところのないマホガニー材の壁の前で立ち止まった。司祭がポケットから光沢のある金属製の黒いカードキーを取り出す。カードのそれぞれの面には銀色の模様が描かれていて、交差した二本の鍵の上に王冠がある。

〈教皇の紋章〉

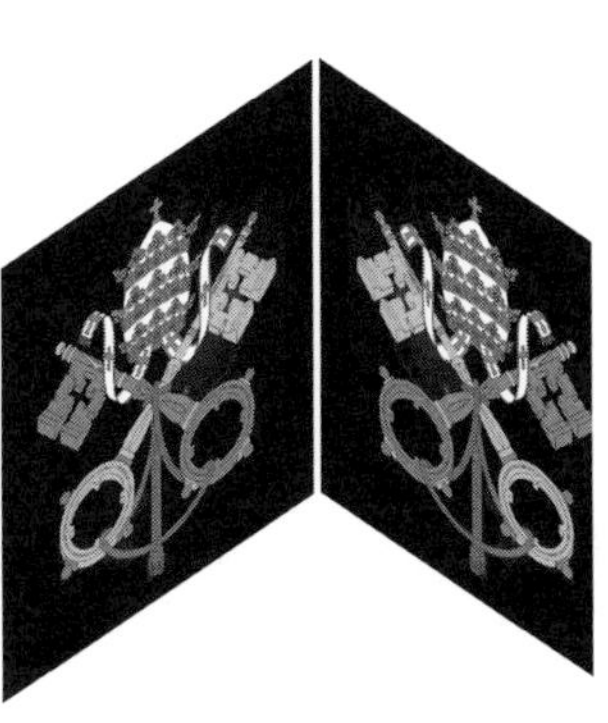

両面の模様は同じに見えるが、実際はそうではない。片面は色の濃い鍵の先端が左上を、もう一方は右上を向いていて、互いに鏡に映したような関係にある。

セイチャンはグレイと顔を見合わせた。グレイも気づいている。それらが何を意味するのか、二人ともわかった。双子のような関係にある記号は、「トマス派」と呼ばれるカトリック教会内の秘密の一派を表すものだ。ベイリー神父は紛れもなくこの一派の一員だし、今は亡きモンシニョール・ヴィゴー・ヴェローナもそうだった。そんな選ばれた一部の人たちは、「トマスによる福音書」という、聖書に含まれることのなかったグノーシス派の福音書の教えに従っている。その基本的な教義が、「求めよ、さらば与えられん」だ。キリストの教えの根幹とは、世界の中に――そして自分自身の中に、決してあきらめることなく神を探し続けることにほかならない、そう彼らは信じている。

セイチャンはその事実が明らかになっても驚かなかった。〈ヴァチカンの機密図書館の館長として、この秘密の一派の一員よりもふさわしい人物がいるだろうか?〉

ローが隠れたスロットにカードキーを通すと、マホガニー材のパネルが横にスライドし、表面に同じ木材を貼ったエレベーターが現れた。「お先にどうぞ」そう言いながら、モンシニョールは手を振ってエレベーターに乗るよう促した。

ここで初めて、ボサード大佐は後に続こうとしなかった。どうやらここから先は立ち入りを許されていないらしい。

全員がエレベーターに乗り込むと、モンシニョールが読み取り機の前にカードキーをかざした。扉が閉まり、エレベーターの籠(かご)が降下を開始した。

「このエレベーターはどこに通じているんですか?」グレイがローに訊ねた。

「古い地下室が連なっているところだ。この建物の最古の部分は十三世紀にまでさかのぼる。だが、君たちはこの敷地内の森の中に古代ローマ時代の円形競技場があることにも、すでに気づいているのではないかな。あそこはドミティアヌス皇帝の山荘という、もっと広い施設の一部だった。離宮はその遺跡の真上に建設されている。我々が向かっているのは、かつて山荘の古い地下貯水槽と井戸だったところだ」

「そうした遺跡は具体的に言うとどのくらい古いのですか？」マリアが訊ねた。

「二千年前にまでさかのぼる部分もある」

「言い換えれば、キリスト教の成立期」グレイが使ったのは、先ほどモンシニョール・ローがこの機密図書館の中身について説明した時の言葉だ。

ローが笑みを浮かべた。「ホーリー・スクリニウムをここに設置することが、まさしく適切だと見なされたというわけだ」

エレベーターががくんと揺れて停止し、扉が開いた。

四人が下りた先は煉瓦（れんが）造りの広い地下室だった。壁は円形になっていて、直径は三十メートルほどあるだろうか。ドーム状の天井は太い石のアーチが支えていて、アーチにはケージ付きの電球が連なっている。セイチャンはこのような建築様式をフォロ・ロマーノで見たことがあったが、この大きさや形と同じものをついさっき目にしたばかりだということにも気づいた。

呆気に取られて見回しているマリアも気づいているようだ。「上にあった天文台のドームと大きさも形も同じみたい。でも、ここは石でできているけれど」

「上のごとく、下もしかり」ローがかすかに笑みを浮かべ、朗々とした口調で言った。

グレイがモンシニョールを横目で見た。「ヘルメス・トリスメギストスのエメラルド・

タブレットからの引用ですね」

「その通り。これから君たちに見せようとしているものを考えると、まさにしっくりくる言葉だと思えたのでね。ヘルメスは宇宙についての禁断の知識を与えられたギリシアの神だ」ローは円形の部屋を横切り始めた。「来たまえ。見せてあげよう」

モンシニョールの後ろを歩きながら、セイチャンは三本の廊下がそれぞれ別の方向に延びていることに気づいた。いちばん手前の通路沿いには、大きな鋼鉄製の扉が連なっていて、その脇には電子錠の赤い光が輝いている。扉の奥には千年以上前の貴重な遺物が収蔵されているのだろう。

だが、モンシニョールが向かっているのはアーチ状の入口の先に見える中世風のマホガニー材の扉で、表面には黒い鉄製の細い板と鋲が打ち込まれている。司祭が大きな鉄の輪をつかみ、扉を引き開けた。暖炉の炎とともに、中から流れ出る温かい空気が一行を出迎えた。

入口をくぐった先にあったのはこぢんまりとした読書室で、何枚ものタペストリーが壁に掛かっていた。壁に面して長いテーブルが設置され、その上には明かりのついていないランプがある。半円状に配置された四脚のウイングチェアの向こうには木製の書見台があり、斜めになった台の上には大きな書物がシルクの布を掛けた状態で置いてある。書見台の奥では小さな暖炉がパチパチと音を立てながら燃えていた。

部屋には先客もいた。

椅子に腰掛けていたベイリー神父が立ち上がった。神父は一足早くバルコニーを後にしていたのだが、その目的は建物の地下深くでのこの集まりにもう一人の参加者を連れてくることだったようだ。

マリアが小走りに駆け寄った。「マック……」

ひげを蓄えた気候学者は椅子に座ったままで、片腕を三角巾で吊っていて、肩には包帯が巻かれていた。「そろそろ来る頃だろうと思っていたよ」

体調を気にする様子のマリアに対して、男性はだいぶよくなってきていると言い聞かせた。「たっぷり補充してくれたよ」腕を指差しているのは、そこから輸血をしてもらったという意味だろう。「生き返ったような気分さ」

数え切れないほど撃たれた経験のあるセイチャンは、それが本心からの言葉ではないことを見抜いていた。座り直そうとして表情が歪んだのはその証拠だ。

「この発表会を聞き逃すつもりはなかったんでね」男性が付け加えた。

ベイリーが険しい表情を見せた。「この中でアラブの船の中にあった地図を実際に見たのは、ドクター・マクナブだけだ。彼に確認してもらう必要があったのでね」

グレイが二人に歩み寄り、それに合わせてほかの人たちも部屋の中央に移動した。「いったい何の確認だ？」

ベイリーが向きを変え、書見台の上の本に掛かっていたシルクの布を外した——その下に隠れていたのは本ではなかった。部屋の明かりが青銅製のケースに入った大きな黄金の地図に反射する。地図が表しているのは地中海とその周辺の地域だ。

椅子に座るマックがはっと息をのんだ。立ち上がるその様子からは、驚きのあまり痛みなど忘れてしまったかのように見える。「俺たちが船内で見つけたのはこれだ」どうにか落ち着きを取り戻し、ほかの人たちの方を見る。「でも、明らかに別物だ。保存状態はこっちの方がはるかにいい。それに、アストロラーベがない」

グレイの表情が曇った。秘密にされていることばかりでうんざりしているのは間違いない。「これはいったいどこにあったんだ？　誰が作ったんだ？」

ベイリーが答えた。「偉大な科学者でもあり、芸術家でもあった人間の手によって製作された」

モンシニョール・ローが地図を守ろうとするかのように前に進み出ると、セイチャンたちの方を見た。「これはレオナルド・ダ・ヴィンチの作品なのだよ」

14

六月二十三日　中央ヨーロッパ夏時間午前六時四十三分
イタリア　カステル・ガンドルフォ

〈これは驚きだ……〉

グレイはモンシニョール・ローが語る話に耳を傾けていた。ローマでの教皇レオ十世とダ・ヴィンチの秘密の話し合いについて。九世紀にアラビア語で書かれた工学関係の書物に挟み込んであった機械仕掛けの地図の設計図の発見について。しかし、グレイの目は遺物に釘付けになっていて、黄金の海岸線、山脈、島々の精緻(せいち)な表現に見入っていた。地中海に使用されている青い宝石はラピスラズリだろう。森はエメラルドで代用されている。火山の噴火口には燃えるような赤いルビーがはめ込まれていた。

グレイはその美しさと技術の高さに目を奪われ、顔を近づけた。

その起源と想像すらできない値打ちは別にしても、この地図の真の価値が歴史的および芸術的な重要性にあることは理解できる。ダ・ヴィンチの絵画、スケッチ、メモなどは世界各地の博物館で見ることができるが、彼の手による機械装置の設計図は現存していないし、その作品も残っていないのは言うまでもない。

その一方で、グレイはこのような傑作が何世紀にもわたって隠されていた理由が理解できなかった。この作品の重要性は計り知れない。グレイはようやく目線を外し、非難するような眼差しでローを見つめた。

「この作品はどうしてここに?」グレイは問いただした。「どうしてこれまでずっと、人目につかない場所に埋もれていたんですか?」

ローが手のひらを見せた。「辛抱してくれたまえ。これから説明する」

グレイは我慢の限界に達していた。この謎が原因ですでに何人もの命が失われているし、答えを得られなければさらに多くの人たちが同じ運命に見舞われることだろう。そう思いながらも、グレイは怒鳴りたい気持ちを抑えつけ、年配の司祭に話を続けさせた。

「教皇レオ十世はダ・ヴィンチに対して、アラビア語の本の中から見つかった設計図をもとに、地図を複製するよう依頼した。記されていた説明によると、地図を作動させると地獄の門まで導いてくれるということだった」

「タルタロスだ」グレイはシグマの司令部で聞いた名前を思い出した。

モンシニョールがうなずいた。「その通り。そこはギリシア版の地獄に相当する。なぜなら、これらはすべてギリシアの歴史における暗黒時代が関わっているからだ」

「どういう意味ですか？」

「地図の設計図と一緒に収められていたのは、ホメロスの『オデュッセイア』の一章だった。トロイ戦争が終わった後の、英雄オデュッセウスの困難な帰国の旅路を語るギリシアの叙事詩だ。発見された章はオデュッセウスの冥界への航海について述べていた」

グレイは口を開きかけ、別の質問をしようとしたが、ローは生徒を叱る教師のように眉をひそめた。

「地図の設計図の作者は三人の優秀な学者で、彼らは兄弟でもあり、自分たちのことを『バヌー・ムーサー』、すなわち『モーセの息子たち』と名乗っていた。三人は九世紀にバグダッドの知恵の館で学び、数十冊の科学関係の書物を著したほか、数え切れないほどの機械装置を製作した。彼らの作品の拠り所となったのは、ローマの没落後にイタリアやギリシア各地で収集した貴重な学術書だった。そうした書物を集めるために何度も地中海を渡ったことから、三人は船乗りおよび航海士としても優れていたことがわかる」

グレイは氷に閉じ込められた二本マストの大型のダウ船を思い浮かべた。

〈あれは彼らの船だったのか？〉

「三人の目的は歴史上で最も闇に包まれた場所を捜索し、そこで発見したものを保存することにあった。兄弟たちはある特定の時代に、すべての知識が危うく破壊されそうになり、歴史書においても空白の期間で、現在に至るまで謎のままの時代に執着した」

「いつのことですか?」マリアが訊ねた。

「ホメロスの『イリアス』と『オデュッセイア』で語られている時代だ。そのため『ホメロスの時代』と呼ぶ者もいる。だが、より適切な呼び名は『古代ギリシアの暗黒時代』だ。紀元前一一〇〇年から紀元前九〇〇年にかけての二百年間にまたがり、地中海地方を席巻した大きな戦争がそのきっかけとなった。これは歴史上で最初の世界大戦だ。戦争が終わるまでに、三つの大陸の三つの文明が滅んだ」

グレイにはその名前を具体的に示せるくらいの歴史知識があった。「ヨーロッパのミケーネ、西アジアのヒッタイト、そして北アフリカのエジプト」

ローはうなずいた。「いずれも同時期に崩壊した。その結果が二世紀に及ぶ混沌と未開の時代なのだ。それ以前の文明の発達による進歩のほぼすべてが消滅した。それを考えると、崩壊した文明の搾取者でもあるバヌー・ムーサーの兄弟たちが、この時代に関心を寄せたとしても不思議ではない」

「彼らは何をしたのですか」マリアが質問した。

「それに関しては想像の域を出ない。しかし、彼らは探検家で、手がかりの収集はお手のものだったはずだ。設計図の余白に記されていたメモによると、彼らはこの世界大戦に第四の文明が関与していたと信じるに至った。こんにちでも、学者たちはその暗黒時代の新たな記録を発見した後に、同じ結論に達している」

グレイはさらに好奇心をそそられた。「しかし、その未知の征服者とは誰なんですか？」

「バヌー・ムーサーが知りたがっていたのもそのことだ。ほかの三つの文明を倒し、暗黒時代をもたらし、そしていずこともなく消えた、この失われた文明に関する手がかりを探し求めて、彼らはその地域を徹底的に捜索した。兄弟たちはホメロスの物語が重要な内容に当たると信じた。空想としか思えない話は単なる神話ではなく、実際の出来事を綴ったものなのだと」

グレイは現在の学者たちも同じ認識に立つようになり、ホメロスの物語中の架空の土地は実在する場所だとの可能性を受け入れ始めたことを知っていた。それはトロイだけに限らず、ほかの多くの場所に関しても同じだ。この点でも、バヌー・ムーサーは誰よりも早くこの結論に達していたのだ。

〈そしておそらく、ほかのもっと多くのことに関しても〉

「あなたは彼らがそれを見つけたと考えているのですね」グレイは問い詰めた。「この失われた文明を発見したのだと」

「兄弟たちは間違いなくそう信じた。そして『オデュッセイア』の内容から、あるいは自分たちがその未知の場所で発見したものから、そこがタルタロスだと、つまりギリシア版の地獄だと信じた」

グレイがマックに視線を向けると、気候学者はどこかうつろな表情を浮かべていた。古代のダウ船の船倉から解き放たれたもののことを思い出しているのだろう。きっと今の意見に賛成のはずだ。

「それにそこが地獄の入口だと信じていたのは、その兄弟たちだけではなかった」ローの説明は続いている。「ローマ教皇レオ十世もそうだった。だから教皇はこの地図をあまりにも危険で、かつあまりにも異端的だと見なし、ホーリー・スクリニウムに加えた。その後の教皇たちもレオ十世の判断を尊重したか、もしくは同じ結論に達したため、地図は今もなお、ここにとどまっているというわけだ」

グレイは頭の中で何とかして情報をつなぎ合わせようとした。「この文明を発見した後、工学に秀でた兄弟たちはその所在地をこの地図の中に暗号として隠した。しかし、どうして彼らの手による地図の方はグリーンランドで見つかったのだろうか？」

「それについては謎のままだ」ベイリーが認めた。「予期せぬ事態に遭遇して、船が氷に閉じ込められてしまったのかもしれない。あるいは、何らかの意図により遭難させられたのかもしれない」神父は機械仕掛けの地図を指差した。「いずれにしても、彼らの発見に関しては、ほかに一切の痕跡がない。ここにある地図も、不完全な設計図に基づいている。ダ・ヴィンチはこの複製を完成させるために、一部を自分なりに工夫しなければならなかった」

「しかし、失われていたのは細かい部分だけではなかった」ローが補足した。「バヌー・ムーサーはこの地図を作動させるために未知の燃料を採用した。彼らはそれを『メディアの油』と命名した。オデュッセウスの部下たちをブタに変えた魔女キルケの姪で、自らも魔法を使ったメデイアに由来する呼び名だ。油はエメラルドグリーンの液体で、空気に触れないよう壺に密閉されており、決して消えない火を作り出す力があるとされた」

マックが再び椅子に座り込んだ。つらそうな表情を浮かべている。その目は過去を見つめているかのようだ。グレイはその視線の奥に、古代のダウ船の船内での記憶とともに燃える炎が見えたような気がした。

「そいつは俺が目撃したものらしい」マックが口を開いた。「水にさえも引火しているみたいだった」

ローがうなずいた。「その物質はギリシア火薬の一種なのだと思う——ギリシア火薬とは揮発性の高いナフサと酸化カルシウムの混合物のことで、その火は水をかけても消すことができなかった。しかし、今回の場合は、ドクター・マクナブの報告から考えるに、この油は精製されてより強力になっているように思う」

〈放射性同位元素が加わっているのかもしれない〉地図から放射線が検出されたという話を思い出し、グレイは心の中で思った。

ベイリーが書見台を回り込んでこちら側にやってきた。「繰り返しになるが、この燃料を入手できなかったため、ダ・ヴィンチは自分なりに工夫しなければならず、これを付け加えることになった」神父は青銅製の箱の側面にある手回し式のL字型ハンドルに触れた。「これでも十分に機能するようだ。ただし、重要な点が一つ欠けている」

「それは何なの?」マリアが訊ねた。

「さっきも言ったように、設計図は不完全だった。実を言うと、地図の鍵になるアストロラーベの設計図が描かれていたところは、その一部が引きちぎられていたのだ」

〈引きちぎられていただって?〉

グレイはその情報が何を意味するのか考えた。「君は設計図が意図的に不完全な状態にされたと考えているのか?」

マリアがグレイの方を見た。「あなたの言う通りだとしたら、グリーンランドの船も故意に遭難させられた可能性が高くなる」

グレイはうなずいた。「何者かが発見を永遠に隠しておこうと、あらゆる手を尽くしていたかのようだ」

二人の聖職者が顔を見合わせた。その可能性について考えているのだろう。

しばらくしてからベイリーが顔をしかめ、口を開いた。「しかし、今は状況が一変した」

神父は別の椅子に歩み寄り、その上に置いてある箱のふたを開けた。振り返ったその手に掲げられていたのは、多くの人間の命を奪い、コワルスキの命を危険にさらしている物体だ。銀色のアストロラーベが暖炉の炎を反射し、地図と同じ金色に輝いている。ベイリーは書見台に近づき、慎重な手つきでアストロラーベを地図上の窪みに置いた。

「正しくは、状況がいくらか変わった、と言うべきかな」その手がL字型ハンドルに伸びる。「見ていてくれ」

神父がハンドルを回すのに合わせて、全員が近くに集まった。トルコの海岸線に停泊していた小さな銀色の船が航海に乗り出す。海を表す薄いラピスラズリの下に隠された磁石で動く仕掛けになっているのだろう。グレイは固唾をのんだ。やがて船は進むのをやめ、まるで迷っているかのように同じ場所をぐるぐると回り始めた。

「私が危惧していた通りだ」ローが言った。「アストロラーベを回収した後にドクター・マクナブから送られてきた写真を調べてからは、特に不安が募っていた」

「どうなっているんですか？」マックが訊ねた。「壊れているとか？」

「そうではない」ローが答えた。「どうやらこのパズルの鍵となるピースが、まだ見つかっていないということのようだ」

グレイはペインターのオフィスでのベイリー神父とのビデオ会議を思い返した。神父も同じ言い方をしていた。〈まだ見つかっていないピースがある〉と。「どういう意味ですか？」

ローが質問に答えた。「この前はそこまで話をしなかったと思うが、初期の平らな円盤状のアストロラーベと、ずっと後になって現れた球体のアストロラーベには大きな違いがある。平らなアストロラーベが機能するためには、製作者の所在地に緯度を固定して作らなければならない」

ベイリーが具体的に説明した。「平面のアストロラーベをバグダッドで使えるようにするためには、バグダッドの緯度を組み込んで製作しなければならない。完成後は、同じ緯度上でしか機能しない。それをパリに持っていったとしても、その素晴らしい計算や測定はまったく役に立たない」

「しかし、球体のアストロラーベの造りは世界共通だ。だからこそ、貴重で珍しいものなのだ」ローはグレイを手招きした。「近くで見ると、表面に小さな穴があることに気づくはずだ」

グレイが目を凝らすと、球体の表面に針を刺したような小さな穴が開いていた。少なくとも二十個以上はあり、一つ一つに小さな記号が添えられている。地図の窪みに隠れた球体の下半分にも、おそらく同じ数の穴があるのだろう。

「特定の穴に何本かピンを挿し込むと、アストロラーベにあらかじめ設定されていた緯度を変更できるのだよ。ピンを移動させれば、再びリセットして新たな位置を設定できる。何度でも、繰り返して」モンシニョールがグレイたちの顔を見た。「しかし、そのピンがなければ、この地図はまっさらで方角のないただの板と同じだ」

グレイはぐるぐると同じ場所を回転する小さな船を思い返した。

ベイリーはさらに悪い知らせを伝えた。「しかも、我々にはこのアストロラーベに必要なピンの正しい本数もわからなければ、それをどの穴に挿し込むのかもわからない。可能性の組み合わせは無限に近い」

グレイはベイリー神父が自分をここに呼び寄せた理由をようやく理解した。「言い換えれば、このアストロラーベは地図の鍵かもしれないが、ピンはアストロラーベの鍵に当たる。地図を作動させて正しい場所を示してもらうためには、正しい組み合わせのピンをアストロラーベに挿し込まなければならない」

ベイリーが肩をすくめた。「ピンもないし、それらを挿し込む場所もわからないとなると……」

〈俺たちは答えにまったく近づいていない〉

マックは愕然（がくぜん）とした表情を浮かべている。「グリーンランドで地図を作動させた時、小船は海のもう少し先まで進んだ。ということはつまり、少なくとも何本かのピンが挿し込んであったということになる。だけど、アストロラーベが落ちた時にピンも外れてしまったに違いない。それとも、俺がキャッチした時かも」

「そうだとすれば、見つかりっこない」グレイは言った。「あの氷河の中からピンを見つけるのは、世界最大の凍った干し草の山の中から針を探すようなものだし、その針が何本あるのかもわからない」

「どうしたらいいの？」マリアが訊ねた。

ローもグレイのことを見つめていた。この謎の解明のためにグレイの力を必要としているのだ。

グレイは何とかして答えを探そうとしつつも、首を横に振った。「ピンがなければ、どうすることもできない」

ローがグレイの肩を軽く叩き、顔をそむけた。「そうではないかと案じていた通りだ」

それでも、グレイはそれから十分間をかけて、アストロラーベをあらゆる角度から調べた。望みがないとは絶対に信じたくない。〈ピンが所定の場所に入っていたのなら、一つ一つの穴を分析して――ほんのわずかでもこすれた跡があったり、色が変わったりしている箇所を見つけることができれば、ピンが挿し込んであった正しい穴を特定できるかもしれない。新しいピンを複製すれば、もしかすると――〉

大きな爆発音が地下室全体を揺らした。

続いてもう一度、またもう一度、短い間隔で立て続けに。

三度目の爆発音とともに足もとが激しく震動し、全員が床に投げ出された。モザイク模様のタイル張りの床に亀裂が走る。暖炉の鉄製の格子が落下し、燃えている薪が一本、室内に転がり出た。薪は床を転がり、その先にあったタペストリーに火が燃え移った。

グレイは立ち上がり、入口の扉に走った。「ここから動くな！」大声で指示を与える。

グレイは煉瓦造りのドームに走り出て、立ち止まった。グレイの注意を無視して、セイチャンもすぐ隣に駆け寄る。向かい側にあるエレベーターの扉は開いたままだ。籠の内部の動きに注意が引きつけられる。何者かが上から落ちてきて、エレベーターの床に着地した。

グレイの体に緊張が走る。

セイチャンは手に短剣を握っていた。二重、三重のセキュリティチェックをかいくぐって、建物内に持ち込むことに成功していたようだ。

エレベーターから飛び出してきたのはボサード大佐だった。両手に巻き付けていたスーツの上着を、走りながら投げ捨てている。上着で手のひらを摩擦から守りながら、エレベーターのケーブルを滑り下りてきたに違いない。肩から掛けたままのヘッケラー&コッホのサブマシンガンが腰にぶつかって何度も跳ね返る。

「走れ！」大佐が叫んだ。

頭上から再び雷鳴のような爆音がとどろく。大佐の背後で爆発とともに岩と塵（ちり）と煙が噴き出し、エレベーターの籠がシャフトの外に吹き飛ばされる。煉瓦のドームの向こう側が粉々になり、大きな塊が床に落下し――すぐにドーム全体が崩壊し始めた。

ボサード大佐が二人のもとまでたどり着いた。「ジェット戦闘機だ」息も絶え絶えの声で伝える。「ミサイルの攻撃を受けている」

なおも爆発音が続く――距離が近いものもあれば、遠いものもある。

大佐に促されて急いで読書室まで戻るうちに、後方のドームが次々と崩れていく。空気中には岩粉（がんぷん）が充満している。「周辺一帯を爆撃している」大佐が呟き込みながら知らせた。「ここを中心として」

〈そういうことか〉

グレイには理由がわかっていた。

アストロラーベの確保に失敗した敵は、リスクを完全に排除することにしたのだ。〈自分たちが入手できないのならば、ほかの誰の手にも絶対に渡らないようにするつもりだ〉

グレイはほかの人たちのもとに戻り、移動するように指示した。「地図を持って。あと、ほかに思いつくものがあれば何でも」グレイはドームの崩壊からいちばん離れた位置にあるトンネルを指差した。「この地下室のできるだけ奥深くまで行く必要がある」

全員が行動を開始した。モンシニョールの指示を受けて、ボサードが黄金の地図のふたを閉めた。それを両手で抱え上げる。相当な力の持ち主だ。その脇ではベイリー神父がテーブルの上の書類をかき集め、マリアが本をつかむ。腕を吊っているマックはほかの人の邪魔にならないようにしている。

ドームの崩壊は続き、読書室にも大量の塵が流れ込んできた。

〈すぐ近くまで来ている〉

「それまでだ！」グレイは指示した。「全員、退避！」

読書室を飛び出してすぐに曲がり、隣にあるトンネルを走る。蔵書室を密閉する電子錠の赤い光が行く手を照らしてくれる。真っ赤な光が暗い通路の先に点々と連なっている。七十メートルほど進むと、トンネルは石の壁でふさがれていた。

グレイは手を伸ばし、冷たい火山岩に手のひらを当てた。

〈行き止まりだ〉

グレイはほかの人たちの方を振り返った。その先では、蔵書室の赤い光が一つ、また一つと消えていく。一行の周囲が暗闇に包まれても、地下室の崩壊は続き、容赦なくグレイたちの方に近づいてくる。

「ここからの出口はあるのか？」グレイは訊ねた。

モンシニョール・ローがうめくような声で答えた。「ない……」

15

六月二十三日　トルコ時間午前七時四分
トルコ　チャナッカレ県

〈危険を承知のうえで……〉

エレナは石造りの独房内にある木製のフレームの簡易ベッドに向かった。その傍らにひざまずき、祈りを捧げるかのように天井を見上げる。その姿勢のまま薄いマットレスの下に手を伸ばした時、天井一面にはるか昔にのみで削った跡があることに気づいた。壁の岩を掘って作られた数カ所の窪みでは太いろうそくが燃えていて、垂れた蠟が壁伝いに分厚く層を成している――何百年とまではいかないにしても、数十年分はありそうだ。

自分がいるのはおそらく地下十数階分はある深さのところ――トルコ各地で数多く発掘されている古代地下都市の一つだ。はるか昔にこの世を去った人々が、青銅製の道具でこうした幾重にも連なる都市を掘っている姿を思い浮かべる。この地域を専門とする考古学者のエレナは、このような洞窟住居の都市がトルコ各地で二百以上も見つかっていることを知っていた。その多くは東のカッパドキア地方に集中しているが、海岸に近いこの付近にも存在する。

その中でも最も有名なのが、一九六〇年代に発見されたデリンクユの地下都市だ。エレナは以前にその内部を見て回ったことがあった。地下都市内には川が流れ、橋がかかり、何千本もの通気孔が地下百メートルに達するところもある最深部にまで空気を送り込んでいた。巨大都市にはかつて二万人以上の人々が暮らしていたという。納屋、教会、調理場、貯蔵庫のほか、独自のワイン醸造所まで備わっていた。デリンクユをはじめとして、このような古代都市の一部は観光の目玉になっているが、今でも動物の飼育小屋として使われているところもあれば、あまり好ましくない一団が隠れ家として利用しているところもある。

この洞窟都市の目的がそこにあるのは明らかだった。

昨日、北極でエレナを乗せたプライベートジェットはトルコの丘陵地の真ん中にある小さな空港に着陸した。その後、車で連れてこられた小さな村の外れの農家には地下室があり、そこの扉がこの隠された施設の入口になっていた。

エレナは指示されるままに石段を下り、電球の連なる通路を歩いた。上層階の部屋には、最新のジム設備、ウエイトトレーニング用の器具、マットを敷いたリングなどが設置されていた。アサルトライフルや弾薬の箱が並んだ棚とラックのある部屋も見かけた。トンネル内を移動中には、何人もの目つきの鋭い男女とすれ違った。全員が赤または黒の服を着ていた。赤い服の人たちは従順な物腰だったので、おそらく訓練中の新兵たちだろう。「モーセの娘」を自称する女性の先導で歩く一団の中にいるエレナとは、誰一人として目を合わせようとしなかった。黒い服の兵士たちも、女性とすれ違う時には軽くお辞儀をしていた。彼女がこのグループの序列の中でかなり高い位置にいるのは間違いない。

エレナはこの地下施設の目的についても予想できた。

〈テロリストの養成所〉

地下深くに進むにつれて、その確信は高まった。武装した兵士が各フロアの入口を直立不動の姿勢で守っていた。見張りたちが配置に就いていたのは、都市と同じくらいの年代を経ているのではないかと思われる巨大な円盤状の石の前だった。恐怖から気を紛らそうと、エレナは周囲の考古学的な重要性に意識を集中させた。たび重なる襲撃や侵攻から逃れるために、住民たちは何世紀もの間、こうした地下都市に隠れて暮らしていた。彼らはこの円盤状の巨石を転がし、地下の各階層の入口をふさいだのだ。この地域一帯では何千年も前から戦闘が繰り返されてきた。デリンクユの地下都市の歴史は紀元前八世紀にまでさかのぼるが、それよりさらに古い地下都市もある。けれども、その大半は、地中海全域が大きな戦争に巻き込まれていた古代ギリシアの暗黒時代に建設されている。

地下に連れていかれる間、エレナは壁を指先でなぞりながら、これだけの規模の、それも何百という数の都市を掘るために要した労力に思いを馳せた。このあたりの岩盤は比較的やわらかく、こうした地下都市を掘ったり削ったりすることが可能な火山性の凝灰岩から成るとはいえ、そのために必要な労働力と掘削の規模はあまりにも膨大だ。

いくつもの疑問が浮かんでは消えた。

〈なぜこうした都市があの暗黒時代にこれほどまで急いで建設されたのだろう？〉

〈住民たちはいったい何から隠れていたの？〉

〈逃げるためには岩盤を掘り進まなければならないと思うほどまで、彼らを恐怖のどん底に陥れたものの正体とは？〉

施設の地下深くには、脂とあぶった肉のにおいが漂う兵士の宿舎用のフロアや、保存食の入った木箱、樽、大きな袋などが山積みになった倉庫用のフロアもあった。エレナは数年分の食料が蓄えられているのではないかと推測した。そのさらに下にあったのはいくつもの部屋が迷路のように連なるフロアで、室内には本棚のほか、遺物らしきものの詰まったキャビネットなどが所狭しと並んでいた。この地下に埋もれた図書館への好奇心から、エレナの歩みは遅くなったものの、さらに地下深くに進むように命令され、行き着いた先がろうそくの明かりだけしかないフロアとこの独房で、エレナはその中で一晩を過ごしたのだった。

昨夜は冷めた夕食を与えられ、今朝も朝食が提供された。

しかし、エレナは夜の間に何か事情が変わったらしいと気づいていた。今朝早く、上の方から響く叫び声が聞こえたのだ。赤い服を着た新兵――まだ十代と思われる若い女性が朝食のトレイを持ってきた時、エレナは質問しようとした。騒ぎについて訊ねると、相手の目に不安の色がよぎった。

ただし、新兵から返ってきたのは短い注意の言葉だけだった。〈言われた通りにすること。知っていることを教えるように〉

それからずっと、エレナはある疑問を抱きながら独房内を歩き回っていた。

〈あいつらは私が何を知っていると期待しているんだろう?〉

マットレスの下を探っていた手が、そこに隠しておいたものをようやく見つけた。二冊の小冊子を取り出す。ホメロスの『オデュッセイア』と、死んだ船長の航海日誌――凍結した死体に守られていた包みの中身だ。飛行機での移動中はズボンの後ろに突っ込んで隠しておいたので、体温が凍った本を融かしてくれた。保護用の革もやわらかくなっていたし、それを縫い付けた紐もほどけるようになっていた。

自分を監禁しているやつらが聞き出そうとしていることが、あの船とその歴史に関係しているのは間違いない。地中海を専門とする海洋考古学者を拉致する理由は、それ以外に思い当たらない。自分の命はこれから先、役に立ち続けることができるかどうかにかかっている。それに父は自分を見つけ出そうと世界中の機関に圧力をかけているはずだ。でも、その効果が現れるまでは――

〈生き延びなければ〉

その目的のためには、情報という武器をできるだけ多く手に入れる必要がある。

〈どんな危険を冒そうとも〉

エレナは口をつけていない朝食が載ったままの粗末なテーブルまで本を持っていった。見られているのではないか、隠しカメラで監視されているのではないか、という気づかいは無用だ。分厚い木製の扉を除けば、部屋のすべての表面は岩盤がむき出しになっている。そもそもこの地下牢全体からして、明かりはろうそくか松明の炎だけだ。

電気は通じていないし、分厚い岩盤はワイヤレスの電波を通さないので、エレナは何の心配もなく本をテーブルの上に置き、『モーセの四人目の息子の遺言』と題された一冊の表紙を慎重に開いた。もともとはアザラシの毛皮にくるまれ、蠟でしっかりと封をしてあったため、ページは何世紀にもわたって乾いたままで、インクもしっかりと残っている。年月を経て上質皮紙のページはもろくなっているものの、注意して扱えばめくることもできた。

エレナはムーサー、すなわちモーセを名乗る男の四人目の息子、フナイン・イブン・ムーサー・イブン・シャキールによって書かれた話を読み始めた。船の準備、信頼できる乗組員の選抜、それに続く航海の最初の一週間について、手書きで記した最初の方のページはざっと読み飛ばす。ホメロスの作品についての船長の考察も記されていて、その中にはストラボンが古代ギリシア語で著した『地理誌』の一節を翻訳したものも含まれていた。ストラボンは一世紀のギリシアの歴史家で、ホメロスの叙事詩は歴史上の出来事を綴ったものだと信じていた人物だ。

航海日誌によると、船は船長の言葉を借りれば「ヘパイストスの鍛冶場（かじ）」という島に到達した――そこで記述は唐突に途切れている。真ん中の大部分のページは切り取られていた。

〈たぶん意図的に取り除かれた〉

ページが失われていることに落胆し、エレナは顔をしかめた――けれども、より関心があったのは最後の部分で、そちらは無傷のまま残っていた。船がどんな運命に見舞われたのか、どのような経緯でグリーンランドに行き着いたのかを知りたかったのだ。物語の続きは激しい嵐で始まり、アイスランドと思われる場所（炎と氷、蒸気を噴く大地、広大な白い森から成る島）への厳しい航海、さらにはグリーンランド沿岸（世界の果てを越えた先の、すべてが氷に覆われた大地で、雪の毛皮をまとった真っ白なクマがうろついている）に至るまでの話が続いた。

日誌の最後の記述までたどり着くと、エレナの胸の高鳴りはさらに高まった。

冒頭部分の日付を読む。〈二四八年ジュマーダ・アッ・サーニー二十二日〉

二四八年はヒジュラ暦として知られるアラビアの暦に基づいているに違いない。エレナは頭の中でその数字を西暦に換算した。八六二年。

〈九世紀だ〉

一年のうちの時期は――〈八月後半〉

エレナは眉間にしわを寄せた。

〈この船乗りたちが冬の氷に閉じ込められたにしては、気温が高すぎる季節ね。いったい何が起きたの？〉

エレナは固唾をのみながら、モーセの四人目の息子、フナイン・イブン・ムーサー・イブン・シャキールによる最後の記述を読み進めた。

親愛なる兄たち――ムハンマド、アーマド、アル＝ハサンへ

私の裏切りを許してほしい。我々の敵が大胆になりつつあり、私の発見が運命の流れを我々の側に傾けるかもしれないこの時期に、尊き知恵の館に背いたことを許してほしい。

しかし、私には選択の余地がなかったことを、わかってもらいたい。私がこれを遺言として書き記すのは、許しを請うためであると同時に、警告の役割を果たすためで

もある。

紙に冷たいインクで書き記すうちに、背後からの悲鳴がようやく鳴りやんだ。夜の間はほとんどずっと、私は船室にうずくまり、両手で耳をきつくふさいでいた。それもまったく慰めにならなかった。アラーへの祈りでさえも、部下たちの悲鳴を、かんぬきのかかった扉を拳で叩く音を、助けてくれと訴える泣き声を、締め出せなかった。彼らの苦しみと恐怖は私にも痛いほど理解できたが、絶対に譲るわけにはいかなかったのだ。

今もなお、シャイターン――あのタルタロスの炎の悪魔どもが、私の部下たちに、二年間にわたって私と忠実に航海を共にしてきた乗組員たちに襲いかかる光景が脳裏に浮かぶ。しかし、この話が証明しているように、ゆっくりと訪れる死の恐怖の前では、高潔な男でさえも浅ましく残忍な人間に変わってしまう。

五日前のこと、私は船をこの荒涼とした海岸線に着けた。罪深き真実を知った後、この船をいかなる港にも入れるわけにはいかないと判断したのだ。激しい嵐が我々を世界の果てのさらに先まで追いやった後、私は乗組員に対して、この孤独な収容所を凍りついた海岸線に向かわせるよう命じた。故郷への長い航海のために、飲み水と塩漬けの肉が必要だからと嘘をついて。

そして真夜中に、私は船を破壊した――二本のマストを斧(おの)で叩き切り、帆を引き裂いたのだ。私の所業を知り、乗組員たちは修理をさせてほしいと訴え、詰め寄り、ついには脅しもした。私が拒んだ時、乗組員たちの中にはかたい決意を秘めた表情の者もいれば、ひたすら恐怖に怯える者もいた。

一人で十数人の怒れる反逆者を相手にすることになった私は、この壊れた船が二度と凍結した停泊地から出港できないようにするための唯一の手段に訴えた。全員が寝静まった深夜に、ハンマーでパンドラの壺の一つを叩き割ったのだ。私は壺の中の群れを目覚めさせ、シャイターンの大群を自らの部下たちに対して解き放った。

それは残酷ではあったが、必要な行為だった――なぜなら、ここに隠されているものが再び日の目を見るようなことはあってはならないからだ。仮に発見された場合には、この船内に保存されている恐怖がそれ以上の調査に対しての、タルタロスの場所の捜索に対しての、炎の戒めにならんことを願う。

これを書いている間も、悲鳴こそ鳴りやんだものの、悪魔が爪で木を引っかく音が聞こえる。私は大群が再び静かになるまで待つ。その後は長きにわたる見張りの務めが始まることだろう。寒さを耐え忍び、ふさわしくない者が訪れる時に備えて罠を仕掛け、そして最期の時を待つ。それが私にとっての最後の贖罪（しょくざい）になるのだ。

それまでの間、私はアラーの許しを請う――現在の流血に対して、過去の我が侵入に対して。それでも、私の心はより広い世界の安全が守られたことに安らぎを覚える

――だが、その安全もいつまで続くだろうか？

　こうして座っている今も、傍らにある嵐の世界図の内部からカチカチという音が聞こえてくる。私の心臓の鼓動に合わせて時を刻みながら、必ずや訪れる死までの残り時間を数えている。忌まわしい装置を叩き壊すべきなのだろうが、私にはどうしてもそうすることができない。あれはあなたたちとの、我が親愛なる三人の兄との、最後の絆なのだから。あなたたちと一緒にこれを製作していた時のことを思い出す。笑いが絶えず、興奮があふれ、希望に満ちていた。我々は力を合わせて今までで最高の航海計器を完成させた。かつて誰も製作したことのないような計器で、私だけが使えるような仕組みになっていて、その動力源はプロメテウスの炎だった。

　私はこうして最後の言葉を書き残しながら、ゼウスから火を盗み出して人類に与え、そのせいで永遠の責め苦という罰を受けたのが、タイタンのプロメテウスだったことを思い出す。だから、タルタロスから火を盗み、それを持ち帰った私も、今こうして同じように罰を受けなければならない。

　ホメロスの『オデュッセイア』の中に発見したあの手がかりをたどらなければ、タルタロスの入口など発見しなければよかったのにと強く願う。そこには詩人の時代の大いなる敵が、三つの王国を炎の廃墟(はいきょ)に一変させた害悪が隠れていた。だが、私はそこを見つけてしまい、これで故郷に戻れるとの喜びのあまり、我々がメデイアの油だと信じるものの樽を一つ、私の発見の確かな証拠として持ち帰った。しかし、その当時の私は、タルタロスの入口からさらに奥にまで足を踏み入れようとは思わなかった。部下たちの人数が少なかったし、食料の残りにも限りがあったからだ。

故郷に帰還した私は話を伝え、我々四兄弟の力を合わせて嵐の世界図を製作した。メデイアの油がその動力源となり、ダイダロスの鍵が守りの役目を果たしていた。しかし、船星(ふなぼし)の針を持つことが許されたのは、地図に組み込まれた偽りの道筋の中から一つだけある本当の航路を解読するために必要なその三本の道具を持つことが許されたのは、私一人だった。タルタロスの所在地を知るのは私一人だけにしておくべきだと、賢明にも忠告してくれたのは、我が兄アーマドよ、あなただった。知恵の館に残った者たちが敵の拷問を受けても、その所在地を聞き出されないようにするために。

そのような英知をアーマドの耳にささやきかけてくれたアラーに感謝を。

一年前、我々の国の港を十隻の大型のダウ船が出発した。発見されるはずのものを確保しようと、準備は万端だった――ところが、タルタロスを脱出できたのはそのうちの一隻だけで、その船が私の墓になるのだ。私は息を引き取るまで、嵐の世界図の傍らで見張りを続ける。なぜならば、私が我々にとっての最大の業績を打ち壊す気になれないのには、別の理由があるからだ。タルタロスの最深部に生息するもの――あの怪物のようなタイタンたちが逃げ出す事態になれば、世界にとっての唯一の希望の光は嵐の世界図かもしれない。その目的のために、私は救済の鍵を自分の心のいちばん近くに持ち続ける。

それでもなお、ある疑問が私につきまとう。世界はあとどれだけの間、無事でいられるのだろうか？

答えのわからないその疑問が、どんな炎の悪魔よりも私を怯えさせる。

エレナは最後の数ページを読み続けた。故郷に残した兄たちへの愛を伝える言葉が中心で、そのほかに後悔の念も綴られている。残りのページに目を通し始めたエレナが最後まで読み終えないうちに、扉のすぐ向こう側から数人の声が聞こえた。日誌の内容に夢中になっていたため、独房に誰かが近づいてきたことに気づかなかったのだ。

エレナははっと息をのんでテーブルの上の二冊の小冊子を手に取り、ズボンの中に押し込もうとした。その際、フナインの航海日誌の背表紙から何かが落下した。石の床に当たった物体が金属音を立てる。エレナが床に片膝を突いて調べると、長さ十センチほどの青銅製のピンが三本落ちていた。それぞれ片側は小さな旗のような形になっていて、そこにはアラビア文字が刻まれている。

〈これはいったい——？〉

背後から扉のかんぬきのこすれる音が聞こえる。

心臓の鼓動が速くなるのを意識しながら、エレナは床に落ちた青銅製のピンをひったくるようにつかみ、立ち上がりながらポケットにしまった。

古い蝶番のきしむ音とともに、後ろの扉が開いた。見覚えのある人物が大股で部屋に入ってきた。モーセの娘の険しい顔つきとぎらぎらした目の輝きから、エレナはやはり昨夜のうちに何か問題が発生したに違いないと思った。女はエレナに向かって不愛想に手招きすると、すぐに踵を返して外の通路に戻った。

「早くしろ」女はアラビア語で命令した。「一緒に来い」

エレナはあわててその後を追った。二人の見張りが後ろからついてくる。「どこに行くの？」

女はエレナの方を見ようともしない。「おまえに多くの教訓の一つ目を学ばせるところに向かう」

拉致犯人の強い口調から、どこかの教室や、上のフロアにある薄暗い図書館に連れていかれるわけではなさそうだとわかる。事実、目的地は地下牢と同じフロアにあった。

広々した通路を進む間、エレナはずっと片手をポケットに入れていた。古い青銅製のピンを手のひらでそっと包み、ぶつかり合って音が鳴らないようにする。聞かれてはまずいと思ったからだ。

すると、前方の暗闇の奥から悲鳴があがり、通路の壁に反響した。

エレナは足が動かなくなったが、見張りの一人にライフルの銃口で背中をつつかれた。前につんのめりながら再び歩き出したエレナは、最悪の事態を覚悟した。

〈私を拷問にかけるつもりなんだ〉

通路の突き当たりには両開きの扉があり、その両側に置かれた真新しい松明から炎が高く上がっていた。モーセの娘がノックすると、扉がすぐさま開いた。

女はエレナを中に押し込んだ。扉の先には石を掘って造った部屋があり、さらに多くの松明の炎が室内を照らしている。部屋の中はかなりの暑さで、空気も煙くさい。部屋の片隅の三脚の上には青銅製の火鉢が置いてあり、その中の真っ赤に燃える炭の間からは、革にくるまれた焼きごての取っ手が何本も突き出ていた。

グリーンランドから一緒に戻ってきた額の広い巨漢が、焼きごてを手に火鉢まで戻り、赤みを帯びたその先端を炭の中に突っ込んだ。

さっきの悲鳴の原因を知り、エレナはひるんだ。

部屋の中央に置かれた木製のテーブルの上には、大柄な男性が仰向けの姿勢で寝かされていた。身に着けているのはボクサーパンツ一枚だけだ。汗のにじんだ筋肉質の体が、テーブルの表面からはみ出しそうになっている。両腕は頭の上で縛られていた。太いレザーのストラップが胴体と両脚をテーブルに固定している。左の太腿の付け根近くには、黒く焦げて水ぶくれになった傷があり、熱した焼きごてを押し当てられたばかりの皮膚からはまだ煙が上がっていた。

モーセの娘はエレナの腕をつかみ、部屋の中央に引っ張った。寝かされた男性の足の側に近づくと、女はテーブルの表面を手のひらで叩いた。「ダーイシュがこの質素だが効果てきめんな装置を開発した。『空飛ぶ絨毯』と呼ばれている」

エレナは思わず身構えた。西側諸国の間では、ダーイシュはＩＳＩＳ――「イスラム国」の呼び名の方がよく知られている。

モーセの娘はエレナをテーブルのすぐ横まで引きずり、巨漢に向かってうなずいた。「カディール、見せてやりな」

カディールが二人の脇を通り過ぎ、テーブルの中央まで進んだ。そこに据え付けてある大きな鋼鉄製のハンドルをつかみ、ゆっくりと回す。

テーブルが動き始めた。蝶番でつないである中心部分が持ち上がり、両端が下がっていく。仰向けの姿勢でテーブルに固定されている男性は背骨が逆向きに曲がり、口からうめき声を漏らしている。ハンドルが一回転するたびに、背骨の折れる瞬間が近づく。

モーセの娘が片手を上げた。「とりあえずは少し見せてやるだけでいい、カディール」

巨漢がハンドルを回す手を止め、姿勢を正した。「オズル・ディレリム、ネヒール」謝罪の言葉をつぶやくが、すぐに頭を垂れ、言い直す。「アナ・アスファ、ビント・ムーサー」

エレナが女に視線を向けると、その顔つきはよりいっそう険しくなっていた。カディールの最初の謝罪はトルコ語で、言い直したのはアラビア語だった。二人を交互に見るうちに、エレナははっと気づいた。〈この二人はトルコ人で……何らかの理由でアラブ人を装っている、あるいはアラビア語を使用しているのだろうか？〉

モーセの娘の本名はネヒールに違いない。

女は明らかにいらだった様子でエレナをテーブルの反対側に引きずり、拷問を受けている男性の方に押しやった。「おまえが我々を助けなければ、このアメリカ人が身代わりとして苦しむことになる」

エレナはテーブルに寝かされた男性に視線を向けた。あまりにもおぞましい光景に、これまで相手の顔をよく見ることができなかったのだ。しわの寄った眉間を汗が流れ落ちる。腫(は)れ上がった鼻には乾いた血が固まっている。その時、エレナは意外なことに気づいた――この男性を知っている。

マリア・クランドールが三年前から交際している相手だ。会ったことはなかったが、写真はマリアが送ってくれたし、インスタグラムにもアップされていた。エレナは二人とグリーンランドで合流する予定になっていたことを思い出した。改めて目の前の男性を見て、驚きと当惑が広がる。

〈この人はここで何をしているの？　マリアはどこにいるの？〉

「ジョー……」ようやく小声が出た。

「そいつらを助けるな」ジョーがかすれた声で返した。

その返事はすでに機嫌の悪いネヒールの怒りに火をつけた。悪態をつきながらにらみつける相手の視線から、エレナは今朝のこの女の不機嫌はジョーに原因があるのかもしれないと思った。

〈でも、彼が何をしたっていうの？〉

ネヒールがカディールに合図を送った。巨漢は装置の方に体の向きを変え、再びゆっくりとハンドルを回し始めた。テーブルがなおも山なりになる――それに合わせて、ジョーの背骨も。苦しそうに首をよじっている。鼻の穴から新たな血が流れ出た。

「やめて！」エレナは叫んだ。このままではネヒールの怒りが静まるより先に、背骨が砕けてしまいかねない。女をなだめ、意識をほかに向けさせるため、エレナはズボンの後ろに手を入れた。「これを見て……グリーンランドの船の中で見つけたの」

エレナは長い年月を耐え忍んだ二冊の小冊子を取り出し、ネヒールに向かって突き出した。

女は本を受け取った。すぐにその題名を認識したらしく、目を大きく見開いている。女が怒鳴り声で命令を発すると、カディールがハンドルを逆向きに回し、テーブルを平らに戻した。ネヒールはすぐさま扉に向かい、新しく獲得した宝物を手に急ぎ足で部屋から出ていった。ただし、武装した見張りに対してエレナを独房に連れ戻せと命令することは忘れなかった。

ライフルを突きつけられて出口に連行されるエレナの方を見ながら、ジョーが不機嫌そうに顔をしかめた。敵に屈したことを怒っているのだろう。エレナは顔をそむけた。まだ明かしていない真実の音が、ポケットの中から聞こえる。

〈心配しないで、ジョー。すべてを手渡したわけじゃないから〉

部屋から通路に出る時、エレナはテーブルの方を振り返った。緊急を要する質問が一つだけある。

「マリアはどこ?」エレナは問いかけた。

ジョーがエレナの方に傾けていた頭を元に戻し、ため息をついた。「無事だ……彼女は無事だ」

安堵したエレナは見張りに指示されるまま、通路を引き返した。

〈やっといい知らせが聞けた〉

16

六月二十三日　中央ヨーロッパ夏時間午前七時十分
イタリア　カステル・ガンドルフォ

〈これはまずい状況……しかも、もっとまずくなる一方ね〉

教皇の離宮の真下に人知れず存在する地下室に静けさが訪れた後も、マリアは聞き耳を立て続けた。攻撃が終わったのは数分前のことだ。爆撃は短時間だったが、熾烈を極めた。今もなお、マリアたちが閉じ込められた地下トンネルの奥深くで岩が絶えず落下し、こもった音を響かせている。

〈こんなに小さくてもろい隙間が長く耐えられるとは思えない〉

それまで空気が持つかどうかも怪しい。

全員が服で鼻と口を押さえ、空間内に充満する塵を肺に吸い込まないようにしている。

揺れる懐中電灯の光が近づいてきたかと思うと、グレイがボサード大佐とともに戻ってきた。二人は入口側のトンネルをふさいだ落盤箇所を調査してきたところだ。少し離れたところでは、セイチャンがもう一本の懐中電灯で明かりの消えた蔵書室の扉を調べている。

「通り抜けられない」トンネルの突き当たりで身を寄せる一行に向かってグレイが報告した。「衛星電話も試してみたんだが、電波が届かなかった」

〈どちらも意外な結果ではない〉

「あいつらはやることが一貫しているな」マックが壁を背にして腰を下ろしながらつぶやいた。片腕は三角巾で吊ったままだ。「二日続けて俺を墓に閉じ込めやがった。最初は氷の墓、今度は岩の墓だ」

マリアはマックの言葉の何かが引っかかったものの、その理由を特定することはできなかった。

ベイリー神父が気候学者に向かって悔やむような表情を見せた。「私が君をここに連れてきたせいで、こんなことになってしまい申し訳ない」

「いやいや、そのことを責めているわけじゃない。病院に置き去りにされていたら、今頃はもう死んでいたよ。音を聞く限りでは、地上のありとあらゆるものが破壊されたみたいだからな。だから、結局はここが俺の墓になったとしても、君は少しだけ時間を稼いでくれたってことだ」

マリアははっとして姿勢を正した。

〈それだわ〉

「でも、ここは墓じゃない」そう言うと、マリアはモンシニョール・ローの方を向いた。司祭は地図の箱の傍らでひざまずいていて、まるで息を引き取る瞬間までダ・ヴィンチの宝物を守ろうとしているかのように見える。「あなたはさっき、ホーリー・スクリニウムは古代ローマの家の地下に設置されたと言っていませんでしたか？」

ローが口に当てていた服を下に動かした。「ああ、ドミティアヌス皇帝の山荘だ」

「そして、ローマ人たちが山荘用の地下貯水槽を掘った場所だったとも？」

「その通りだよ」

「でも、そうした貯水槽用の水はどこから来たのですか？　アルバーノ湖から水を引いていたのでは？」

「そうだな……そんな話を読んだ覚えがある」ローがうなずいた。「ローマ人たちは湖よりも低くなるような位置に貯水槽を掘り、勾配をつけた水路で湖と結んだ。新鮮な水が重力でここに流れ込む仕組みになっていたのだ」

グレイがいい考えだというようにうなずきながら、マリアの隣に並んだ。「そうした水路は今もあるんですか？」

「わからない」ローが答えた。「しかし、ホーリー・スクリニウムは山荘の基礎部分全体を占めているわけではない。蔵書用の施設とほかの部分の間は、何世紀も前に壁で仕切られたのだよ」

「その場所はわかりますか?」マリアは訊ねた。

「ああ、もちろん」モンシニョールは答えたが、表情を曇らせながら指差した。「別のトンネルの突き当たりだ。我々のところから見ると南側に位置している」

マックがうめき声をあげた。「どうやら俺たちは逃げ込むべき巣穴の選択を誤ったみたいだな。そこまで掘り進めていくのは無理だぞ」

「ほかの方法があるかもしれない」ローが言った。「絵で示す方がわかりやすいかな」

全員がまわりに集まると、司祭は床に積もった塵に指先で絵を描いた。放射状に延びた三本の線を、同心円状の曲線が結んでいる。

「三本のトンネルはどれも蔵書室でつながっていて、細長い書庫が弧を描くようにトンネルと隣のトンネルの間に通じている」モンシニョールが説明した。「このトンネルにある扉のどれかから蔵書室に入れれば、隣のトンネルに抜けることができる」

「でも、電源が落ちている」マリアが指摘した。「それに扉にはロックがかかったままだし。これじゃ無理――」

「無理じゃない」セイチャンの声がした。さっきから彼女が調べていた扉だけが、大量の岩に埋もれずにすんでいる。セイチャンは鋼鉄製のダガーナイフの先端を電子錠に向けた。「でも、急がないといけない。それにチャンスは一度だけしかないだろうし」

午前七時十四分

〈時には悪い知識が役に立つ〉

グレイはセイチャンの決してほめられない過去に対して心の中で感謝を捧げた。「金庫破りがギルドの訓練の一環だったとは知らなかったよ」グレイはセイチャンの作業を見守りながら言った。

セイチャンは肩をすくめた。「この技術を習得したのはギルドに加わるずっと前のこと。キーを使わずに車のエンジンをかけるのと大して違うわけじゃない。子供の頃はバンコクの裏道でしょっちゅう車を乗り回していた」

グレイはこの女性の無邪気な子供時代を想像しようとした。ぎらぎらした目の少女が東南アジアの町中で自由気ままに暮らしている。今でもセイチャンの過去にはグレイにとって謎のままの部分が多く残っていた。グレイはいつの日かそんな空白を埋める機会が訪れることを願った。

「光をふらふら動かさないでよ」セイチャンが注意した。

グレイは懐中電灯の光をしっかりと向けた。セイチャンはすでにナイフの刃先を使って電子錠のフロントパネルを外し終わっていた。今は目を凝らしながら、ケースを取り外したグレイの衛星電話の背面と電子錠の内部をワイヤーで結んでいるところだ。

セイチャンは隣に立つモンシニョール・ローの方を見た。「これでうまくいっても、あんたがカードを通してロックを解除できる時間はほんの数秒だけ。それ以上の時間がたつと、回路が焼き切れてしまう。準備はいい？」

モンシニョールはうなずき、光沢のある黒いカードキーを構えた。

「合図を送るから」セイチャンは最後の一本のワイヤーで衛星電話のリチウムイオン電池の導線に触れた。「今よ！」

電子錠の赤い光が点灯した。ローが急いでカードキーを読み取り機に通す。光が緑色に変わった。ギアの動く低い音が鳴る——次の瞬間、露出した回路上に火花が走り、明かりが消えた。

セイチャンが立ち上がり、扉の取っ手を引っ張ったが、びくともしないとわかると舌打ちをした。ロックは完全には解除されなかったのだ。

〈あと一歩だったんだが……〉

セイチャンは明らかにいらだった様子で後ずさりすると、扉を蹴飛ばした。その衝撃で戸枠が揺れ、カチッという大きな音とともに扉の内部で何かが回転した。全員が顔を見合わせ、固唾をのむ。

セイチャンが再び取っ手をつかみ、引っ張った。

今度は扉が開いた。後ろに集まった人たちの間から歓声が湧き起こる。

グレイはセイチャンをハグした。「美人の銀行強盗さんのおかげだ」

「まだここから出られたわけじゃないから」セイチャンが言い聞かせた。

その言葉が聞こえたかのように、トンネルのどこかから岩の落下する大きな音が鳴り響いた。

グレイは全員を促して扉の奥に進ませた。カーブした通路の両側には密閉されたガラス扉が連なっている。扉の奥の暗がりには本棚やキャビネットがあり、かすかな光を浴びて金や銀に輝く貴重品も垣間見える。しかし、この禁じられた図書館をゆっくり見て回る時間はない。

一行はすぐに反対側の扉まで到達した。内側には手動式のレバーがあり、万が一、中に閉じ込められた場合でも、外に脱出できる仕掛けになっている。

〈今の俺たちのように〉

グレイはレバーを下げて扉を押し、隣のトンネルに出た。懐中電灯の光を周囲に向ける。右側は岩と瓦礫の山でふさがれているが、左側は煉瓦の壁で行き止まりになっていた。

グレイはほかの人たちを先導してそちら側に向かった。

「ここからはどうするの?」マリアが手のひらで煉瓦に触れながら質問した。「どうやってここを通り抜ければいいの?」

ボサード大佐が前に進み出て、ヘッケラー&コッホのサブマシンガンを持ち上げた。「方法があるかもしれない」

グレイが全員を安全な書庫の中まで戻らせるのを待ってから、スイス衛兵はいちばんもろそうな二個の煉瓦に狙いをつけ、ありったけの弾を撃ち尽くした。耳をつんざくような発砲音が収まる頃には、その二個は粉砕されていて、まわりのいくつかの煉瓦までも吹き飛んでいた。

グレイはボサード大佐とともに壁まで戻り、結果を調べた。大佐が手で押したり足で蹴ったりしながら、開口部をさらに広げていく。グレイは穴に頭と片腕を突っ込み、懐中電灯で壁の向こう側を照らした。火山岩を掘削した空間は広々としていて、床に当たった光が黒い鏡に反射している。

〈水だ〉

グレイは安堵のため息を漏らした。

ほかの人たちも加わって煉瓦をさらに崩してから、全員が開口部を通り抜けると、岩を削って造った段を下りて隣の部屋に移動した。中央にある一辺十メートルほどの正方形のプールは、水を満々とたたえている。グレイはその縁を歩きながら、水面の下を調べた。片側にアーチ状のトンネルが口を開けている——古代ローマの水路の入口だ。水面から一メートルほど下の位置にある。

ほかの人たちもまわりに集まってきた。

「俺があそこに潜る」グレイは伝えた。「あのトンネルが湖まで通じているかどうか、調べてくる」

セイチャンがグレイの前に回り込んだ。すでにジャケットとブラウスは着ておらず、ブーツも脱ごうとしているところだ。「泳ぎは私の方が速いから」そう言いながら、グレイの腹部を指でつつく。「それに、この問題もある」

グレイは反論したかったが、セイチャンの言う通りだった——贅肉に関してはちょっと違うかもしれないが、セイチャンは人魚も同然とまではいかないにしても、魚といい勝負の泳ぎを見せる。湖まで泳ぎ着ける人がいるとすれば、彼女しかいない。

「好きにしろ」グレイは返事をした。

セイチャンはズボンも脱ぐと、前かがみになって床の懐中電灯を手に取った。再び体を起こした時には、グレイの懐中電灯の光を浴びてその目が輝いていた。

セイチャンの興奮が伝わり、グレイの心臓の鼓動も大きくなる。「気をつけ――」

セイチャンはほとんど水面を乱すことなくきれいな飛び込みを披露し、真っ暗な水中に姿を消した。

マックがグレイの隣にやってきた。「君は本当に幸せ者だな」

〈言われるまでもないよ〉

午前七時二十七分

セイチャンは足で水を蹴って暗いトンネルに進入しながら、親指で懐中電灯のスイッチを入れた。通路は肩幅よりもわずかに広いくらいで、思うように足を動かすことができないが、壁との間隔が近いことを逆に利用して、手で押しながら体を前に進めていく。

懐中電灯を握ったもう片方の手を前に伸ばし、その光を追う。

湖までどのくらいの距離があるのかわからないので、体力を温存し、スピードを重視しつつも無駄なエネルギーは使わない。ストロークとキックは抑え気味にして、動きを節約しながら前方に進んでいく。唇はきっと結んだままで、胸から余分な力を抜く。

時折鼻から気泡を送り出し、もうすぐ新鮮な空気が入ってくると体に勘違いさせることで、緊張を和らげると同時に、反発しようとする体の本能を抑え込む。

〈進み続けないと……〉

セイチャンは両脚を小さく上下させ、空いている方の手のひらで壁を押した。

その時、懐中電灯の光がトンネルの先にある障害物を照らし出した。セイチャンはそこを目指して泳いだ。岩が水路をふさいでいる。回り込もうにも隙間が狭すぎて通り抜けられない。

心の中で悪態をつきながら障害物を探ったセイチャンは、それが岩というよりも石板に近い形状で、トンネル内に斜めに挟まった格好になっていることに気づいた。

〈もしかすると……〉

セイチャンは障害物の端をつかみ、両足を壁に当てて踏ん張った。上から押さえたり、引っ張ったり、揺さぶったりするうちに、石板をトンネルの底までずらし、さっきよりも大きな隙間を作ることができた。セイチャンはまず頭を、次に片腕を突っ込んでから、上半身を小刻みに動かしたりねじったりしながら隙間に潜り込ませた。足のつま先で後方の石を蹴り、障害物を強引に通り抜けようとする。

次の瞬間、体が動かなくなった。

セイチャンはすぐに気づいた。グレイは女性ホルモンのせいでふくらんだ乳房の大きさと重さを喜んでくれるかもしれないし、それに関してはジャックも同じだろうが、ここではそのことが問題になってしまった。セイチャンは後戻りしようと試みた。ひとまずは負けを認め、貯水槽まで戻るとしよう。

しかし、戻ろうとしたところ、完全に体がはまってしまった。

頭の中にパニックが忍び寄る。胸が苦しく感じられるのは、岩の壁に挟まって圧迫されているせいだけではない。ジャックの顔が頭をよぎる。お風呂でけらけらと笑っている。おっぱいが欲しくてむずかっている。小さな親指を吸っている。そんな今でもなお、疑問が頭から離れない。心の中のどこかで、自分なんていない方がジャックにとってはいいのではないかと思っている。心のもっと奥深くでは――

〈あの子なんていない方が自分にとってはいいのだろうか?〉

罪悪感に体力と気力を搾り取られる前に、セイチャンは歯を食いしばった。ジャックにとってどちらが正しい道筋なのかはわからないが、断言できることが一つある。

〈その決定を下すのは私〉

こんなところで死んで、その選択権を失ってしまうわけにはいかない。そのため、セイチャンはありったけの空気を吐き出し、肺を空っぽにした。命の糧となる空気が泡となって目の前を通り過ぎ、髪の毛の間を抜けていく。

胸をへこませたことでわずかながらも余裕ができ、セイチャンは身動きが取れるようになった。ほんの一瞬の間、そこで考えを巡らせる。まだ戻れるだけの酸素は残っているが、戻ったところで何になるのか？　それが自分の下す決定だとしたら、そのことでジャックのもとにいくらかでも近づけるのだろうか？

〈こうするしかない〉

セイチャンは両足で水を蹴り、障害物を通り抜けた。

懐中電灯の光を追いながら、水路のさらに先に進む。もはや後戻りのできない地点にまで入り込んでしまった。左右の肺の下で横隔膜が収縮し、無理やりにでも息を吸わせようとする。視界が狭まる。体の動きがより切迫感を伴ったものになる。

それでもなお、懐中電灯の光が照らすのはどこまでも続く暗闇だけだ。

ついに視界が針の穴のように小さくなった。

〈たどり着けそうもない〉

午前七時四十四分

グレイは真っ暗な水をたたえた貯水用のプールに沿って行ったり来たりしていた。腕時計で時間を確認する。何度目になるのか、もう回数を追っていられない。額には汗がにじみ、息づかいも荒くなる。

「もう十分以上もたっている」グレイは誰に対してともなくつぶやいた。「とっくに戻ってきていなければおかしい」

マリアが落ち着かせようとした。「助けを探しにいっているのかもしれないじゃない」

「それとも、帰りの泳ぎのために呼吸を整えているのかもしれない」マックが言った。

グレイは首を左右に振った。すでにボクサーパンツ一枚の姿になっている。待つ間に何かをせずには、行動を起こさずにはいられない。グレイはプールの端に歩み寄った。

「もう少しだけ待って」マリアが声をかけた。

ベイリー神父はもっと厳しい見通しを述べた。「彼女の後を追ったところで何にもならない。何かトラブルに巻き込まれたのだとしても、すでに手遅れだ。十分以上も息を止めていられる人などいない。君は自分の命を危険にさらすだけだ」

グレイは拳を握り締め、神父をぶん殴ろうと身構えた。しかし、その言葉がグレイをさらにプールの方へと後押しした。

〈これ以上は待っていられない〉

グレイが飛び込もうと身を乗り出した時、真下の真っ黒な水がぼんやりと明るくなった。グレイが後ずさりすると、輝きがまぶしい光になる。水面に頭が浮かび上がった。スキューバダイビング用のフェイスマスクとマウスピースで顔が隠れている。だが、グレイにはすぐにわかった。

「セイチャン……」

相手から反応が返ってくるよりも早く、その後ろで頭がもう一つ、さらにもう一つ、水面に現れた。見知らぬ人物たちもフェイスマスクにウェットスーツ、スキューバダイビングの装備を身に着けている。

一瞬、グレイは呆気に取られた。この男たちは何者だ？　セイチャンはこんなにも短い時間で、どうやってスキューバの装備を用意した救助隊を集められたのか？　グレイはその答えに思い当たった。マリアに視線を向けながら、湖ではすでにコワルスキの捜索活動が進行中だったことを思い出す。セイチャンは水路を抜けて湖に到達し、捜索隊に声をかけてこちらの救助を要請したのだろう。

セイチャンはマウスピースを吐き出し、フェイスマスクを上にずらした。「ここから出る準備はいい？」グレイに問いかける。

〈いいに決まっているだろ〉

それから三十分の間に、救助隊は水路を経由して全員を運び出し、アルバーノ湖の岸まで送り届けた。無事に脱出できたことを大喜びしてもおかしくなかったが、歓声をあげる者は誰一人としていなかった。

あちこちでサイレンが鳴り響いている。カルデラの上に太陽が顔をのぞかせた空には、何機ものヘリコプターが飛び交っている。グレイは湖岸に立ち、衛星電話を耳に押し当てた。煙を噴き上げる残骸となった教皇の離宮を見上げる。黒煙が空に向かってもうもうと渦を巻き、その中心部ではまだ炎がちらついている。目に見える限りでは、カルデラの縁のその一帯が爆撃によって吹き飛び、瓦礫の山と化していた。

電話の向こうからのペインターの声はほとんど耳に入ってこなかった。「ジェット戦闘機は正式な離陸許可を得ていて、正しいコールサインも使用していた」司令官は説明している。「イタリア空軍のジェット戦闘機だった可能性もある。まだ確認は取れていない。報告によると、操縦士は機体を地中海に墜落させる前に脱出している。現在、捜索隊が周辺海域を調べているところだ」

グレイは破壊の惨状から視線を外し、その背後にある理由に目を向けた。モンシニョール・ローとボサード大佐は二人とも毛布にくるまれたまま、防水シートを巻いたダ・ヴィンチの地図を見張っている。

〈この忌々しい地図のせいで何人の命が失われたんだ?〉

グレイは敷地内でサマースクールが開催されているというモンシニョールの話を思い返した。新しい天文台は離宮から一・五キロ離れているが、果たしてそれは安全な距離だったのだろうか？　電話を握る手に思わず力が入る。グレイはここでの死を絶対に無駄にはしないと誓うとともに、首謀者たちにきちんと罪を償わせてやるとの決意を新たにした。

グレイは厳しい口調で意見を述べた。「今回の襲撃を画策したのが何者なのかはわかりませんが、戦術や装備――ジェット戦闘機と北極海の潜水艦から判断する限り、ローンウルフのテロリストではないでしょう」

ペインターも同意見だった。「やつらが何者だろうと、国家の支援を受けているのは間違いない。ある敵対国家、ないしは複数の敵対国家がバックについている。キャットの方も、相手が我々の動きをすべて察知している理由はそこにあるとの考えだ。今回の件にはかなりの数の情報機関が関与している。我々の情報がどこから漏れているのかはわからないが、その穴をふさぐまでは――」

「こちらの存在を消す」

「完全に消してもらいたい」

グレイは湖岸で身を寄せ合う少人数の仲間たちの方を見た。移動を開始し、できるだけ早く身を隠す必要がある。しかし、その先は？　何よりも急を要する疑問が二つある。

〈次はどこに向かうのか？〉

それよりも重要なのは……
〈敵の正体は？〉

17

六月二十三日　トルコ時間午前十一時二十二分
トルコ　チャナッカレ県

〈ようやくにして、世界は間もなく燃え落ちる〉

栄光のまばゆい輝きを胸に感じながら、ネヒール・サートは埋もれた都市の最深部へと下っていた。隣村のクムカレにある小さな喫茶店で、アルマゲドンの最初の予兆を目撃している時に呼び出しを受けたのだ。彼女は店内のテレビでほかの息子たちや娘たちと一緒に、イタリアから入ってくる騒然としたニュースを見守っていた。映像内では離宮が炎上し、通りに死体が散乱していた。

シートをかぶせられた子供たちの姿が映ると、ネヒールは画面から目をそらした。

〈罪のない者たちは殉教者となった〉ネヒールは自らに言い聞かせたものの、悲しみを抑えつけることはできなかったし、子供たちの死に対して罪の意識すら感じた。苦しむことなく、天国までたどり着いていることを祈る――そこで長く待つことはないだろう。地獄の門が開けば、いずれは天上が地上に戻ってくる。

〈そうしたすべての子供たちを連れて〉

自らの子供たちも一緒に。

〈二人の我が子〉

ネヒールは階段の途中で立ち止まり、目を閉じた。ほんの一瞬、悲しみがすべてを包み込む。幼い頃、ネヒールは兄とともに父親の手で売春宿に売られた。彼女が八歳、カディールが十歳の時だった。何度も繰り返し犯されたネヒールは、肉体的にも精神的にも、その時の傷をいまだに抱えている。

やがて二人の稼ぎが十分ではないとわかると、父親は兄と妹をイスタンブールの化け物に売り飛ばした。ネヒールは「ムタ婚」として知られる結婚を強制された。これは期間を決めて行なわれる契約結婚で、その長さは一時間のこともあれば、九十九年間にまで及ぶ場合もある。契約期間中にネヒールは二人の子供――男の子と女の子を授かったが、どちらも仮初めの夫が望まない子供だった。赤ん坊は二人とも、出産後に殺害された。ネヒールは二人目の子供だった女の子を密かにフリと名づけていた。「天使」の意味だ。彼女はその子を守ろうと抵抗したが、夫はその罰として顎から喉にかけて深い傷を負わせた。その当時、まだ十四歳ながらすでに体の大きかったカディールは激怒し、男の首の骨をへし折った。兄と妹は逃げ、それ以来ずっと、カディールはネヒールを守り続けている。

そのうちに、二人はモーセの息子たちと娘たちの目に留まった。

彼らが仲間として欲しがっていたのは、体の成長に合わせてイスタンブールのスラム街での評判も大きくなっていたカディールの方だったのだろう。しかし、兄が妹のそばを離れることを拒んだため、二人はともに受け入れられた。二人のうちで戦士としての本当の資質を持っているのがネヒールの方だったとは、組織も知る由がなかった。カディールは体も頭も反応が鈍く、傷つきやすい心の持ち主だった。ただし、言われたことは忠実にこなした。

一方、ネヒールはナイフの扱いが絶妙で、射撃の腕前も非の打ちどころがなかった。だが、組織内で瞬く間に昇進し、ムーサーの長女の座にまで上り詰めることができたのは、その鋭い知性のおかげだった。

あの頃は強い決意が彼女を後押ししていた――それは今も同じだ。

彼女はこの世界が燃え落ち、新しい天国が取って代わるのをその目で見るまで、生き続けるつもりでいた。その天国ではアラーに見守られて死んだ者たちが、愛する家族のもとに戻ってくるという。今は亡き二人の子供たちも。

〈今、その実現がこんなにも間近に迫っている〉

いくらか気持ちが軽くなり、ネヒールは階段を下り続けた。ムーサーからバイト・アル

＝ヒクマ――知恵の館の最深部まで来るように呼び出されたのだ。埋もれた都市のこのフロアには無数の書物が所蔵されていて、古くは一二五八年のバグダッドの陥落にまでさかのぼるものもある。その時、チンギス・ハンの孫が率いるモンゴルの大軍が侵攻し、モスクや家々に火を放ち、住民たちを虐殺した。しかし、彼らの最悪の所業は、何世紀もの歴史を誇るバグダッドの高等教育機関で、イスラム黄金時代の精華とたたえられた知恵の館を破壊したことだ。モンゴル軍は学校を略奪し、書物をチグリス川に遺棄した。言い伝えによると、川の水は流れ出たインクのせいで何日間も黒くなった――それに続いて、殺された学者たちの血で赤く染まったという。

モーセの息子たちと娘たちが今でもその二色を身に着けているのはそれが理由だ。

だが、敵によって完全な包囲が敷かれる前、ナシール・アル＝ディン・アル＝トゥーシー――後にムーサーの称号を名乗ることになる人物が、夜陰に紛れて四十万冊の書物を密かに運び出し、破壊から救った。それらの本が新しい知恵の館の礎となり、その存在は世界から隠されてきた。この秘密を守るために、ナシールはモーセの息子たちと娘たちを募り、厳しく徹底した訓練を施して、戦士の能力を持つ学者たちを育成した。あのような蛮行を決して繰り返させてはならないとの思いからだった。

それは今も続いている。

現在、知恵の館を司（つかさど）るのは四十八代目のムーサーだ。

〈そのムーサーが知恵の館を栄光の極みに導く〉

最大限の謙遜と敬意を示しながら、ネヒールは頭を垂れ、いくつもの部屋が連なって図書館を構成している一角に入った。広さは十五万平方メートル以上あり、その蔵書はかつてナシールが救い出した数の十倍にまで増えている。

リーダーは長いテーブルが何列も並ぶ小部屋にいた。ムーサーはテーブルの向こうに立っていて、その両側にいるのは図書館に仕える年長の息子二人だ。

ネヒールは部屋の入口の手前で立ち止まった。

ムーサーが彼女の存在に気づき、手招きした。テーブルまで近づく間、ネヒールは頭を垂れ、視線を下に向けていた。

「親愛なる我が娘よ」ムーサーが温かく迎えた。「アラーは君に微笑みかけておられる」

「ありがとうございます」ネヒールはつぶやいた。そのような称賛の言葉を気詰まりに感じる。

「君がドクター・カーギルから確保した二冊の本は思いがけない収穫だった。相当な価値がある」

ムーサーが顎でしゃくったテーブルの上には、二冊の古い書物がページを開いた状態で置いてあり、その両側にはほかに何冊もの本が積み上げられていた。グリーンランドのダウ船から回収された書物で明らかになった内容を調査するために集められたものだろう。

ムーサーが二冊のうちの一冊に触れた。「この中にはバヌー・ムーサーの四人目の息子――反逆者の手による裏切りの遺言が記されている。彼の話は不完全だが、短時間で多くを教えてくれたし、タルタロスへの失われた道筋を見つけ出す希望を提供してくれた」

ネヒールは心臓の高鳴りを覚えた。古い書物を受け取ってここまで送り届けた時、同じ期待を抱いていたのだ。

〈ようやく〉

ムーサーが背筋を伸ばし、ネヒールを見つめた。「アラーがこれからも君に微笑み続けられることを祈っているが、そうなるであろうことはすでに信じている。そのため、君に重要な任務を用意してある」

「どのようなことであろうと、仰せのままに」

「君と兄のカディールは、その失われた道筋の捜索のために出発するのだ。君たちにはほかの息子たちと娘たちの一団のほか、二人の囚人も同行させる。糸口を見つける手伝いとしての協力を取りつけるために、うまく利用するといいだろう。嵐の世界図も持っていくがいい。タルタロスへの真の道筋を発見するうえで今もなお、役に立ってくれるはずだ」

ネヒールは課された責任を名誉に思い、深々と頭を下げた。「あなたの期待を裏切ることはありません」

「そのことに関しても信じているぞ」

ネヒールは姿勢を正し、称賛の言葉を受け止めながら、自分はそれに値するとまで感じた。「けれども、どこに向かえばよろしいのですか？　この失われた道筋はどこで見つかるのでしょうか？」

ムーサーは近寄るように合図した。ネヒールが横に並ぶと、開いた状態で置いてあるフナイン・イブン・ムーサーによる航海日誌を指差した。その指先があるページに記された文字をたどる。「ここで航海日誌は途切れているが、裏切り者はタルタロスへの航海を続ける前に立ち寄った最後の港の名前を記している。君が彼の道筋を探すことになる場所はそこだ」

ネヒールは身を乗り出し、書かれている名前を読んだ。

その意味に気づき、寒気を覚える。

〈ヘパイストスの鍛冶場〉

「私が君に課したのは容易な任務ではない」ムーサーが険しい眼差しで見つめた。彼女の動揺を察しているかのような目つきだ。「なぜなら、君は天使でさえも踏み込むのを恐れる場所に向かわなければならないのだ」

第三部　ヘパイストスの鍛冶場

歌え、うるわしき声のミューズよ、数々の発明で名高いヘパイストスのことを。美しい目をしたアテナとともに、彼は世界各地の人間に輝かしい技術を教えた――それまで山の中の洞窟に住み、野獣のように暮らしていた人間たちに。

――ホメロス風讃歌第二十番

18

六月二十三日　中央ヨーロッパ夏時間午後八時四十九分
ティレニア海

〈この連中は豪華な船旅というものがよくわかっているようだな〉

　コワルスキは窓の外をのぞきながら、目の前に広がる巨大クルーザーの全貌を見極めようとしていた。エレナと一緒に船上のヘリパッドに着陸したのは五時間前のことだ。トルコの沿岸部から飛行機で小さな島に移動した後、ヘリコプターに乗り換えてティレニア海の真ん中まで運ばれ、乗り換えたのがこのしゃれた船だった。

〈しかも、とびっきりに美しい船だ〉

　銀色のクルーザーは全長百メートル近く、喫水が深く、甲板から上だけでも四つのフロアがある。コワルスキが監禁されているのは最上階にある横幅の広い客室で、船首方向と右舷側、左舷側の景色を一望できる。コワルスキの後ろではエレナが本に埋もれた机の前に座っていて、黄色いメモ帳に文字を書き殴っている。すでに一冊目を使い切り、二冊目に入っていた。コワルスキは彼女の邪魔をしなかったし、一心不乱な様子を不満に思わなかった。

むしろ、それに期待をかけていた。

到着してからの時間を利用して、コワルスキは元海軍上等水兵の目でこの海に浮かぶ刑務所を評価していた。足枷をはめられている時には、甲板下から聞こえてくるエンジン音に耳を傾けた。〈ディーゼルエンジン二基を搭載、ハイブリッドシステムかもしれない。ウォータージェット推進器を備えているのは間違いなさそうだ〉コワルスキとエレナを乗せると、船はエンジンの出力を上げ、洋上を北西に向かって進んだ。速度は三十ノットに近く、この大きさのクルーザーにしてはなかなかのスピードだ。

しかも、感心させられたのはそれだけではなかった。

クルーザーにはヘリパッドが一つだけではなく、二つある。船首に一つ、この部屋の真上にもう一つ。そればかりか、船首のヘリパッドからここに連行される間に通ったガレージには、黒いジェットスキーが何台も収容されていて、海に面した側の閉まった扉の方を向いて並んでいた。さらには、小型魚雷用の発射装置を左右に一つずつ備えた、四人乗りの潜水艇らしきものまであった。

潜水艇を見てある確信が生まれた。外見から判断する限りでは、スマートな形状からこのクルーザーは観光客用の船のように見えるが、その中身はまるで違う。数十人を超える乗組員は全員が武器を携帯していて、甲板上にいる時こそ隠しているものの、船内では堂々と見せびらかしている。

コワルスキは窓を拳で軽く叩いた。このガラスもかなり分厚く、おそらくは防弾仕様で、爆発にも耐えられるようにできているのだろう。

ため息をつくと、コワルスキは船首の前方に広がる景色を見つめた。太陽は水平線の近くにあり、円錐(えんすい)形の火山島のすぐ上に位置していて、火口付近を赤く照らしている。その下の斜面は暗く不気味で、海岸沿いには真っ暗な森が広がり、小さな集落の明かりもいくつか見える。

「誰があの島に名前をつけたのかは知らないが、想像力の乏しいやつだったんだな」コワルスキはつぶやいた。「火山(ボルケーノ)があるからボルケーノ島にするなんて」

「ヴルカーノ島」エレナが椅子に座ったまま伸びをしながら訂正した。小さな眼鏡を外してメモ帳の上に放り投げ、真っ赤に充血した目をさすっている。「火山があるから命名されたんじゃなくて、ローマ神話に出てくる火の神ヴァルカンが由来なの。ギリシア神話のヘパイストスと同じ神様」

コワルスキは足枷の鎖を鳴らしながら体の向きを変えた。「だったら、そのヘパとか何とかいう名前よりも、ヴルカーノの方がましだな」

「実を言うと、昔はヘパイストス島と呼ばれていたのよ」

コワルスキはジョークのつもりで返したのだが、そうは受け取ってくれなかったようだ。

〈女性は俺の言うことをわかってくれない〉

「古代ギリシア人はこの島を『テルメッサ』と呼んでいた。『熱の土地』という意味」エレナがテーブルの上の分厚い本を肘で小突いた。「でも、この本では、ギリシアの歴史家が『ヒエラ・オブ・ヘパイストス』と書いている。『ヘパイストスの神聖なる地』の意味だけれど、文脈によっては『神聖なる炎』と訳すこともできる」

コワルスキは窓の方に向き直った。さっきよりも太陽の位置が低くなり、円錐形の先端がより赤々と輝いている。「確かに、燃えているみたいに見えるな」

エレナが立ち上がり、窓の前のコワルスキに並んだ。「だからギリシア人はヘパイストスがまだあそこで作業をしていると思ったのかも。彼らはヘパイストスが戦の神アレスのために武器を製作した場所があの島だと信じていた。島の地下深くで、ヘパイストスが金槌(かなづち)を振るい、火をおこしているんだって。ギリシア人は島の火山が定期的に噴火して煙や灰を舞い上げるのは、鍛冶の神が煙突掃除をしているからだと考えていた。でも、ここでの火山活動の原因は、北に動くアフリカプレートがユーラシアプレートとぶつかっているからなんだけれど」

「あんまりロマンチックな理由じゃないな」コワルスキは言った。

「確かに、そうね」エレナが認めた。

二人が見つめている間に、太陽が完全に沈み、見えなくなった。

コワルスキはエレナと不安そうに顔を見合わせた。「日没だ。何を意味するのか、わかっているよな」

エレナはうなずき、急いで机に戻った。

コワルスキも鎖を鳴らしながらその後を追った。「土壇場になって詰め込んでも、大して役に立たないと思うぞ」

クルーザーに乗り込んだ後、二人を拉致した犯人――ネヒールという名前の冷たい目をした女が二人をこの客室に連行し、数人の乗組員が本の詰まった箱をいくつも運び込んだ。二人をここに監禁する時、女は簡単な指示を残していった。〈日没まで時間を与える。私を感心させてみろ。さもなければ、この男が苦しむことになる〉

これが一種の試験なのは明らかだった。

〈不合格の場合は、俺が身代わりとして罰を受けるわけだ〉

ただし、鞭（むち）で打たれたり棒で叩かれたりする程度ではすまない。

到着後に足枷と鎖につながれている時、コワルスキは木箱を開ける作業が行なわれていることにも気づいていた。カディールという名前の巨漢が、青銅製の火鉢、三脚、大量の焼きごてを中から取り出していた。その間ずっと、図体のでかい男は感情のこもっていない目でコワルスキをにらみ続けた。

こうしてエレナの机まで歩み寄る間も、今朝早くに真っ赤に熱した焼きごてを押し当てられた左の太腿がずきずきと痛む。少なくとも、あの連中は傷口に包帯を巻くだけの気配りを見せた。ただし、優しさからの行為ではなく、身代わり用の男に敗血症で死なれたら困るからだろう。折れた鼻の骨も戻すような手間はかけず、絆創膏で留めただけだ。折れそうになるほど背骨を痛めつけられたせいで腰のあたりにできた大きなあざは、見向きもされなかった。

〈せめて痛み止めくらいくれよ。そんなに値段が張るわけじゃないんだから〉

エレナの背後で客室の両開きの扉が開いた。エレナが少し体を震わせ、振り返った。外の通路には武装した複数の見張りが配置に就いている。カディールという山のような大男も一緒で、太い腕を組んでじっと立っている。

ネヒールがさっそうと客室に入ってきた。黒ずくめの服装で、頭に巻いているスカーフの色も黒だ。銃身の短いアサルトライフルを手にした二人の男が付き添っている。コワルスキのことを警戒しているのは明らかだった。

ネヒールの黒い瞳が室内を見回し、机の上に散らばった本や紙切れのところで留まった。「忙しくしていたようだな」

エレナがコワルスキの方を振り返った。じっと見つめるその目には恐怖がありありと浮かんでいる。これから何が始まるのか、二人とも承知していた。

〈試験の開始だ〉

午後九時六分

〈まだ準備ができていない〉

エレナは本の山を呆然と見つめた。トルコのあの地下図書館から運び込まれたものに違いない。何の予告も説明もなく、彼女のもとに届けられた。古代ギリシアや、ローマや、ペルシアの学者の手による作品だ。何百冊もある。仕分けするだけでやっとだったのだから、内容を吟味している時間なんてなかった。

箱に入っていた著作のうち、プラトンの『ティマイオス』と『クリティアス』は、どちらもアトランティスに関する彼の説を扱った作品だ。ほかに、トロイ戦争を別の観点から記したアイスキュロスの『アガメムノン』、神話に登場する戦士イアソンと恋に落ちた魔女を題材にしたエウリピデスの悲劇『メデイア』。エレナにはヘロドトスによる分厚い二冊の『歴史』に目を通すだけの余裕すら十分になかった。

しかも、古代ギリシアの作品だけでそれだけかかったのだから。

それでも、エレナは何も言われなくても、自分が何を期待されているのか理解していた。ネヒールが海を指し示しながら、そのことを最初の質問として投げかけた。「我々がなぜここにいるのか、その理由がわかるか?」

エレナは唇をなめてから立ち上がった。この女から見下ろされていない方が気持ち的にはやりやすい。「あれはヴルカーノ島、ヘパイストスの鍛冶場があったという伝説が残る島ね」

うなずきが返ってくる。

エレナは最も重要だと判断した三冊の本を見つめた。そのうちの二冊の重要性については言うまでもない。ネヒールは古代のダウ船の中で見つかった二冊の小冊子のコピーを取ってくれていた。エレナはそれに加えてもう一冊を重要だと見なした。古代ギリシアの歴史家ストラボンによる『地理誌』で、二千ページにも及ぶ大著だ。

エレナは手を伸ばし、船長の航海日誌のコピーに手のひらを置いた。「フナインの記述は出発から間もないところで途切れているけれど、その直前に『ヘパイストスの鍛冶場』という場所に到着したことは認めている」ネヒールの顔を見る。「それがあの島なのは間違いない」

「我々のムーサーも同じ結論に達している」

「そして私がここにいるのは、あなたを手伝って歴史の中に埋もれた道筋を見つけ出し、フナインが次に向かった場所を突き止めるために違いないわ」

「その通りだ」ネヒールは山積みの本と、文字が書き殴ってあるメモ帳を指差した。「それで、何か判明したことは？」

ジョーが大きな音で鼻を鳴らした。「本気かよ？　あんたたちが総力を結集して五百年かけてもわからなかった謎を、彼女に五時間で解明しろっていうのか？」

「正しくは千百年だ」ネヒールはジョーが怒りをあらわにしたことに動じた素振りすらも見せることなく、エレナに意識を集中していた。「だが、ドクター・カーギルならば、裏切り者のフナインがここを訪れた理由をすでに突き止めているのではないかと期待している。彼はなぜ、ヘパイストスの鍛冶場を探し求めたのか？」

エレナはその質問に答えようと最善を尽くした。手のひらをストラボンの大著『地理誌』の上に置く。「船長の記述によると、彼はストラボンに大いなる信頼を寄せていた。ストラボンはホメロスの詩を評価していただけでなく、フナインと同じように、『イリアス』と『オデュッセイア』の内容が実際の出来事に基づいていると信じていた。そして自身の見解を熱心に説くと同時に、その証拠を探し求め、収集した結果をこの本としてまとめた。それを知っているからこそ、船長はストラボンの著作を熟読し、次に向かうべき場所の手がかりを探した」

「では、具体的に何がフナインをこの地に引き寄せたのだ？」

エレナは再び手のひらを動かし、今度はホメロスの『オデュッセイア』のアラビア語版の上に置いた。「フナインは自らが所有していたホメロスの叙事詩に書き込みをしていた。下線を引いたり、余白にメモを記したり。でも、彼はヘパイストスの創作物に対してとりわけ興味をひかれていたらしい」エレナは端を折って目印にしておいたページを開いた。その中の一節を翻訳して読み上げる。「『左右に立つ金と銀のマスチフ犬は、ヘパイストスがその究極の腕前でアルキノウス王の宮殿の見張り用として特別に製作したものだ。そのため、死ぬことはないし、年を取ることもない』」

「死なない犬なのか？」ジョーが訊ねた。

「貴金属でできていたの」エレナは付け加えた。「金と銀。ホメロスの記述にも金属製の動く犬が出てくる。フナインの想像力と興味を引きつけて離さなかったのがその話題だったのは間違いない。彼と三人の兄たち――バヌー・ムーサーは、機械仕掛けの道具の製作に関する本を何冊も書いているし」

ネヒールがうなずいた。「『巧妙な機械装置に関する知識の書』などだ」

「その通り。だから当然のように、フナインの注目はヘパイストスの作品に向けられることになった。私がさっき読んだ部分の余白にも、フナインがホメロスの『イリアス』からの一節を書き写していて、ヘパイストスの鍛冶場には車輪付きの小さな三脚がいくつもあり、自力で走行して言われた仕事をこなすとか、ヘパイストスには『まるで生きている女性のように主人のまわりで働く黄金の召し使い』が仕えているとか記してある」

「うらやましいな」ジョーが言った。「俺も二、三人欲しいや」

エレナはその反応を無視した。「フナインがこの問題に執着していたのは明らか。余白にはそうした不思議について言及したほかのメモも残されている。戦闘用馬車を引く青銅製の馬。炎を盗んだプロメテウスに責め苦を与えるためゼウスが送り込んだ金属の翼を持つワシ。ストラボンと同じようにフナインもホメロスの話が真実だと信じていたのなら、こうしたヘパイストスの作品も実在すると思ったとしてもおかしくない」

「だから、君は彼がそれらを探しに出かけたと考えているんだな?」ジョーが訊ねた。

エレナはうなずいた。「どこに向かったのかはわからないけれど、誰を探していたのかならばわかる」

ネヒールが不信感もあらわに眉をひそめた。「本当か?」

エレナは船長が保有していた『オデュッセイア』のコピーに印を付けておいた別のページを開いた。「オデュッセウスは冥界を離れた後、奇妙な失われた王国に行き着いた。そこは『最も離れた地にあり、ほかの人間は誰も住民たちの言葉がわからない』という。その人々――パイエケス人は、信じられないほどの高度な技術を持っていた。彼らの持つ船は『鳥の中でも最速のハヤブサ』よりも速く、しかもひとりでに航行することができた。針路を定めれば、船が目的地まで連れていってくれる。事実、オデュッセウスはパイエケス人の船に乗ることで、ようやく故郷に帰ることができた」

ネヒールは今の話を否定するかのように手を振った。「そういうことか。おまえは裏切り者のフナインが見つけようとしていたのは、このパイエケス人だと信じているのだな。なぜだ？」

「ヘパイストスが製作した金と銀の犬の話をしたでしょ。『オデュッセイア』には、ヘパイストスがその二頭をある王に――アルキノウスに送ったと書いてあると。彼はパイエケス人の王だったの」

ネヒールが眉間にしわを寄せた。

「未知の人々に対して贈り物を与えた神がいた。もしかすると、もっと多くを分け与えていたのかもしれない。そのことがフナインの好奇心をそそった。彼と兄たちは、ほかの王国が失った知識を貪欲に探し求めていた。フナインの航海が始まったそもそものきっかけは、彼が日誌の中で『詩人の時代の大いなる敵』と命名した人々について、より多くのことを見つけ出すようにとの任務を与えられたこと。その人々は三つの王国をあっさりと壊滅させてしまった。そんなことが可能な強さと技術を持っていたのは何者なのか？」

ネヒールが視線を合わせた。「パイエケス人」

「フナインの思考経路と執着を考えると、彼もきっとその結論に達したはず」エレナは敵をにらみ返した。「フナインはパイエケス人を探すためにここを出発した。私の考えが正しければ、そのことが次にどこへ向かうべきかのヒントを提供してくれると思う」

ネヒールは無言のままだ。エレナは再び椅子に座って唇を噛み、今の説明で十分だったことを祈った。ようやく女が後ろを振り返り、扉に向かって怒鳴るとカディールを呼び寄せた。

〈ああ、まずい……〉

巨漢が首をすくめながら勢いよく部屋に入ってきた。カディールが近づく中、エレナは目でジョーに謝った。

〈ごめんなさい〉

机に歩み寄るカディールは、布でくるんだ大きな荷物を小脇に抱えている。ジョーを拷問するための新しい装置だろう。エレナが試験に不合格だった罰を与えられるのだ。ところが、大男は荷物を両手で抱え上げ、その見た目には似つかわしくない優しい仕草でエレナのメモ帳の上に置くと、後ずさりした。

「これがおまえの次の課題だ」そう言うと、ネヒールはエレナに向かって包みを開けるよう手で合図した。

エレナは立ち上がり、布をほどいた。見覚えのある物体に息をのむ。凍結したダウ船の船内にあった、年月を経ていくらか黒ずんだ青銅製の箱だ。その表面に触れようとしたエレナの手が震える――低レベルの放射線が怖いのではない。箱の中の宝物に対する恐怖だ。

エレナはネヒールを見た。「私に何をしろと――？」

女は背を向け、カディールに対してついてくるよう合図してから、エレナの質問に答えた。「明日の正午までに、バヌー・ムーサーの地図についての新たな見解が聞けるものと期待している」ネヒールがエレナの方を振り返った――その視線がジョーに移る。「さもなければ、カディールがおまえたち二人にもっと厳しい教訓を与えることになるだろう」

エレナは女の方に足を踏み出した。「そんなのは無理。パーツが欠けていることは、あなたもわかっているはずじゃないの」エレナの頭に地図の窪みから転がり落ちたアストロラーベの映像がよみがえる。

ネヒールは訴えを無視して、部下たちとともに立ち去った。

エレナは机のところまで戻り、何世紀も前の遺物を見下ろした。

ジョーが隣にやってきた。「鉛筆を手に取るんだな、お嬢さん。二時間目の試験に備えないと」

エレナが手を伸ばしてふたを開くと、地図が現れた。またしても黄金と貴重な宝石が光を反射し、荘厳なまでの輝きを発している。エレナは再び息をのみ、ふたを閉じてしまいそうになった。

〈どうしてこんなことが？〉

箱の中では、黄金の光に包まれて銀色の球体が明るく輝いていた。表面には星座や記号が刻まれ、装飾を施された環状のアームが球体を取り囲んでいる。

あるはずのないアストロラーベ――ダイダロスの鍵が、本来あるべき場所に戻ってきたのだ。

ジョーがうめいた。「いいことではなさそうだな」

19

六月二十四日　中央ヨーロッパ夏時間午前十時八分
イタリア　サルデーニャ島

〈こうするだけの意味があるのならいいんだが〉

グレイは傾斜の急な道を上っていた。ここはサルデーニャ島の海沿いにある州都カリアリの旧市街の中心部だ。狭い通りはこの先で巨大な石造りのアーチをくぐっていて、その両側にはドーリア式の柱があり、王冠と盾をあしらった最上部のエンタブラチュアの下には「REGIO　ARSENALE」の文字が見える。アルセナーレの名前で知られる旧市街のこの一角には、以前は兵舎と刑務所があった。

今ではその面影はない。

アーチ状の門を抜けたところには長く黒い垂れ幕が掛かっていて、銀色の文字で「カリアリ国立考古学博物館」と記されていた。アーチの先にあった軍用地は、今ではカリアリの博物館地区となっている。

グレイを案内しながら石造りのアーチをくぐるモンシニョール・ローは、サルデーニャ島の歴史についてしゃべり通しだった。地中海で二番目に大きいこの島には、豊かな戦争の歴史があるらしい。グレイは説明をほとんど聞き流していた。昨日の出来事の後で、司祭が神経質になっているのだとわかっていたからだ。

神経質になっていたのはモンシニョールだけではなかった。

セイチャンが数歩後ろで道の端を歩いていた。三人がアーチをくぐり抜けると、陽光に照らされた広場の隅々にまで目を配っている。

アルセナーレ広場はすでに午前中の日課をこなす地元の人たちのほか、旗や傘を持ったガイドのまわりで浮かれている観光客のグループでにぎわっていた。カリアリの港に停泊中の三隻の巨大クルーズ船の乗客たちだろう。頭上では数羽のカモメが甲高い鳴き声をあげながら急降下を繰り返していて、足もとに目を移すとハトの群れが人々のまわりをうろついていた。

少なくとも、大勢の人たちと喧騒（けんそう）が隠れ蓑（みの）の役割を果たしてくれる。

昨日、カステル・ガンドルフォが襲撃された後、グレイには一時的に姿を消せる場所が必要だった。態勢を立て直すためと同時に、爆撃を生き延びたという事実を隠すためだ。

モンシニョール・ローから三百キロ離れたサルデーニャ島まで船で移動してはどうかとの

提案があった。司祭とは家族ぐるみの付き合いの古い友人が船長を務めるトロール船に十六時間揺られ、港に到着したのは朝の二時だった。

ほかの人たちは海沿いの小さなホテルで休んでいる。睡眠不足なうえに爆撃のショックがまだ抜けていないマリアとマックは、グレイが出発する時にはコーヒーの入ったマグカップをぼんやりと両手で抱えている状態だった。ベイリー神父は貴重なダ・ヴィンチの地図の調査を再開していた。三人の見張り役はボサード大佐だ。

誰を信用できるのか、どこの機関が敵に情報を漏らしたのか不明なため、グレイには自分たちの行方をくらまし続ける必要があった。暗号のかかった衛星電話のバッテリーも外してある。その代わりに今朝、ホテルの近くにあるクルーズ船のターミナルの外の売店で、プリペイド式の携帯電話を二機、購入した。一つはマリアに預け、もう一つはポケットの中に入っている。それが精いっぱいの対策だった。

もうしばらくの間、幽霊のままでいなければならない。

博物館に通じる段の手前まで達したところで、グレイはようやく案内役を呼び止めた。

「モンシニョール・ロー、なぜここを訪れたいと思ったんですか?」

グレイの質問はこの博物館に限定したものではなかった。司祭がサルデーニャ島への移動を提案したのには何らかの理由があるはずだ。提案を受けた時、グレイは無理に問い詰めたりはしなかった。世界から存在を消したいのならば、島に行くというのは悪くない考えだった。それに加えて、モンシニョールはどう見ても疲れ果てていたし、慣れ親しんだ場所を――それも自分が生まれたところを破壊されて、大きなショックを受けていた。数え切れないほどの友人や同僚たちも失った。ライフワークだったホーリー・スクリニウムの蔵書も、回収は不可能だろう。

そのため、グレイは年配の司祭の希望を素直に受け入れた。だが、今は答えが必要だ。ここに来ることを勧めた裏には、何らかの意図があるに違いない。

ローは太陽の光に手のひらをかざして博物館の入口を見つめた後、うなずきを返した。

「ああ。ここには友人がいる。数十年来の付き合いで、心から信用している相手だ。君が敵を知るうえで、彼が助けになってくれるだろう」

「『敵を知る』とはどういう意味です？　ここにいる誰かがどうして昨日の襲撃について知っているというんですか？」

「いやいや、君は誤解している。彼はそのことで我々の助けになってくれるわけではない。もっとも、その疑問に関しては、私もここへの航海中にかなり考えを巡らせた。上下や左右に揺れるものだから、船内ではなかなか眠れなかったのでね」

グレイは年配の司祭が寝つけなかったのは、トロール船の安定が欠けていたせいではないだろうと思った。

「いろいろと考えたところ、ちょっとした見解に至ったかもしれない」そう言ったものの、モンシニョールはどこか決まり悪そうな様子だ。「見解とは違うかな。『思いつき』という言葉の方が適当かもしれない」

セイチャンが隣にすり寄ったが、広場への警戒は怠らない。「あの連中を見つけ出す助けになるなら、思いつきでも歓迎するけれど」

ローがセイチャンの腕をポンと叩いた。慰めが必要なのは彼女の方だと言うかのような仕草だ。「昨夜は君たちの話を頭の中で何度も何度も振り返った。ドクター・マクナブがグリーンランドで経験したことについて。彼が目撃した恐ろしい出来事について。ダイダロスの鍵と呼ぶアストロラーベを確保しないまま、敵があっさりとあの場所を立ち去ったことが奇妙に思えたのだよ。あれほどの労力をかけたのに、機械仕掛けの地図を部分的に回収しただけで撤収するとは」

「状況が急激に悪化したからだと理解していますが」グレイは指摘した。「襲撃部隊は仲間の多くを失っています」

「その通りかもしれないが、君から聞いた説明によると彼らはアラビア語を話していたということだった。しかも、今回の件に関してははるかに多くを知っているらしい、そうではなかったかな」

「いったい何が言いたいわけ？」セイチャンが質問した。

「私が見せた写真を覚えているかね？　たった一つだけ現存している球体のアストロラー

べの写真だよ。あれが製作されたのもアラビアだ。ムーサーという作者の名前が記されていた。ドクター・マクナブがあの船から回収したアストロラーベとそっくりだった。それで昨晩はふと思ったのだが、オックスフォード大学に保管されているアストロラーベは、何者かがダイダロスの鍵の複製を作ろうとした結果なのかもしれない。君たちにも話したはずだが、ダ・ヴィンチが自分の地図を製作するために使用した設計図には、アストロラーベの図面が欠けていた。そのページが引きちぎられていたのだ」

グレイはモンシニョールの言わんとするところを考えた。「誰かがまだその失われたページを――少なくともその一部を持っていて、複製を作ろうとしたのではないか、そう考えているんですね」

「そして、成功したのかもしれない。自分たち用のダイダロスの鍵を作り出したのかもしれない」

モンシニョールの言う通りだとすると、敵はパズルに必要なピースをすでに二つとも手にしていることになる。オリジナルのバヌー・ムーサーの地図と、複製したアストロラーべの両方を。

ローが肩をすくめた。「しかし、さっきも言ったように、ただの思いつきだ。疲れ果てた司祭の妄想にすぎないのかもしれない。いずれにしても、オックスフォード大学に現存するあのアストロラーベには、ヒジュラ暦八八五年の数字が刻まれている。西暦に直すと一四八〇年だ。何者かがダイダロスの鍵の複製を作ろうとしていたのだとしたら、何世紀にもわたってその試みを続けてきたに違いない。そうだとすると、その何者かはその知識をこれまでずっと伝承してきたことになる。秘密結社のような存在なのかもしれない。もしかすると、未知の敵はそうした組織の一派とも考えられる。君が言っていたように、確かに彼らはこの件に関して誰よりも多くのことを知っているようだ」

「あなたの考える通りかもしれません」グレイは認めた。

ローを見つめるうちに、グレイはまたしても、今は亡きヴィゴー・ヴェローナとよく似ているという思いを禁じえなかった。ただし、もはや見た目の話だけではない。この疲れた老司祭は賢さでも負けていない。

セイチャンが博物館を指し示した。「それはそれとして、ここで会うのはいったい誰なの？　あと、昨日の襲撃者の正体についてじゃないとしたら、さっきの『敵を知る』とはどういう意味なの？」

ローはまぶしそうに目を細めて空を見上げた。「もうかなり暑くなってきている。その答えは中で見つけるとしようじゃないか。ここよりもかなり涼しいだろうし」

グレイは額の汗をぬぐいながら、提案を喜んで受け入れた。

〈確かに、賢さでも負けていない〉

午前十時二十二分

セイチャンは博物館の涼しいロビーで待っていた。エアコンの存在をありがたく感じる一方で、自分たちはここで何をしているんだろうとも思う。片足のつま先で床を叩き続けている。いらだちの原因は昨日の襲撃によるアドレナリンの流出で神経が張り詰めているせいだと思いたかったが、自分の気持ちをごまかし切ることはできなかった。

イタリア本土を離れる前、すべての荷物を失ってしまったセイチャンは、新しい母乳ポンプを購入しなければならなかった。しかし、出発を急いでいたので、手動式のポンプで間に合わせるしかなかった。トロール船の船室でグレイと二人きりになり、文字通りの意味で彼の手を借りながらポンプを使用したが、愛が燃え上がることはなかった。むしろ、屈辱的な経験だった。

〈牛が乳を搾られているようなもの〉

だが、セイチャンが感じた恥辱はプライドのせいではなかった。あのような状況においても、グレイは優しくて、辛抱強かった。肌に触れる仕草には思いやりがあり、かけてくれる言葉も力強かった。セイチャンの苦痛の原因は、過去の自分がどんな人間だったのかを知っていることにあった。セイチャンはかつての雇い主によって最も鋭利な刃物のような存在に鍛え上げられた。音を立てずに素早く動けたし、そんな瞬間には自分が実体を伴う存在ではなく影なのだと信じることもできた。全身の筋繊維のすべてを、皮膚の神経末端のすべてを、感じ取ることができた。

〈それなのに、今の私は？〉

こうして任務を遂行している間も、体が反発し、再開したいと望んでいるのかどうか自分でも定かではない役割に無理やり押し戻そうとする。それが本来の自分になることを妨げている。影になることを妨げている。自分自身という実体が、無視されることを拒んでいる。

セイチャンは両腕を動かし、緊張を解きほぐそうとした。

けれども、心の奥深くでは、それが本当の問題ではないとわかっていた。

頭の中にふと、風呂上がりでシャンプーの泡が残るジャックの黒髪が浮かんだ。五感の記憶が満ちあふれる。ベビーシャンプーの香り、ミルクのにおいがするジャックの息。何千キロも離れたところにいるのに、ジャックとは今も一緒で、つながりを絶ち切ることができない。

セイチャンは目を閉じた。

神経をいらだたせる不安の真の原因がそこにあることはわかっていた。一切の連絡を絶つ必要に迫られたため、セイチャンはキャットに電話を入れ、ジャックの様子を聞き、元気にしているか確認できずにいた。そのことがこんなに苦しいなんて、思ってもいなかった。

グレイの手が腕に触れた。「大丈夫か？」

セイチャンはたじろいだものの、うなずいた。

「どうやらモンシニョール・ローが戻ってきたようだ」グレイが言った。

ロビーの向かい側から人混みを縫ってこちらに近づいてくる年配の司祭の後ろには、もう一人の男性の姿が見える。眼鏡をかけていて、頭は白髪交じり、年齢は六十代だろうか。博物館の白い仕事着姿で、顔にはにこやかな笑みを浮かべている。

モンシニョール・ローの紹介の言葉は思いがけないものだった。「こちらはラビ・ファインだ」

紹介された男性は二人と握手を交わした。「ハワードと呼んでくれたまえ。ラビを相手にする際の堅苦しい決まりはなしにしようではないか。セバスチャンによれば、君たちは考古学的な問題に関して私に相談する必要があるという話だから、なおさらその方がいいように思う」ラビは博物館の内部を指差した。「君たちが正しい場所を訪れたのは間違いないよ」

モンシニョールが笑みを浮かべた。「ハワードと私は大学時代に机を並べて学んでいた。ローマにある古いユダヤ教のカタコンブの遺跡を保存する際に、共同プロジェクトとして取り組んだこともある」

「当時の私はイスラエル考古学庁に所属する考古学者だったのでね。その後、我々は別の道を歩むことになった。セバスチャンはヴァチカンに仕え、私はユダヤ教の研究に従事した。だが、我々は二人とも、心から歴史を愛し続けている。事実、私はここサルデーニャ島で何度か発掘作業の責任者を務めたことがある。その対象はヌラーゲ人という青銅器時代の民族の遺跡で、彼らは千六百年間にわたってこの島を支配していたが、忽然と姿を消した」

「ハワードはただのラビではない」ローが説明した。「考古学と人類学の学位も取得している。だから彼にこのツアーのガイド役をお願いしたのだ」

グレイが眉をひそめた。「彼がいったい何を――」

ハワードが向きを変え、幅の広い階段の方に歩き始めた。「セバスチャンからの要望を私が正しく理解しているなら、二階から始めるのがいいだろうと思う」

ラビが先頭に立って進むと、ローがセイチャンたちに向かって小声で話しかけた。「彼には我々がより多くの情報を求めている古代の敵についてだけ伝えただけだ。心配はいらない。余計なことは話していないから」

セイチャンはグレイと顔を見合わせた。

〈本当にそうならいいんだけれど――ここにいる全員のためにも〉

グレイはモンシニョールの後を追った。「古代の敵というのは？」

ローはその質問に答える間だけ立ち止まった。「ダ・ヴィンチが黄金の地図を作るために使用した古い設計図に記されていた敵のことだ。その敵はタルタロスに住み、三つの文明に対して戦争を仕掛け、そのすべてを滅ぼして古代ギリシアに暗黒時代をもたらしたと、バヌー・ムーサーの兄弟たちは信じていた」

「そのこととサルデーニャ島にいったいどんな関係があるというわけ？」セイチャンは訊ねた。

「なぜなら、その敵が最初に攻め込んだのは、ここだと思われるからだ」ローは二人を残して、急ぎ足で友人の後を追った。「説明はハワードに任せるとしよう」

セイチャンは二人の男性の後ろ姿を見つめた。

一人はカトリック教徒、もう一人はユダヤ教徒。

〈そして、私たちはアラブ人に追われている。たぶん、イスラム教徒だろう〉

少なくとも、この地域の三大宗教がそれぞれ代表者を送り込んでいるわけだ。

ラビは一行を博物館の二階に案内すると、高さ一メートル五十センチほどの石板の前で歩みを止めた。石板には角張った文字が深く刻まれている。「これはノロ・ストーン」ハワードが説明した。「我々の博物館の至宝だ。紀元前九世紀から八世紀のものと考えられている」

ローが片方の眉を吊り上げた。「言い換えれば、ホメロスの時代、すなわち古代ギリシアの暗黒時代に当たる」

ハワードが石板に相対した。「ここに刻まれているのはフェニキア文字の最古の例の一つだ。完全には解読されていないが、翻訳できた内容から、この海域でヌラーゲ人が強大な敵を相手に戦い、大いなる破滅を招いたことがわかる」

セイチャンがローに視線を向けると、楽しくてたまらないといった表情を浮かべていた。「彼らは誰と戦っていたのかな？」

ハワードは笑みを浮かべた。「ああ、それは古くからの謎で、私はずっとその解明に取り組んでいる」

〈もったいぶった言い方はやめてもらいたいんだけれど〉

「私がこの博物館にいる理由の一つは、まさにその問題に関する展示の設置を統括していることにある」ラビが手を振りながら案内した近くの部屋は、入口にロープが張ってあり、ビニールシートの垂れ幕が下がっている。展示の準備が進められている途中なのは間違いない。「海の民がテーマだ」

セイチャンは顔をしかめながら、ラビの後を追ってビニールシートの間を抜け、こぢんまりとした空間に入った。中央には展示用のケースが二列に並んで設置されているが、ほとんどは中身が空っぽで、青銅製の武器や小さな像を収めたケースがいくつかある程度だ。だが、案内されたのは奥の壁のところで、そこでは地図や図表を展示する準備が始まっていた。

「ホメロスの時代についての多くと同じように、海の民に関してもはっきりとわかっていることはほとんどない」ハワードが説明した。「そのため、この展示をまとめるだけでもかなり困難な作業なのだよ。確かな話といったら、彼らが海洋民族だったこと、および地中海西部から勃興したということくらいだ。しかし、その正体はともかくとして、彼らは地中海の東半分に勢力を伸ばすと、次から次へと文明を滅ぼし、何世紀にも及ぶ闇をもたらした」

「古代ギリシアの暗黒時代」グレイがつぶやいた。

「その通りだ」ハワードは壁に設置された展示物の前にセイチャンたちを案内した。「これは彼らによる征服を示した地図だ。海の民による襲撃の全体像を把握できるのではないかと思う」

セイチャンはグレイの隣で地図に顔を近づけた。襲撃を表す何本もの矢印が、ギリシアに、中東に、さらにはエジプトにまで延びている。地図上の年代が正しければ、地中海沿岸のすべての王国が二十年あまりで陥落したことになる。総攻撃を仕掛けていたかのようだ――西からやってきた勢力が。

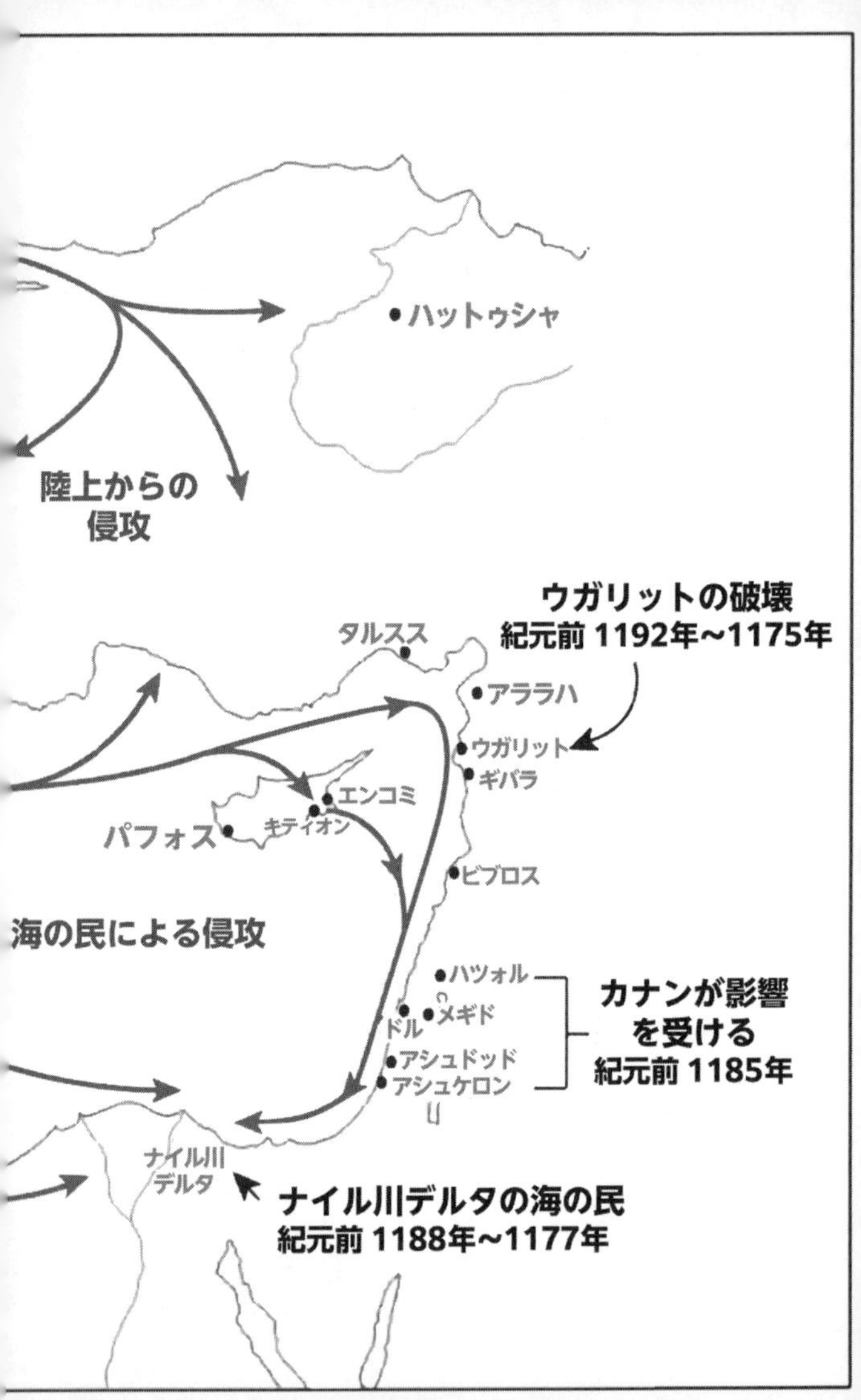
ハットゥシャ
陸上からの
侵攻
ウガリットの破壊
紀元前 1192年～1175年
タルスス
アララハ
ウガリット
ギバラ
エンコミ
キティオン
パフォス
ビブロス
海の民による侵攻
ハツォル
メギド
ドル
アシュドッド
アシュケロン
カナンが影響
を受ける
紀元前 1185年
ナイル川
デルタ
ナイル川デルタの海の民
紀元前 1188年～1177年

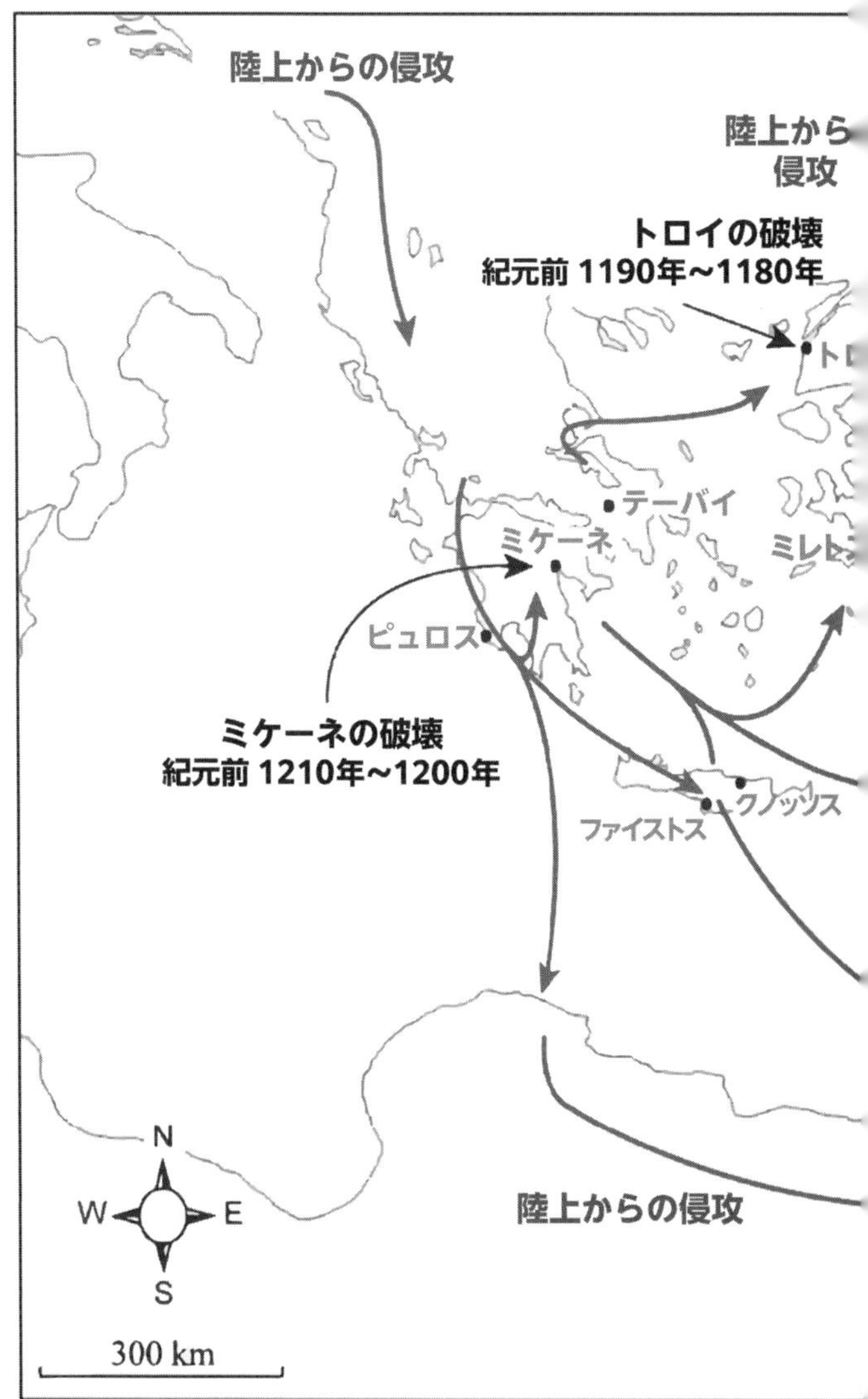

陸上からの侵攻
陸上から
侵攻
トロイの破壊
紀元前 1190年～1180年
テーバイ
ミケーネ
ピュロス
ミケーネの破壊
紀元前 1210年～1200年
クノッソス
ファイストス
陸上からの侵攻
N
W
E
S
300 km

ハワードの説明は続いている。「この戦いについての最良の記述は――記録自体がほとんど存在しない中で、大敗を喫したエジプト人が残してくれている。詳細についてはほとんどわかっていないのだが、それらの話の大筋を重ね合わせると、浮かび上がってくるのは抗しがたいまでの恐怖だ。これを見たまえ」

ハワードが壁に沿って別の展示の前に移動した。エジプトの出土品を写し取ったもののようだ。陸上と海上での混沌とした激しい戦闘を描いていて、防戦一方のエジプトの兵士たち大勢が命を落としている。

「この出土品はルクソール近くの神殿で発見された。恐怖をこれほどまで見事に描写している一方で、何かが欠けていることに気づかないかね？」

セイチャンは眉をひそめたが、グレイにはわかったようだ。

「エジプト人を攻撃している敵の姿がどこにもない。描かれているのは絵の外にいる勢力を追い払おうとしている兵士たちだけだ」

「古代エジプト人は迷信深かった」ハワードが説明した。「絵で表現することに対して、強い思いがあった。敵の姿を描いて正体を明かすことに、おそれを抱いていたのだと思う」

セイチャンは遭難したダウ船の船倉から解き放たれたものについての、マックとマリアからの説明を思い出した。〈エジプト人たちが描きたいと思わなかったのも無理はない〉

モンシニョール・ローが口を開いた。「だが、ほかの誰かが正体を明かそうとしたのかもしれない」

その発言にはハワードも面食らったようだ。

ローが上を指差した。「二人に巨人を見せてあげるといい」

午前十時三十八分

〈こいつはいったい何だ……？〉

グレイは目の前にあるものを啞然として見つめた。司祭とラビが一緒じゃなかったら、もっと罰当たりな言葉を声に出して驚きを表現していただろう。同じテーマの展示が考古学博物館の三階のほぼすべてを占めている。彫像を設置するために、高さのあるケースや幅の広い台座がいくつも並んでいた。

ハワードがこのフロアのコレクションをやや芝居がかった口調で紹介したが、それも無理はないという気がする。「さあ、いでよ、コロッソイの面前に」ラビは腕をひと振りして声をあげた。「モンテプラマの巨人たちだ」

グレイはセイチャンに、続いてモンシニョール・ローに視線を向けた。どうして司祭が半ば強引に自分たちをこの島へと連れてきたのか、なぜその理由を明かさなかったのか、今ならば理解できる。

〈これは先入観なしで、この目で見る必要がある〉

ハワードが案内して回った。「これら巨大な砂岩の戦士たちはサルデーニャ島の西岸、シニス半島にある農家の畑にばらばらの状態で埋もれているのを発見された。かつては四十四体の巨像があったと推測されるが、復元できたのはその半分強にすぎない」

グレイはそのうちの一体に歩み寄った。高さはグレイの身長の二倍で、戦いに備える射手をかたどっているようだ。その近くには剣を手にした巨人もいれば、ボクサーのような大きな拳を持つ巨人もいる。

「年代に関してはいまだに疑問が残る」ハワードが認めた。「しかし、ヌラーゲ人がこれらの石像を製作したのは古代ギリシアの暗黒時代で、海の民がこのあたりを席巻した直後だろうとの説が大勢を占めている」

「巨人の目的は何なの？」セイチャンが訊ねた。

「神聖な守護神の役目を果たしてもらうためだ」ハワードが答えた。「石像はモンテプラマの斜面の畑の下の、広大な共同墓地の遺跡から発掘された。死者たちを見守っていたのではないかと信じられている。海の民によって殺害された住民たちの死体だろう」

ローがうなずいた。「プラマは西側の海に面している。侵略者たちが戻ってきたらいつでも戦えるように、見張っていたかのようなのだ」

グレイはモンシニョールが言わんとすることを理解した。敵がその方角から、つまり西から襲ってきたという説の裏付けになる。

「これらの巨大な石像に関しては、噂や言い伝えがいくらでもある」ハワードが説明を再開した。「サルデーニャ島が再び攻撃を受けた場合には、これらの石像が動き出すとの記述も見られる。彼らが石を脱ぎ捨てると、その下には青銅でできた鎧を身に着けていて、モンテプラマの高台から侵略者に向かって岩を投げ落とすというのだ」

グレイは目の前の石像の青銅版を想像し、恐ろしさに身震いした——動き出すかもしれないと思ったからではない。今の話がほのめかしている内容に対してだ。巨人の奇妙な外見を考えると、その思いが強まる。青銅製の動く怪物がダウ船の船倉を突き破ったというマックの話を思い出す。

ローの言葉が高まる一方のグレイの恐怖をさらに募らせた。「彼らについて記した別の言い伝えでは、襲撃者の見た目と似せた形に彫ってあるのだという。仲間がすでにここにいると敵に思い込ませて、島を素通りさせようという狙いだ」

セイチャンの顔を見ると、同じことを考えているのがわかる。

グレイは展示用のキャビネットに飾られた巨人の頭部を見つめた。

顔は平坦（へいたん）で、口と鼻に当たる部分に切れ込みがある。頭は不自然なまでに高く上に突き出ていて、そのてっぺんには取っ手のようなものが付いている。だが、グレイが戦慄を覚

えたのは左右の目だった。二つの同心円で表現された目が、前をうつろに見つめている。グレイはここにある石像の顔を頭の中で青銅製に置き換えた。〈これが本当に敵の顔だとしたら……あるいは、敵が作った青銅製の装置を表したものだとしたら……〉

モンシニョール・ローの説明は続いている。「今までの話から、ヌラーゲ人は敵がまだどこかにいると信じていて、いつ再び現れてもいいように準備をしていたと考えられているのだ」

グレイは改めてマックの話を思い返した。

〈間違いなく、何かがまだどこかにいた〉

「だが、君にわざわざサルデーニャ島まで来てもらった理由はそれだけではない」ローの言葉がグレイの注意を引き戻した。「もう一つの理由は、この島の各地に点在する何千もの遺構に関係している。それらは民族の名前と同じく『ヌラーゲ』と呼ばれる」

「それは何？」セイチャンが訊ねた。

ハワードが質問に答えた。「ヌラーゲ人が築いた石の砦(とりで)だ。島には数千もの遺構が現存していて、最古のものは四千年の歴史がある。その多くがまだ残っているのは、優れた土木技術と設計のおかげで、青銅器時代と聞いて連想するものをはるかにしのぐ出来映えなのだよ」

〈言い換えれば〉グレイは思った。〈ここに暮らしていた人たちよりもはるかに進んだ技

術〉

モンシニョールがグレイに歩み寄った。「だが、古代ギリシア人がヌラーゲの砦に別の呼び名を使っていたことも教えておくべきだろう。それは『ダイダレイア』だ」

グレイはモンシニョールをまじまじと見つめた。

「ダイダロスのことだよ」ハワードが断言した。「ギリシア神話に登場する優秀な職人で、ミノタウロスを封じ込めるための迷宮を考案した。空を飛んで太陽に近づきすぎたために死んだイカロスの父親に当たる」

〈同時に、黄金の地図の鍵にその名前が使われた人物でもある〉

「よくわからないんだけれど」セイチャンが言った。「どうしてその古代の砦にダイダロスの名前が使われたの？」

ローが答えた。「なぜなら、サルデーニャ島は彼の故郷だからだ」

20

六月二十四日　中央ヨーロッパ時間午前十一時十四分
ティレニア海

〈合格できそうもない〉

エレナは客室の壁に掛かる時計を確認した。何度目になるのか、もう数え切れない。真昼のまばゆい陽光が周囲の海面に反射し、そのせいで頭痛はひどくなるばかりだ。ネヒールの設定した正午という期限がエレナの心に重くのしかかっていた。昨夜からずっと作業を続けていて、どうしても目を開けていられなくなった時にソファーで少し仮眠を取っただけだ。

ジョーも作業に付き合ってくれたが、夜も遅くなって会話の声がすさまじい音のいびきに変わると、エレナは外の廊下に立つ見張りにジョーを押しつけ、別の部屋に追い払った。作業に集中する必要があったからだ。

二時間ほど前、ジョーは朝食を手に戻ってきた。

その頃までに、本の散らばる範囲は昨日の二倍になっていた。

ジョーは山積みの本をよけながら、客室内をゆっくりと歩き回っている。足を踏み出すたびに、足枷の鎖が音を立てる。時々顔をしかめたり、うめき声をあげたりしているのは、焼きごてで負った太腿の火傷(やけど)が痛むからだろう。

罪悪感がエレナを苦しめる。

〈私がこの宿題を終わらせないと、彼はもっと苦しむことになる〉

鎖の鳴る音とうめき声が続くうちに、エレナは我慢の限界に達した。

「お願いだから静かにしてくれない？」エレナは訴えた。

ジョーが大きな体を縮こまらせた。「すまない」そっとソファーの方に向かおうとするものの、その動きで鎖が余計に大きな音を立てた。ようやくソファーまでたどり着いたジョーは、レザーの座面に腰を下ろした。「調子はどうだい？」質問が飛ぶ。

答えの代わりに、エレナは両手で頭を抱えた。

「考えを声に出してみたらいいんじゃないかな」ジョーが提案した。「グレイのやつはそのやり方がお気に入りみたいだし」

エレナにはグレイというのが誰のことなのかわからなかったが、ジョーの言う通りかもしれないと思った。ヴルカーノ島にそびえる三つのカルデラに目を向ける。夜の時間は鍛治の神ヘパイストスについて読んでいるうちに過ぎていった。彼による創作物に関して触れたものはすべて調べたが、その作品はかなりの数にのぼった。

　ヘパイストスは狩猟の女神アルテミスのために、絶対に的を外さない魔法の矢柄を持つ特製の矢を作った。数え切れないほどの英雄のために鎧を製作し、その中には『イリアス』に登場するアキレスも含まれる。しかし、エレナが意識を向けていたのは、彼の手による機械仕掛けの装置だった。

　その方面でもヘパイストスはかなり忙しくしていたようだ。芸術の神アポロンのために建てた神殿には、合図とともに歌う女性の黄金像を六体、設置した。ミノス王のためにはライラプスという名前の青銅製の猟犬を製作した。ロードスのアポロニオス作の『アルゴナウティカ』によると、ヘパイストスはひとたび目覚めたら破壊されるまで殺し続ける青銅製の戦士を造ったということだ。

　けれども、マックが青銅製の殺人機械と遭遇したというジョーの話を思い出したエレナには、最も興味をそそられた作品が二つあった。

「読むから聞いて」そう言うと、エレナは机の上の山積みになった本の中から、再び『アルゴナウティカ』を取り出した。印を付けておいた一文のところから、翻訳しながら音読する。「『職人でもあり神でもあるヘパイストスは、アイエテスの宮殿のために青銅の脚を持つ二頭の雄牛を造った。雄牛の口も青銅でできていて、そこから恐ろしい炎を吐き出す』」

ジョーが身を乗り出した。「マックとマリアがあの洞窟内で目撃して、襲われかけた何かみたいだな」

エレナも連れ去られる直前にちらっと姿を目にしたものの正体が、それではないかと思っていた。燃えるダウ船の煙の中から、角の生えた赤々と輝く何かが現れたのを覚えている。「それは『カルコタウロス』と呼ばれていたの」エレナは続けた。「『コルキスの雄牛』としても知られている。恐ろしい怪物で、体は青銅、角は銀、目はルビーでできている。それを倒したのはアルゴナウタイのイアソンで、彼は魔女メデイアから与えられた黒い液体、本の記述を引用すると『プロメテウスの血と呼ばれる強力な秘薬』で炎を消したということなの」

ジョーはじっと顔を見つめているだけで、意図が伝わっていないようだ。

エレナはため息をついた。「マックは燃えるカニが巨大な壺の黒い油の中で保存されていた、そう言っていたんでしょ？　同じ油をカニにかけたら、怪物の燃料になっている炎が消えたって」

ジョーがゆっくりとうなずいた。

「もう一つは、クレタ島の青銅でできた巨大な守護神タロスの話。それを製作したのもヘパイストスなの。ケオスのシモニデスという古代ギリシアの詩人は、タロスを『活発に動く守護神』と表現した。タロスは島内を走り回り、クレタ島を脅かす者には石を投げつけたという」

「なるほど、『活発に動く』という表現は間違っていないな」ジョーが認めた。

「でも、タロスに関して重要だと思う点が二つあるの。一つはタロスが人間を殺す別の方法で、真っ赤になるほど熱い青銅製の体で走り寄って抱きつき、体内の炎で生きたまま焼き殺していた」

「燃えるカニがやろうとしていたことみたいに聞こえるな」

エレナはうなずいた。「タロスは黄金のイコル――神の血が動力源になっていて、その油のような液体が燃えるとその火を消せないとも書いてある。これもまた、燃えるカニの燃料になっていたと思われる液体についてのマックの説明と一致している」

「君の言う通りなら、そうした怪物たちと遭遇したのはマックだけじゃなかったということになる」ジョーが立ち上がり、鎖をジャラジャラと鳴らしながらエレナの隣にやってきた。「はるか昔に、ほかにも似たようなものと出会った人がいたということだ」

「そして、それらにまつわる神話を残した」

考古学者のエレナは、多くの神話にはいくばくかの真実が含まれていることを知っていた。

「だけど、この話が今の俺たちにとってどんな役に立つんだ?」ジョーが壁の時計に顔を向けながら問いかけた。

「役に立たない」エレナは認めた。

ネヒールからは黄金の地図に関して何らかの見解を導き出すように命じられた。フナイン船長がヴルカーノ島を出港した後に向かった場所へと、彼女のチームを導くためのヒントを求められている。

エレナは立ち上がり、地図の箱に歩み寄ると、ふたを持ち上げた。黄金の海岸線が海を表すラピスラズリの鮮やかな青のまわりで輝いている。けれども、エレナの視線は窪みにはめ込まれた銀のアストロラーベを見つめていた。今ならそれが、古代のダウ船の船内にあった球体と同じものではないとわかる。どう見ても新しすぎる。

〈誰かが複製を造った〉

昨夜、エレナとジョーは危険を承知のうえで、箱の側面のレバーを動かしてみた。その時、二人はすぐに地図から後ずさりした。以前に微量の放射線が発生したからだ。ギアが回転し、箱がブーンという音を発するうちに、またしても小さな銀色の船——おそらくオデュッセウスの船を模したものが、トロイの港を離れた。エーゲ海を数センチほど航行した後、船は進まなくなり、同じ場所をぐるぐると回った。

その後も夜の間に何度か試したものの、いずれも結果は同じだった。新たな見解を何も得ることができず、エレナは試すのをやめた。これでは無意味に放射線を浴びているだけだと思ったからだ。

〈だけど……〉

　エレナは両手を伸ばし、銀のアストロラーベを地図からそっと持ち上げた。昨夜はそんなことを試そうとは思わなかったものの、何とかしなければという気持ちが思い切った行動を促したのだ。

「壊したりしたら……」ジョーが注意した。

「静かにして」

　エレナはアストロラーベに関して重要なことに気づいた。これまで見落としていた、睡眠不足の頭では見抜けなかった何かに。球体を顔に近づけ、手に持ったまま回転させる。球体の表面のあちこちに針で開けたような小さな穴が開いている。内部のぜんまい仕掛けのための空気穴だろうか？

〈ちょっと待って……〉

　エレナはアストロラーベを片手で持ち、もう片方の手を机の方に伸ばした。フナインの航海日誌のコピーを引き寄せ、最後の方のページを開くと、その中の一文を読み上げる。

「『船星の針を持つことが許されたのは、地図に組み込まれた偽りの道筋の中から一つだけある本当の航路を解読するために必要なその三本の道具を持つことが許されたのは、私一人だった』」

エレナははっとして顔を上げた。「何て馬鹿だったんだろう」アストロラーベをジョーの方に差し出す。「これを持っていて」

ジョーは嫌そうに球体を受け取った。とぐろを巻いたガラガラヘビを押しつけられたかのような顔をしている。

エレナはポケットに手を入れ、フナインの航海日誌の中から出てきた三本の青銅製のピンを取り出した。

「それは何だい?」船長が守っていたのは古い小冊子だけではなかったのだ。

「『船星の針』」エレナは日誌の言葉を引用して答えた。「海洋考古学者として、もっと早く気づいているべきだった。『船星』というのは、何千年も前から船乗りにとっての光り輝く目印だった北極星の古い呼び名の一つ」

「それが重要なんだな。どうして?」

エレナはその質問を無視して、ピンの片側の先端に付いている小さな旗を調べた。それぞれにアラビア文字が刻まれている。ジョーにアストロラーベを持たせたまま、エレナは球体の表面に同じ文字がないか探した。

「ここにある」正しい文字を見つけ、エレナはつぶやいた。

文字の隣の小さな穴に、同じ文字の旗が付いたピンを慎重に挿し込む。懸命に目を凝らした後、二つ目の一致する文字を発見し、ピンをそのすぐ横の穴に入れる。

残る一つの文字を探しながら、エレナは説明した。「アストロラーベは北極星を中心に固定したうえで、使う人の緯度に合わせて作らなければならなかった」話しながら銀の遺物を指先でつつく。「でも、球体のアストロラーベは違う。世界のどこにいても使える道具。プログラミングをするみたいに、いる場所に合わせてアストロラーベを調整することで、繰り返し設定が可能なの」

「どうやって？」

エレナは最後の文字を見つけ、三本目のピンを挿した。「こんな風に。ピンの本数と挿し込む場所を変えることで、再設定できるということ」

〈一つだけある本当の航路を解読するために〉

エレナはアストロラーベを受け取り、地図上の窪みに置いた。深呼吸をしてからジョーに視線を向け、言葉には出さずに表情で問いかける。

〈やってみる？〉

ジョーがうなずいた。

エレナは箱の側面に手を伸ばした。

「下がっていて」注意を与えてから、エレナはレバーをはじいた。

午前十一時三十四分

〈さあ、出発だ〉

コワルスキは息を殺し、エレナと一緒に二歩、後ずさりした。装置全体が目の前で爆発するかもしれない。ふと気づくと、エレナの手をしっかりと握っていた。彼女の震えが伝わってくる――けれども、それは恐怖のせいなのか、それとも期待のせいなのか。

二人の前にある地図がブーンという音を発し、アストラーベが窪みの中で回転を始めた。一方に回ったかと思うと逆向きの回転になり、文字の刻まれたアームが球体の表面上を移動しながら複雑な動きを見せる。

「銀色の船を見て」エレナがはっとして言葉を発した。「うまくいっているみたい」

小船はまばゆい青色の宝石の上を滑るように進んだ。エーゲ海を横断しながら、途中でいくつかの小島に立ち寄っている。

「あれはきっと、オデュッセウスが立ち寄ったに違いないとフナインが考えた港だと思う。最後に停泊したのはキュクロプスの島かもしれない。それとも、魔女キルケの島――」

コワルスキが見つめる中、船はエーゲ海を離れ、ギリシアの南岸に沿って航海した。イオニア海に入ると激しく回転を始めた。

エレナが船を指差した。「オデュッセウスの部下たちが、アイオロスからもらった風の袋を黄金が入っていると勘違いして、開けてしまったことを表しているんだと思う。袋から放たれた風のせいで、船はギリシアにあるオデュッセウスの故郷から離れてしまったの」

銀色の船は再び動きが安定し、ブーツの形をしたイタリア半島の先端を回り込むと、シチリア島との間を通過した。船が進む先には金色の小島が連なっていて、その先端には小さな赤いルビーが埋め込んである。

〈火山〉

二人はクルーザーの窓の向こうに見える陽光に照らされたヴルカーノ島のカルデラに目を向けた。コワルスキはクルーザーを追い越してあの島に向かう銀色の船が今にも現れるのではないかと思った。

「ここを訪れたのは間違いなさそうだ」そう言うと、コワルスキは地図に注意を戻した。

小船が火山島の連なりに到達すると、再びその動きが止まった。

エレナがコワルスキの手を強く握った。

二人とも固唾をのむ。

〈次はどこに向かうのか？〉

だが、銀色の船は島々の近くにとどまったままだ――いつまでたっても動かない。

それ以上は我慢できなくなり、コワルスキは敗北を認めて大きく息を吐き出した。「壊れているのかもしれないな」

エレナが首を横に振った。そんなことは信じたくないのだろう。

「もしかすると、新しい座標を指定しなければならないのかもしれない。ピンを別の穴に移すとか――」

テーブル上の地図の箱が振動し、二人とも驚いて後ろに飛びのいた。ブーンという音が甲高くなり、沸騰したやかんが鳴っているかのようだ――次の瞬間、宝石でできた地中海全体に亀裂が走り、火山島を中心にしてクモの巣のように広がった。宝石の継ぎ目から硫黄臭のする蒸気が噴き出す。

コワルスキはエレナの手をつかんで後ろに引っ張った。「爆発するぞ」

「違う」エレナが手を振りほどき、地図に近づいた。その目線は蒸気を噴き上げる迷路のような線を追っていた。亀裂は互いに交差して地中海を細かく分断している。「フナインが記していた通り。『地図に組み込まれた偽りの道筋』だわ」

コワルスキも好奇心をそそられ、危ないとは思いながらもエレナの隣に並んだ。

二人が見つめているうちに、亀裂が再びふさがり、偽りの道筋が消滅した。すっかり元通りになっていて、ラピスラズリはさっきまでと変わらず、全体が一つの大きな塊でできているかのように見える。

だが、一つの継ぎ目だけが残っていた――幅も広くなっている。

隙間から噴き出ていた蒸気が収まり、それに代わって金色の炎が現れた。地図の内部の燃料で炎を発生させているのだろう。川のように流れる火はヴルカーノ島の西岸からティレニア海を横切ってサルデーニャ島の南端に行き着き、そこから真南に向かってアフリカ大陸の北岸に達し、さらにその先は西に延びている。

エレナが熱も放射線も気にせず、前かがみになって地図をのぞき込んだ。「今のドラマチックな動きはまるで火を使ってプレートテクトニクスを表現しているみたいね。これを見て——」

「船がまた動き出したぞ」コワルスキの言葉で、エレナが姿勢を戻した。

先端にルビーをはめ込んで表現したヴルカーノ島から、小船がようやく再び航海に乗り出し、燃える黄金の川に突き進んだ。炎が船の進む様子をほとんど隠してしまっていたが、金色の炎の中から銀の輝きが現れると、船はサルデーニャ島でいったん動きを止めた後、アフリカ大陸に向かって南下した。

コワルスキが炎の流れを目で追うと、アフリカ大陸の北岸に沿って進み、ジブラルタル海峡を通過している。

〈いったいどこに——？〉

客室の両開きの扉の向こう側から大声が聞こえた。

〈おっと〉

コワルスキは壁に掛かる時計を見ながら地図に駆け寄った。

た。

〈予定よりも早いな〉

青銅製の箱の側面のレバーを戻し、ふたを閉じる。手のひらでふたを上から押さえていると、中の振動が徐々に収まっていくのを感じる。ブーンという音も小さくなりつつあった。

「頼む……」コワルスキは装置が早く完全に停止するように祈った。エレナに対して注意を与える。「何も言うなよ。あいつらに何が起きたのかを知らせるわけにはいかない」

エレナが目を見開いた。瞳に輝いていた驚嘆の色が恐怖に取って代わる。「でも、あなたが――」エレナはコワルスキの脚を指差した。

「まだ我慢できる」

コワルスキが顔を向けた途端、扉が勢いよく開いた。ネヒールが大股で室内に入ってくる。後ろに付き従っているのは残忍なカディールだ。

〈我慢できればいいなと思っているんだが〉

午前十一時五十八分

巨漢の男を扉のところに残して近づいてくるネヒールを見て、エレナは震えた。地図を収納した箱の方は見ないようにする。その代わりに、罪悪感を覚えながらジョーの方を一瞥する。

〈どうすればいいの？〉

ついさっきまでの燃え上がるような勝利の喜びは消え、冷たい燃えかすが残るだけだ。たった今、学んだばかりの情報を黙っていたら、ジョーが苦しむことになる。

〈この秘密を守り切ることができれば、の話だけれど〉

ネヒールが机に近づきながら鼻にしわを寄せた。「何かが燃えているようなこのにおいは何なの？」

エレナは体をこわばらせた。さっきはアストロラーべと青銅製のピンの関係に気づいた興奮のあまり、地図を作動させてみたいという欲求をこらえ切れなかった。その時まで、自分とジョーが見張られているという感覚はなかったし、隠しカメラも見当たらなかった。ネヒールの今の質問からも、敵が扉の向こうでずっと聞き耳を立てていたわけではないのは明らかだ。圧倒的な優位に立っていると過信しているのだろう。

しかし、今は？　犯行現場を押さえられたも同然ではないだろうか？

エレナは息をのんだ。言うべき言葉が見つからない。

エレナに代わってジョーが前に進み出ると、女の目の前に立ちはだかった。ネヒールの視界から地図の箱が遮られる格好になる。「燃える肉のにおいが気になるなら、俺に真っ赤な焼きごてを押しつけるのはやめるんだな」

ジョーが脚をさすりながら体を少しだけひねり、エレナに不安そうな表情を向けた。

ネヒールが少しひるんだ様子を見せながら、ジョーの横を通り抜けた。「それはドクター・カーギルが午前中にどれだけの成果を出せたかにかかっている」

エレナは安堵感を表に出すまいとしたが、まだ危機を脱したわけではなかった。神経質に拳を開いたり閉じたりを繰り返す。「もっと時間があれば――」

「ところが、そうもいかない」ネヒールは後ろにいるカディールを指し示した。「あいにく兄は辛抱強くない。おまえが楽しい話を聞かせてくれないのなら、彼のためにほかの暇つぶしの材料を与えないといけない。もちろん、おまえがそれを見るのはかまわないぞ」

エレナは顔面から血の気が引いていくのを感じた――自分を肘で押しのけたネヒールが地図の箱に手を伸ばしたので、なおさら恐怖が募る。

「昨日の夜に警告したように」ネヒールは続けた。「我々はバヌー・ムーサーの地図についてのおまえの貴重な見解を必要としている。我々が次はどこに向かうべきなのか、教えてもらおうか」

「でも、私にできるかどうか――」

ネヒールが箱の側面に触れ、続いて手のひらを押し当てた。「どうしてこの箱は熱いんだ?」

エレナは咳払いをしながら言い訳を探した。「私たち……午前中に何度か動かそうとしたの。何かを解明する助けになるかもしれないと思って」

ネヒールはその説明にうなずいた。「それで?」

エレナはすぐに言葉が出てこなかった。女に箱のふたを開けさせないための口実がどうしても思いつかない。結局、失敗に終わった。

ネヒールが手を動かしてふたを持ち上げると、地図があらわになった。

エレナはたじろぎながらもつま先立ちになり、地図をのぞき込もうとした。まだ炎が燃えているだろうから、もうどうすることもできない。ところが、地中海の広がりにはまったく変化がなく、何世紀もの間ずっとそうだったように、ラピスラズリには亀裂の一つも入っていなかった。オデュッセウスの小さな銀色の船までも、トルコ沿岸の港に戻っていた。

エレナの漏らした安堵のため息が大きすぎたせいで、ネヒールが顔を向けた。だが、少なくともそのおかげで、アストロラーベに挿さった小さな青銅製のピンのことは気づかれずにすんだ。

「どうなんだ?」ネヒールが問いただした。「我々はどこに向かうんだ?　その理由は?」

最初の質問に対する答えはわかっている。ヴルカーノ島を出港した小さな船がその次に止まった場所ははっきりと見た――ただし、どうやってその情報を得たのかについては、ネヒールに教えるわけにいかなかった。

〈この女を納得させる別の説明が必要〉

エレナは山と積まれた本を見つめた。パニックのせいなのか、それとも焦りすぎていたせいかもしれないが、午前中ずっと頭から抜け落ちていたことがあった。ふとそのことに気づき、思わず声が出そうになるような衝撃を覚える。小船がサルデーニャ島の沿岸で停止しなかったら、今も気づかないままだったかもしれない。

「我々を手伝う気がないのなら」ネヒールが脅した。「その気にさせる必要があるということかもしれないな」

エレナはこめかみをさすった。さっきアストロラーベを両手で抱えていた時にも、その意味に気づいていたはずだが、それに続いて起きたことに気を取られてしまっていたのだ。

「ダイダロスの鍵」エレナは口を開いた。

「それがどうした？」ネヒールがなおも問いかけた。

「フナインと兄たちがその名前を選んだのには理由がある。『嵐の世界図』と命名されたのは、オデュッセウスの船が神のもたらした嵐に何度となくもまれたからだと思う。でも、兄弟たちはどうして、アストロラーベを命名する時にダイダロスの名前を――数ある神話の登場人物の中から彼の名前を選んだのか？」

「なかなか面白い」ネヒールが認めた。「だが、それがどうだと言うのだ？」

エレナは夜を徹して行なった調査から得た知識を引き出した。「ダイダロスはヘパイストスと同じように優秀な職人だった。けれども、彼は神ではなく、人間だった。それでも、彼はあらゆる種類の巧妙な機械装置を発明した」エレナは「巧妙な機械装置」のところを強調して、バヌー・ムーサーの兄弟たちと彼らの最も有名な著作との関係を示した。「ダイダロスは怪物ミノタウロスが封じ込められていた難解な迷宮を造った。イカロスの翼も製作した」

エレナは山積みになった本に向かって手を振った。「ソフォクレスとアリストテレスの二人によると、ダイダロスはまるで生きているかのように動く彫像も製作したとか。あまりにも器用に脚が動くので、逃げ出さないようにつないでおかなければならなかったという。彼の評判は高まり、ついには人間が造り出すのは不可能と思えるほどまで真に迫った形をした動く彫像を表すために、『ダイダラ』という単語ができるほどだった」

ネヒールは両腕を組んだまま、無関心を装っているが、興味を隠し切れていない。

エレナは説明を続けた。「それならば、ヘパイストスの評判を理由にここを訪れたフナインが、ダイダロスの足跡を同じく熱心に追わなかったとしたら、おかしいと思わない？」

「そうだとしたら、そのことが彼をどこに導くのだ？」

「神話によると、迷宮の抜け道を明かしてミノス王を裏切ったダイダロスは、クレタ島を追われた。逃亡の身となった彼は、まずシチリア島に、続いてその近くのサルデーニャ島に逃れ、そこで暮らすことにした。私たちが次に向かう必要があるのもその島ね」

エレナはフナインの旅路の次の寄港地を明かしたくなかったものの、そうすることで地図の秘密を守れるのならば――あと、ジョーがカディールの拷問を受けずにすむのならば、明かしてもかまわなかった。それにその情報が大して役に立つわけでもない。数多くの経由地のうちの一つにすぎないのだから。

ずっと眉をひそめていることから推測するに、ネヒールはこの情報の価値を疑っているらしい。ジョーを救うという希望を消さないためには、たたみかける必要がある。

「ほかにも二点ある」エレナは続けた。「フナインはオデュッセウスの旅路だと信じた道筋を追うことで、信じられないほど高度な技術を持ち、複数の文明を滅ぼしたと考えられるパイエケス人を発見できればと期待していた。そのことは私たちもわかっているはずよね」

ネヒールは腕組みを解き、手を振って続けるように促した。再び腕を組んだものの、今の話は認めたということだ。

〈これでよし〉

「オデュッセウスが立ち寄ろうとした場所の一つはライストリュゴン族の島だった。彼らは人食いの巨人族で、オデュッセウスの船団に大きな岩を投げつけ、英雄が乗っていた船以外はすべて破壊してしまった」

「そのことがサルデーニャ島とどんな関係があるのだ?」ネヒールが訊ねた。

「一世紀のローマの歴史家プトレマイオスは、ストラボンと同じように地理に関する『地理学』という本を著した。当然、フナインもその本を読んだはず」エレナは本が散らかっているところを指差した。「もちろん、私も。ただし、ホメロスの『オデュッセイア』に関係している部分だけだけれど」

「それで?」

「その本の中で、プトレマイオスはサルデーニャ島の北西部を支配する民族について言及している。彼はその人々を『レストリゴン』と呼んでいた——ライストリュゴンとずいぶん名前が似ている。それを読んだフナインがそこに行かないなんて考えられない。それに加えて、サルデーニャ島の西側には古代の巨像があって、船に岩を投げつけることで島を守ってくれると言われていた。そのこともライストリュゴン族と似ているわ」

ネヒールが考え込むような目つきでうなずいた。

エレナでさえも、自分の推理はタルタロスを捜索するフナインが船でサルデーニャ島に向かった理由と同じなのではないかと思い始めていた。それでも、このまま話を続け、ネヒールに論理を突き崩されないようにしなければならない。

エレナは地図を指差した。「ここで話をダイダロスに戻すけれど、アストロラーベの名前の由来になった彼は、ヘパイストスと同じく発明の才に富んでいた。でも、忘れてはいけないのは、彼が人間だったということ。神ではなかった。現代の学者たちも、ダイダロスは実在の人物だった可能性があると考えている。いずれにしても、彼は信じられないような創作物を生み出すことができて、設計とその仕組みに関しては超人的なまでの才能を持っていた、当時としては時代を先取りした人だったことは間違いない。そうした評価を聞いて、何かを思い出さない？」

ネヒールは眉をひそめ、首を横に振った。

エレナは別の質問を投げかけた。「フナインは誰を探していたの？　地中海にあった三つの強大な文明を滅ぼした謎の文明が、何だと信じていたの？」

ネヒールの表情が変わった。「パイエケス人だ」その視線がエレナをとらえる。残る一つのポイントを理解したらしい。「おまえはダイダロスがその一団に所属していたと考えているんだな。彼はパイエケス人だったと」

「フナインはそう信じていたと思う――突き止めたいという思いが、彼をサルデーニャ島に向かわせた」エレナは腕を組んだ。「彼の次の目的地はきっとそこね」

エレナは本当にそう考えていた――ただし、必ずしも今話したような理由からではなかった。けれども、ジョーを救うためにはそれで十分であってほしいと願った。

ネヒールがうなずいた。「なかなかいいじゃないか、ドクター・カーギル。そういうことならば、我々も次の目的地はそこにするとしよう」

エレナはほっとしてため息を漏らした。

ネヒールは踵を返したが、最後に謎めいた言葉を残した。「都合のいいことに、そこにはすでに仲間がいる。後始末を進めているところだ」

21

六月二十四日　中央ヨーロッパ夏時間午後八時二十七分
サルデーニャ島　カリアリ

マリアはホテルの部屋のバルコニーに立ち、あと数分で地平線に沈もうとしている夕暮れの太陽を眺めていた。蒸し暑い一日だったが、ホテル内に閉じ込められていたせいで余計に暑苦しく感じられる。部屋から出られずにいたことが彼女の不安をいっそう高めた。行動している時ならば、ジョーへの不安から気を紛らすこともできるのに。

今は考える時間がありすぎて、ついつい思い悩んでしまう。

〈いったいどこにいるの？　そもそもまだ生きているの？〉

バルコニーの錬鉄(れんてつ)製の手すりを握る指に力が入る。

グレイからはセイチャンとモンシニョール・ローと一緒に島内を調べている間、ホテルの建物から出ないようにとの指示があった。四十分前に彼から連絡が入り、島の西側にある共同墓地の遺跡の調査を終え、これから戻るということだった。古代に地中海を席巻した征服民族についての情報を集めようとしているらしい。

〈海の民〉

そんな船を操る民族のことを思い浮かべながら、マリアは目を閉じ、潮の香りを含んだ空気を深く吸い込んだ――だが、それとともにディーゼルの強いにおいも漂っている。マリアは目を開き、通りを三百メートルほど下った先にあるカリアリのクルーズ船専用の港に停泊中の三隻の大型船に眉をひそめた。巨大な船舶は石畳の狭い路地が連なる街並みや、趣のある店舗やバーとは不釣り合いだ。三階のバルコニーから見下ろすと、大通りは観光客でごった返していて、大きな二本の桟橋の入口付近ではさらに多くの人たちがひしめき合っている。日没が近づいているため、日中に小さな街に押し寄せた乗客たちが、そろそろ船に戻ろうとしている。

〈今もサルデーニャ島は海の民に悩まされているみたいね〉

マリアは目をそらそうとした――その時、立て続けの銃声が響き、マリアは首をすくめながら両膝を突いた。今にも口から飛び出しそうな心臓の鼓動を聞きながら、固唾をのむ。

〈敵に見つかった〉

ところが、それに続いて下の通りから笑い声が聞こえた。

室内にいたマックがあわてふためくマリアに気づいた。バルコニーに出てくると、負傷していない方の腕で立たせてくれる。「あれは爆竹だよ」マックが安心させようと声をかけた。

マリアもすでにそうだと察していた。赤面した顔を見られないようにしながら、マックと並んでバルコニーの手すりまで戻る。大あわてした自分が馬鹿みたいだ。

「ホテルの従業員から今夜は花火大会があるって聞いたよ」マックが言った。「海上から打ち上げるらしい。出港するクルーズ船に向けた余興なんじゃないかな」

「いいや」ベイリー神父も二人のもとにやってきた。「そうではないよ」

一日中ダ・ヴィンチの地図を調べていた司祭は、伸びをしながら背中の凝りをほぐした。ようやく調査を打ち切り、イタリアの港で購入したハードケースのキャリーバッグに地図を片付けたところだ。扉の脇で配置に就いて貴重な宝物を見張っているのはボサード大佐で、二挺のシグ・ザウエルＰ３２０のうちの一挺を片手に持ち、もう一挺を上着の下のホルスターに収めている。

マリアは海に向かって手を振った。「だったら、どうして今夜は花火を打ち上げる予定になっているの？」

「今夜はサン・ジョヴァンニの祭りだからだ」ベイリーが説明した。「洗礼者ヨハネの祝日に当たるのでね。ヨーロッパ各地でも様々な形で祝われる」

マリアは横目で神父を見た。「ここでは花火を打ち上げるの？　あまり敬虔で宗教的なやり方だとは思えないんだけれど」

「そうだな、サルデーニャ島の伝統はより異教的な祝祭がルーツになっている。六月二十四日は古代の人たちによって夏至と見なされていて、この特別に不思議な日には、それぞれ火と水を表す太陽と月が一つになると考えられていたのだ」

マリアは海の方に目を向けた。「だから湾の上で花火というわけね」

「それと、海岸ではかがり火がたかれる」ベイリーが付け加えた。「この地では炎を飛び越えながら願い事をすると、それがかなうという伝統がある」

「お祝いするなら誕生日のケーキとろうそくでいいや」マックが言った。

太陽が完全に沈むと、下に集まる人の数はさらに増えた。通りの両側に列を成し、石畳の上にまであふれている。海沿いのカフェの店先にはもっと大勢の人がいて、バルコニーの真下からも笑い声や酔っ払いの大声とともに、騒々しい歌声が聞こえてくる。湾を挟んだ向かい側ではいくつものかがり火が燃えていて、夜の帳（とばり）が下りつつある中で炎が明るく輝いていた。左右を見ると両隣の部屋のバルコニーにも宿泊客が姿を見せ、マリアたちと同じように夜の景色を楽しもうとしている。

マックが通りに連なる群衆に目を向け、誰かを探している。「早くここに戻ってこないと、グレイたちは花火を見逃してしまうな」

大きな爆発音が響き、マリアはびくっとした――それは祭りの始まりを告げる合図ではなかった。マリアが室内を振り返ると、取っ手部分を吹き飛ばされた部屋の扉が内側に開くところだった。拳大の黒い物体が三個、部屋の中に投げ込まれ、床を転がる。ボサード大佐はすでに行動を起こしていて、座っていた椅子から転げ落ちるように飛びのいたが、一歩遅かった。

一つ目の手榴弾の爆発で大佐の体が飛ばされ、壁に叩きつけられる。

マックがマリアに体当たりして横に突き飛ばすと同時に、二個の手榴弾がバルコニーに向かって転がってきた。二発とも炸裂したが、破片が飛び散る代わりに、つんとするにおいの黒煙が大量に噴き出した。

ベイリー神父が身を低くして煙幕に飛び込んだ。室内に置いてある地図を確保しようとしているのだろう。

マリアには爆発で扉の近くのテーブルが吹き飛び、そのはずみでバルコニーの方に飛ばされるキャリーバッグが見えた。ベイリーも同じことを目にしたに違いない。ハードケースのキャリーバッグはバルコニーのスライド式の扉の近くに落下していた。

マリアは無茶な真似をする司祭にあきれながらも、手を貸そうと四つん這いでその後を追った。

「伏せていろ」マックが注意した。

煙を引き裂くように銃弾が降り注ぎ、ガラスが粉々に砕けた。だが、敵は室内に向かってやみくもに発砲していて、高い位置を狙っていたため、マリアにもベイリー神父にも当たらない。神父はキャリーバッグの取っ手をつかみ、後ずさりを始めた。

床に近い位置から見ていたマリアは、扉の近くの煙が乱れ、男たちが部屋に駆け込んできたことに気づいた。次の瞬間、左の方から発砲音が鳴り響く。〈ボサード大佐〉……こもった叫び声とともに、扉の近くで一人が煙の中に倒れる。大佐に向かって敵が応戦する。

ベイリー神父がキャリーバッグを引きずりながらマリアの横を通り過ぎた。

マリアも神父の後を追おうとした——その時、何かが床の上を滑って近づいてきた。回転しながら彼女の前で止まったのは、黒のシグ・ザウエル。ボサード大佐の二挺目の武器だ。煙が少し晴れると、血まみれになって床に倒れた大佐の姿が見える。片方の腕を彼女の方に伸ばし、顔を向けてじっと見つめているものの、その目にはもはや何も映っていない。

マリアは拳銃をひったくり、ベイリーを追って後ずさりしながら煙に向かって発砲した。すべての弾を撃ち尽くすと、バルコニーの扉の陰に身を隠す。ベイリーは重量のあるケースを手すりの外に持ち上げ、隣の部屋のバルコニーとの隙間に落とした。

「行け、早く」マックはすでに三角巾を引きちぎっていて、まるで下に放り投げようとするかのような勢いで、マリアが手すりを乗り越えるのに手を貸した。三人ともあらかじめ立ててあった脱出計画に従っている。

マリアは六メートルほど落下し、ホテルのレストランのテラス席の上に張られた日よけに着地した。すぐ横にキャリーバッグがある。ぴんと張った布の弾力を利用して横に転がる。その直後、ベイリー神父とマックがほぼ同時に上から落ちてきた。

マリアは二人があわてている理由を理解した。

上から銃弾が降り注ぎ、日よけの布地を切り裂く。その下のレストランから悲鳴があがった。マリアたちは急いでバルコニーの真下に隠れ、三階から直接狙われない位置に身を潜めた。

ベイリーがキャリーバッグを引き寄せようとしたが、車輪の一つが布に開いた穴に引っかかってしまっている。

「時間がない！」マックが叫んだ。

〈彼の言う通り……〉

三人は群衆の中に紛れ込む必要があった。下の人々は大混乱に陥っていた。ホテルからパニックが広がりつつある。その一方で、ここから少し離れたところには、音楽や陽気な声やパーティーの喧騒のせいで、銃撃や爆発の音が届いていない。

三人は日よけの端まで移動し、混乱状態に陥ったレストランのテラス席に飛び下りた。テーブルや椅子がひっくり返っている。客が押し合いへし合いしながら逃げ惑っている。地面に座り込み、肩から血を流して泣き叫んでいる女性がいる。

強い罪悪感を覚えながらも、マリアは顔をそむけ、マックとベイリー神父とともに広がりつつあるパニックの真っ只中に急いだ。三人は人混みを押したりかき分けたりしながら進んだが、群衆はすでにホテルの外の通りを埋め尽くしている。マリアたちは人の動きに逆らうのではなく、流れに身を任せることにした。

ベイリー神父は何度も後ろを振り返っている。失ってしまったものがあることは承知しているが、それに関してはどうすることもできない。それよりももっと差し迫った問題があった。

マリアは周囲を見回した。

〈どこに行けばいいの？〉

午後九時二十四分

三ブロック離れたところで祭りの渋滞に巻き込まれていたグレイは、ホテルの三階から噴き上がる黒煙にいち早く気づいた。数人が真下の日よけに向かって飛び下りるのも見えた。

グレイは身を乗り出した。セダンの後部座席からラビ・ファインとモンシニョール・

ローに向かって怒鳴り声で指示を出す。「ここから動かないように」

一行は巨人の彫像が発見されたモンテプラマの共同墓地を訪れた後、ホテルに戻ってきたところだった——調査で新たにわかったことは何もなかったため、モンシニョールとラビは明らかに落胆していた。

グレイはセイチャンを見た。「行くぞ」

グレイは片側の扉から、セイチャンは反対側の扉から車外に出た。逃げようとする人の流れに逆らいながら、通りの端を走る。

セイチャンはグレイの後をぴたりとついてくる。「あいつら、どうやって私たちを見つけたわけ？」

グレイは首を横に振った。心臓の鼓動が大きくなる。その疑問への答えを探すのは後回しだ。グレイはホテルと隣の建物の間の路地から現れた人影に向かって顎をしゃくった。男はアサルトライフルを携帯しているが、太腿に添えて武器が人目につかないようにしている。

グレイは男の背後から駆け寄り、相手の首に腕を絡めて振り回した。その勢いのまま、男の頭を建物の角に叩きつける。骨の砕ける音とともに、相手の体から力が抜けた。

セイチャンが男の落としたライフルを拾い上げ、グレイに手渡した。ダガーナイフを手にして先を行くセイチャンが、ナイフの先端で二人の人物を指し示した。どちらも腰のあたりに拳銃を握っている。二人は今では空っぽになったレストランのテラス席の端にいて、日よけを見上げていた。何かが日よけの上に引っかかっていて、その重みで布地が垂れ下がっている。

グレイたちのチームのキャリーバッグだ。

グレイとセイチャンは二人との距離を詰めた。

ターゲットの一人が物音を聞きつけたのか、体を反転させた。グレイはライフルの銃口を向け、相手の胸を目がけて三点バーストで発砲した。至近距離から撃たれた衝撃で男の体が浮き上がり、テーブルの上に飛ばされる。もう一人が反応すると同時に、セイチャンのダガーナイフが一閃(いっせん)する。きれいに切り裂かれた相手の首筋から血が噴き出した。

喉の奥からゴボゴボという音を発しながら男が倒れると同時に、ホテルの建物内から敵が二人に向かって発砲する。グレイは片膝を突き、扉の隙間を狙って撃ちながら、敵を建物内に押しとどめた。上からも銃弾が降り注ぎ、日よけを貫通して石に当たって跳ね返る。グレイは動かずにいた。日よけの下に隠れていれば、上の階からはこちらの位置がわからないはずだ。

すぐ横ではセイチャンが銃弾を縫って移動していた。

セイチャンは椅子に飛び乗り、片足でつま先立ちになりながら日よけのたるんだ部分に手を伸ばすと、ダガーナイフを突き刺した。ナイフを動かすのに合わせて、頭上の布地の切れ込みが広がっていく。キャリーバッグが日よけの裂け目から転がり出て、セイチャンのすぐ後ろのテーブルに落下した。

グレイは奪ったアサルトライフルの弾を撃ち尽くすと、武器を投げ捨て、ケース目がけて飛び込んだ。取っ手をつかんで引き寄せると同時に、グレイからの応戦が突然やんだ隙を突いて、敵が扉の向こう側から飛び出してきた——それを待ち構えていたのがセイチャンのダガーナイフだった。指先から放たれた刃物が男の右目に勢いよく突き刺さり、その衝撃で頭が激しく後方に振られる。

グレイは片腕でキャリーバッグを引っ張り上げ、胸にしっかりと抱えた。駆け寄ってきたセイチャンの目はきらきらと輝いている。二人は日よけの下を走り抜け、群衆の中に飛び込んだ。ホテルから逃れようとする人の流れに乗って、セダンのところまで戻る。

グレイが先に着いた。

前の座席には誰も乗っていなかった。セイチャンが指先で運転席側のウインドーを貫通した弾痕に触れる。グレイはレザーのヘッドレストが血だらけになっていることに気づいた。二人の男性を置き去りにしてしまった自分を責める。二人がどこかの路地で失血死しているのではなく、まだ生きていて、敵に身柄を拘束されていることを祈るしかない。

グレイは罪悪感を覚えながら、セイチャンと視線を合わせた。

しかし、今は手の打ちようがない。襲撃者たちはまだ近くにいるはずなので、二人は人混みの中に戻った。グレイはホテルの方を振り返った。マリアたちは反対側の方角に逃げている。落ち合って安全な場所までたどり着くための計画を立案したのは自分だ。

その時、海を伝って雷鳴のような音がとどろいた。胸に響くほどの轟音だ。グレイがびくっとして立ち止まると、まわりにいる大勢の人たちも動きを止めた。誰もが顔を上に向けている。夜空に深紅と黄金の大輪の花が広がっていく。

花火大会の始まりだ。

午後九時四十四分

マックはほかの二人と一緒に桟橋近くの広場の人目につかない片隅に立っていた。右手で左腕を抱えている。夜空に爆発音がとどろくたびに、肩にうずくような痛みが走る。広場を埋め尽くした祭りの参加者たちを見回しながら、新たな脅威のわずかな兆候も見逃すまいとする。

五百メートルほど離れたところでは、緊急車両の警告灯がホテルの傍らで光り輝いているが、このクルーズ船の桟橋の近くでは注意を向ける人などほとんどいない。人々の視線は空に向けられていた。周囲では大音量の音楽が鳴り響き、海上では花火が爆発し、陽気な声があちこちから聞こえてくる。

それが人間というものだ。

マックたちがホテルから逃げている間に、まわりのパニックは徐々に収まっていった。大勢の人たちにもまれるうちにホテルとの距離が開くと、潮が引くように消えてしまったのだ。実際に銃撃戦を目撃したのは、間近にいたほんのひと握りの人たちだけだ。離れたところにいた人たちは騒ぎをほとんど気にしていなかった。パーティーが盛り上がりすぎただけだろうと思っていたのかもしれない。三人と一緒になって逃げていた人たちでさえも、次第に歩みが遅くなり、立ち止まって振り返り、もう安全だろうと思った途端に、自分が被害者になっていたかもしれないことなど忘れ、ただの野次馬と化していた。

ちょうどそんな頃に花火が始まったため、何もかも忘れ去られてしまったらしい。

ただし、すっかり頭から消えたわけでもないようだ。

マックは牛の群れがぴりぴりしているかのような緊張感が、人々の間に漂っているのを感じていた。打ち上げ花火が炸裂する音の合間を縫って、甲高いサイレンの音が鳴り響く。その音に気づき、回転する警告灯の方に顔を向ける人がいる。仲間同士で顔を寄せ合ってささやきながら、光の方を指差す人もいる。起きた出来事についての情報が広まりつつあり、人を介して伝わりながら話に尾ひれがついているのだろう。

マックは首を左右に振りながら、静かで人里離れたグリーンランドの氷河を懐かしく思った。

隣にいるマリアが、空からの新たな爆発音にひるみながら、使い捨ての携帯電話を顔から離した。マックとベイリー神父に顔を近づけるよう手で合図している。「グレイとセイチャンはあと二、三分でここに着く。こちらも準備をしておかないと」

グレイからはその前に一度、連絡があり、ホテルで起きたことを知らせてもらった。二人はダ・ヴィンチの地図を取り戻すことには成功したものの、モンシニョール・ローとラビは拉致されてしまったらしい。殺されていなければ、の話だが。

全員が同じ運命に見舞われる可能性もあるため、マリアから避難場所の提案があった。そこならば敵でさえもたどり着くのが難しいと同時に、この忌々しい島から離れる方法も提供してくれる。

〈そこまで行けるかどうかが問題だが〉

「それならば急いだ方がいいな」ベイリー神父がつらそうな声で言った。友人についての知らせのショックからまだ立ち直っていないに違いない。「まだ接岸しているクルーズ船はあれだけだ」

マックは広場の向かい側にある港の入口に目を向けた。巨大な桟橋への通路は封鎖されている。ほかの二隻のクルーズ船は花火大会の開始に合わせてすでに出港し、空に輝く別れの挨拶を受けながら洋上を航行していた。残っているのはリージェント・セブンシーズ・クルーズ所有の小型の船舶だけ——ただし、「小型」というのはあくまでもほかの二隻と比較しての話だ。海面からの高さは建物にして十階分はあるだろうか。今いる広場からでも、出港時間が近づいていることを乗客に伝えるために最上階で演奏しているバンドの音楽が聞こえる。

ついさっき、乗客用のタラップが外されたばかりだ。これから船に乗り込もうと思ったら、乗組員用のタラップか、船の補給物資用の箱を山積みにした手押し車が運び込まれている搬入口を使うしかない。

マックたちは監視を続けた。群衆に、桟橋での最終準備に、さらには夜空を鮮やかに彩る花火に目を配る。

ようやく背後から石畳の上を転がる小さなローラーの音が聞こえた。マックが振り返ると、キャリーバッグを引きずりながら人が密集した広場を横切るグレイと、周囲への警戒を怠らないセイチャンの姿が見えた。二人が急ぎ足で近づいてくる。

「準備はいいか？」グレイが訊ねた。その表情は怒りと決意に燃えている。

全員がうなずきを返す。

「それなら行くぞ」グレイが三人を見回した。「誰が——？」

「俺だ」マックは答えた。

グレイがうなずき、先頭に立って港の入口に向かった。入口は守られていないも同然で、人が入らないようゲートの部分に木製のバーが設置されているほかは、その脇の細い通路に見張りの詰め所があるだけだ。人でいっぱいの広場を半分ほど横切ったところで、グレイがマックに合図した。

〈群れを動かす時間だ〉

マックは手に持った爆竹の導火線に火をつけた。少し前に、広場の外れにあった小さな花火売り場で爆竹を三箱、購入しておいた。箱から取り出してすべての導火線をより合わせ、一本の太いロープ状にしてある。導火線から火花が散ると、マックは爆竹の塊を歩道に置き、そのまま歩き続けた。

四歩進んだところで、後方からポンポンという爆発音が鳴り、爆竹が石畳の上で大きく飛び跳ねた。

マックは両手を口に当て、大声で叫んだ。「こいつは銃を持っているぞ！　逃げろ！」

ベイリー神父が同じ内容をイタリア語で繰り返した。

グレイはスペイン語で伝える。

マリアは体をひねりながら肩を押さえ、悲鳴をあげた。

爆竹の破裂音がなおも続くと、すでにぴりぴりした状態にあった群衆はすぐさま反応した。いっせいに音から逃れようとし、パニックが広がる。押されたり踏まれたりした人たちが悲鳴をあげる。ゲートに向かって逃げた人たちが、バーの隙間や下をすり抜け、その先を目指して走っていく。脇の通路の詰め所の前を通り抜けようとする人たちもいた。狭い場所に人々が殺到し、一時的に人の流れが止まるものの、そこを抜けた人たちは銃を持った殺し屋から逃れようと、開けた桟橋の方に向かった。

入口の近くにいた係員が拡声器で落ち着くように呼びかけ、威厳のあるイタリア語で指示を出した。だが、その言葉は無視されたばかりか、かえってパニックをあおる結果になった。

マックたちは人の流れに合わせ、肘でまわりを押しのけながらひとかたまりになって進み続けた。ゲートを通り過ぎると、停泊したクルーズ船に沿って走る人たちから離れないように移動する。搬入口のあたりにたどり着くと、そこで速度を落とす。パニックに陥った群衆の第一波が通過したせいで、手押し車が横倒しになり、箱がひっくり返り、作業をしていた人たちの姿も消えていた。

頭上では花火が最高潮に達していて、ミサイルのように次々と打ち上げられる爆発音が耳をつんざく大音量になっていた。花火が炸裂するたびに桟橋のタラップが揺れる。空が炎で明るく輝く。

昼間のような明るさの中で、グレイが機をうかがっている——やがて大きく手を振った。「移動開始！」

五人は急いで短い木製のタラップを駆け上がり、開いたままのハッチをくぐり抜けた。二人の作業員がそれに気づき、叫び声をあげた。しかし、その直前の大騒ぎにまだ呆然としているのか、強く責めるような口調でもない。

ベイリー神父が聖職者であることを示すローマンカラーを見せながら、落ち着いた調子のイタリア語で返事をした。マックには内容が理解できなかったが、その返事のおかげで——あるいは、イタリアでは司祭の権威が高いからかもしれないが、作業者たちは後を追おうとはしなかった。厄介な問題の解決は上甲板にいる上司に任せる方がいいと判断したのかもしれない。

五人は相手の気が変わらないうちに先を急いだ。案内板に従い、階段を上り、どうにか見つけた扉をくぐる。

白っぽい金属の壁に囲まれた冷たく無機質な空間を抜けた先にあったのは、磨き上げられたチーク材と絨毯を敷いた床という温かみのある通路だった。遠くから聞こえるピアノの調べがマックたちを歓迎している。カンザス州のくすんだトウモロコシ畑から、色鮮やかなオズ王国に飛び込んだみたいな感じだ。

そこから数歩も進まないうちに、ウエイトレスが通路の奥から近づいてきた。手にしたトレイには蛍光色の飲み物がいっぱいで、小さな傘が付いているグラスもある。軽やかな足取りのウエイトレスだったが、着飾っているとは決して言いがたい五人に気づくと歩を緩めた。

「ブオナセラ」ウエイトレスは笑みを浮かべながら声をかけたが、何かを察したらしく、英語に切り替えた。「花火はお楽しみになられましたか？」

誰一人として返事をしなかった。呆然とした表情で見つめ返すだけだ。

ウエイトレスの表情がこわばったものの、笑みが消えることはなかった。「出港パーティーがクレオパトラデッキで開かれていますよ。次の寄港地は――マヨルカ島です！」

ウエイトレスは五人の横をすり抜け、再び軽やかな足取りで通路を歩き続けた。

彼女が声の届かなくなるところまで行くのを待ってから、マリアがグレイを見た。「これからどうするの？」

今夜の計画に自分の意見も採用してもらおうと思い、マックは答えた。「クレオパトラに挨拶するのはどうかな？　くそ忌々しい思いをしたから、一杯飲まないことにはやってられないよ」すぐにベイリー神父の方を見る。「汚い言葉で失礼しました、神父様」

神父は手のひらを見せてマックの罪を許した。「私もあんなくそ忌々しい経験の後では、一杯飲みたいところだな」

22

六月二十四日　中央ヨーロッパ夏時間午後十時十二分
サルデーニャ島沖合

〈こんな屈辱は初めてだぜ〉

コワルスキは甲板下にある自分の船室の狭苦しいトイレの中に立っていた。鋼鉄製の便器の奥のタンクには備え付けのシンクがあり、天井からはシャワーヘッドが突き出ている。床には排水口があった。扉を閉めればトイレ全体がシャワー室の代わりになるということらしい。

〈拒食症のネズミ用ならばぴったりの広さだけどな〉

船室のほかの部分も広さに関してはいい勝負だ。壁には折りたたみ式の二段ベッドが備わっていて、寝台列車のような造りだが、それよりもかなり小さい。だが、最大の難関はトイレだった。コワルスキが体を動かすたびに、肘が壁にぶつかる。しかも、船が揺れるものだから、何をするにしても難易度が上がっている。例えば、小便だ。コワルスキが左脚を見ると、ズボンがびしょ濡れになっていた。

「まったく、最悪だぜ」

コワルスキはチャックを引き上げ、小声で悪態をついた。ベッドの横を通り抜け、鎖をジャラジャラと鳴らしながら船室の扉の前に移動する。コワルスキは拳で扉を叩いた。「おい！　ちょっと手を貸してくれ」

クルーザーが再び揺れ、コワルスキは横にバランスを崩した。船はサルデーニャ島の沖合に停泊しているが、かなり海が荒れている。ヴルカーノ島からティレニア海を横断してこの島にたどり着くまでに八時間を要した。日没直後、島に向かって進む間に、コワルスキは外の様子を垣間見ることができた。海岸線に広がる大きな都市の明かり。その上空に浮かぶ花火。だが、一・五キロほど離れたところからの花火は貧弱で、小さな燃えかすがパチパチと音を立てているようにしか見えなかった。

それでも、コワルスキは目をそらすことができなかった。海岸線は手を伸ばせば届きそうな近さに見えたし、あのくらい大きな街ならば人が——男女の二人組が姿をくらますこともできそうだ。

コワルスキは再び扉を叩いた。「おーい！」

隣の部屋からこもった声が呼びかけた。「大丈夫？」エレナが訊ねた。

コワルスキはびしょ濡れになったズボンを見下ろした。

〈さあ、どうだか〉

コワルスキが叩き続けるうちに、ようやく誰かが扉の向こうで舌打ちをしたかと思うと、かんぬきを動かす音が聞こえた。扉を引き開けたのはずんぐりとした体型の男だ。男はMAC-10短機関銃の銃口をコワルスキの胸に向けた。もう一人の見張りが狭い通路の少し離れたところにいて、同じ武器を両手でしっかりと握っている。

「何の用だ?」目の前にいる男が片言の英語で訊ねた。

コワルスキは一歩後ずさりした。上半身は裸で、ズボンと靴下しかはいていないので、相手が脅威を覚えるような格好ではない。それでも、コワルスキは両手を上げた。

「トラブルを起こしたいわけじゃない。着替えるのに手を借りたいだけだ」コワルスキは両手を高く上げたまま、指を一本だけ曲げて脚を指差した。「今夜はこんな状態で寝たくないんだよ」

見張りが下を見て、眉間にしわを寄せ、続いて目を丸くした。通路にいる仲間の方を振り返り、アラビア語で何かを伝える。二人とも涙を流さんばかりに大笑いした。

「ああ、笑っちゃうよな。こいつを脱ぎたいんだが、鎖につながれたままじゃできないんだよ」コワルスキは肩をすくめた。「それとも、このズボンを切るのを手伝ってから、カディールにスウェットパンツを借りてきてくれるかい？　かなりぶかぶかだろうけど、それで我慢するからさ」

巨漢の名前を耳にして、二人の見張りの笑い声がぴたりとやんだ。

「片方の足枷を外してくれるだけでいいんだ」コワルスキは濡れた方の脚を揺すりながら訴えた。「あとは俺が自分でやるから」

「だめだ」見張りはトイレの方を顎でしゃくった。「はいたまま洗え」

「濡れたズボンで一晩過ごせっていうのか？」

見張りは手を振って話を終わらせようとした。「それなら、そのまま寝ろ。小便ズボンで」

コワルスキは怒りをあらわにして足を前に踏み出した。「何だと、この野郎！」

見張りが武器をしっかりと構え直し、アラビア語で何事か罵りながら、コワルスキを船室の奥に押し戻そうとする――コワルスキはちょうどいい位置に来るまで大人しく後ずさりした。

〈さあ、にいちゃん、ダンスの時間だぜ〉

船が軽く揺れたが、コワルスキはあたかも大波を受けたかのように反応した。ベッドにわざと体を預け、折りたたんであった上の段をつかむと、引き上げながら見張りの顎に叩きつける。金属と骨のぶつかる心地よい音が鳴り響いた。

見張りの頭が後方にがくんと折れ曲がるのに合わせて、コワルスキは相手の武器を奪い取り、銃口の向きを百八十度変えると、至近距離から胸に発砲した。狙い通り、二発の銃弾は体を貫通し、扉のすぐ向こうに立っていたもう一人の見張りにも命中した。衝撃で二人目の見張りの体が通路の向かい側の壁に吹き飛ぶ。それでも、見張りは武器を扉の方に向けた。

〈そんなことをしたらいけないよ〉

コワルスキは一人目の見張りのシャツを握り締め、すでに行動を開始していた。死体を盾代わりにして室内から通路に飛び出す。死んだ見張りの体に銃弾を撃ち込みながら、コワルスキは二人目の見張りに体当たりし、相手を壁と死体の間に挟みつけ、なおも引き金を引き続けた。その体から力が抜け、頭が斜めに傾くと、コワルスキはようやく撃つのをやめた。

二人の死体を通路に放置して、隣の部屋に走る。コワルスキはかんぬきを外して扉を引き開けた。船室内ではエレナが呆然としていたが、どうにか落ち着きを取り戻し、コワルスキに駆け寄ってきた。

「つまり、うまくいったのね」エレナの言葉は途切れ途切れだ。

コワルスキは死体のところまで戻り、体をかがめると二挺目の短機関銃を回収した。これで左右の手に一つずつ、武器を確保したことになる。「足首を自由に動かせるようにしてくれと頼んだんだが、言うことを聞いてくれなかった。たぶん、鍵を持ってもいなかったんじゃないかな」

「これからどこに――？」

「こっちだ」

コワルスキはエレナを案内して船尾に向かった。もう一つ下のフロアに行かなければならない。銃声が誰にも聞こえなかったことを祈るばかりだ。銃口を見張りの体にしっかりと押しつけ、銃声が響かないように最善は尽くした。

逃亡はリスクを伴うが、一か八かの勝負に出るよりほかなかった。

チャンスは今しかない。

船がサルデーニャ島の沖合に停泊した時、連中が島で何を企んでいたのかはわからないが、その計画に問題が発生したのは明らかだった。ネヒールが最上階の客室にずかずかと入ってきて、コワルスキとエレナを甲板下に連れていくように命令したのだ。その前にネヒールからは、役に立つ情報を提供する新たな期限が言い渡されていた。

〈今夜の日付が変わるまでに〉

そのため、エレナは午後の間ずっと、歴史書を熟読し、古代の詩を読み、さらには地質学の本までも調べていた。だが、エレナの作業とネヒールの定めた期限は、事態の急変によって後回しになったらしい。

甲板下の船室に連れていかれる間、コワルスキはネヒールが誰かを叱りつけている怒鳴り声を耳にした。上のフロアに駆け上がる何人もの部下たちともすれ違った。どうやら全員が上に呼び集められたらしかった。

理由は何であれ、コワルスキはこれが自分たちにとって唯一の好機かもしれないと考えた。部下たちのほとんどが上のフロアに集められているし、陸地からも近い距離にいるならば、多少のリスクを冒してでも実行する価値はある。これまでの長い航海中に、二人はこっそりと言葉を交わしながら、おおまかな脱出計画を立てていた。ただし、二人ともそれを実行することになろうとは本気で思ってはいなかった。どちらかというと、前向きな気持ちでいるための話し合いだった。

だが、運命の女神が二人の声を聞いてくれたに違いない。

甲板下に移される途中で、コワルスキはそのつもりでいるようエレナに伝えた。それでもなお、最後の最後で計画の手直しを迫られた。ズボンを濡らしてしまうことは当初の計画に含まれていなかったし、実に見事なアドリブというわけでもなかったが、結果としてはうまくいった。

二人は下に通じる階段のところまですぐにたどり着いた。

コワルスキは両手の短機関銃を前に向けて先頭に立ち、なるべく鎖を鳴らさないようにしながら進んだ。階段を下りる間、ずっと息を殺したままだ。下のフロアの通路を確認してから、武器を右側に向ける。

「クルーザーのガレージはこっち側にある」コワルスキは小声でささやいた。「両開きの扉を抜けた先だ。だけど、素早く移動しなければならない」

エレナは目を見開いていて、その瞳には恐怖の色が浮かんでいたものの、しっかりとうなずいた。

「よし」コワルスキは言った。「始めるぞ」

午後十時二十二分

エレナは低い姿勢で狭い通路を急ぐジョーのすぐ後ろについていた。彼の鎖がジャラジャラと音を立てるたびにびくっとする。だが、どうにか無事に両開きの扉のところまでたどり着いた。

ジョーがほっとした様子で息を吐き出した。エレナはまさかここまで来られるとは思っていなかったが、どうやらジョーの方も驚いているようだ。ジョーがU字型の取っ手をつかんで引っ張る——続いて押そうとする。ジョーは目を閉じ、チーク材の扉の表面に額を押し当てた。

〈鍵がかかっている〉

「こっそり上に向かうのはどう？」エレナは小声で提案した。「甲板から海に飛び込んで、岸まで泳ぐの」

「誰にも見つからずに甲板まで行けたとしても……」ジョーが足枷に視線を向けた。「岸までは一・五キロ以上ある」

エレナは理解した。両脚におもりが付いた状態では、岸までたどり着けっこない。

ジョーがエレナの顔を見た。「でも、君ならできる」そう言いながら、両手の武器を見せる。「俺がこいつをぶっ放しながら突き進めば甲板の手すりまで行けるから、君が飛び込めばいい」

「あなたがあいつらに殺されちゃうじゃない」

「たぶんな。だけど、完璧な計画なんて存在しない」

エレナは首を横に振った。「だめ。二人で一緒に逃げないと」

ジョーがうなずき、エレナを押し戻した。「だったら、この中に入るためにブザーを鳴らさないといけないな」

ジョーは二挺の短機関銃でチーク材の扉を狙い、銃口を鍵に向けると、引き金を引いた。二挺の銃の耳をつんざくような発砲音が、狭い通路内に響きわたる。エレナは両手で耳を押さえたが、乱射の音を遮断する効果はほとんどなかった。

ようやくジョーが引き金から指を離した。弾を撃ち尽くした方の銃を投げ捨てるが、もう片方は手に持ったままだ。

短機関銃の猛攻で厚い木材に拳大の穴が開き、そこにあった鍵も吹き飛んでいた。ジョーが扉に歩み寄り、足で蹴り開ける。まだガンガンと鳴っているエレナの耳に、上甲板からの叫び声が聞こえた。床を踏み鳴らす足音も。

ジョーが振り返り、手を差し出した――その時、波が船を揺らし、バランスを崩したエレナの体は通路の片側の壁に投げ出された。しかし、そこは壁ではなかった。エレナの背後で扉が開く。後ろによろめいたエレナの体がそこを通り抜ける。がっしりとした二本の腕が彼女の体をつかみ、その一本が腰に回されたかと思うと、もう片方の手が彼女のポニーテールの根元をつかんだ。エレナはつま先立ちの姿勢になった。

ほんの一瞬、大男のカディールの姿が目に入る。

ジョーが体をひねり、短機関銃を向けた。顔は真っ赤で、そこには激しい怒りが浮かんでいる。その表情が苦悩に満ちた顔つきに一変した。その位置からでは、エレナの身に危険が及ばないように撃つことは不可能なのだ。

エレナもそのことを認識した。

巨漢によって船室内に引きずり込まれるエレナは、通路の奥から聞こえる叫び声が大きくなりつつあることに気づいた。足音が二人の方に近づいてくる。

エレナはジョーと視線を合わせた。

「行って」エレナは伝えた。

午後十時二十六分

通路を挟んで向かい側にいたコワルスキは、瞬時に選択を下さなければならなかった——だが、ほかの選択肢がないことは明らかだった。ここにとどまっていても殺されるだけだし、おそらくエレナの命もないだろう。二人にとって唯一の希望があるとしたら、あきらめて逃げることだ。

コワルスキはカディールと目を合わせた。

〈まだ勝負は終わっていないからな、この野郎〉

コワルスキは後ずさりしながらガレージに入った。悪態をつきながら扉を閉め、周囲を見回す。扉のすぐ脇の壁に消防斧が吊るしてある。コワルスキは斧をつかみ、ガレージ側にある二つのU字型の取っ手部分に斧の持ち手を突っ込んだ。

間に合わせのかんぬきが長時間持つとは思えない。

〈ある程度の時間でいいから、持ちこたえてくれれば〉

コワルスキは短機関銃を肩に引っかけると、足を引きずりながら段を三つ下り、ガレージの奥に進んだ。昨日、クルーザーに乗せられてから船内を移動した時、ここの様子をじっくり観察しておいた。船尾の扉に向かって傾斜している車輪付きのレールが左右に三本ずつあり、その上には黒いジェットスキーが一台ずつ、計六台、載っている。その間には小型魚雷用の発射装置を備えた四人乗りの潜水艇もあった。

潜水艇の横を苦労して通り抜け、船尾にあるガレージの扉に向かいながら、コワルスキは潜水艇の魚雷でこの船を沈めようかとも考えた。

〈そいつは無理だろうな〉

できることをするしかない。コワルスキはガレージの扉の隣にある大きな赤いボタンを押した。モーター音とともに金属製の扉が上昇を始める。船内に吹き込む強風は、潮の香りと希望を伴っている。

コワルスキがガレージ内に向き直りかけた時、重い何かが背後にある入口の扉にぶつかった。

コワルスキは身構えたが、斧は持ちこたえた。鎖を引きずりながら救命胴衣の棚の前に移動する。救命胴衣からはキーが一つずつ垂れ下がっている。コワルスキはそのうちの一着をつかんだ。ジェットスキーのキーがすべて同じなのを祈るばかりだ。

〈少しは運に味方してもらう必要がある〉

扉の向こうで銃声が響きわたった。銃弾が厚いチーク材を次々と貫通する。

コワルスキは首をすくめ、いちばん手近なレール上のジェットスキーまでよたよたと歩いた。船尾側の扉は半分ほど開いていて、波が立つ真っ黒な海も見える。だが、まだジェットスキーが飛び出せるほどの高さまでは上がっていない。

扉が十分に開くのを待つ間に、コワルスキは救命胴衣をジェットスキーに放り投げ、両手と自由の利かない両足を動かしながら座席によじ登ろうとした。どうにか横向きの体勢で座席に腹這いになった姿は、馬の背中に取り付けた鞍(くら)みたいだった。

銃声の合間にバキッという大きな音が聞こえた。真っ二つに折れた斧が吹き飛んだかと思うと、入口の扉が勢いよく開く。

〈くそっ〉

コワルスキは短機関銃をつかみ、不格好な姿勢のまま扉に向かって発砲した。数人がガレージになだれ込もうとしているところだったが、あわてて通路の方に戻っていく。次の瞬間、カチッという音とともに、引き金が反応しなくなった。

コワルスキは罰当たりな言葉を吐き捨てながら武器を捨て、レールのすぐ隣にあるレバーをつかんだ。それを力任せに引っ張る。ばねが作動してレールの先端から新たなレールが延び、クルーザーの船尾の先にまで達する。ジェットスキーが激しく揺れながら車輪付きのレール上を走った——次の瞬間、海の上に飛び出す。

ジェットスキーが宙を舞う間、コワルスキは固唾をのんでいたが、波間に着水すると今度は一気に息を吐き出した。衝撃でジェットスキーからはじき飛ばされそうになる。必死にしがみつきながら両脚をジェットスキーの後方に動かし、左右の膝で座席の側面を挟みつける。両足首が固定された状態では、この体勢が精いっぱいだ。どうにかキーを挿し込み、赤いイグニッションボタンを押すと、エンジンがうなりをあげる。

〈これでよし〉

低い姿勢のまま、コワルスキはハンドルに手を伸ばし、スロットルを回した。ジェットスキーの船首が上を向き、暗い海面で急発進する——これ以上はないというタイミングだった。

すぐ後方の波間に銃弾が降り注ぐ。まばゆいサーチライトが船尾甲板から海を照らし、逃げるジェットスキーを追う。コワルスキは左右の膝で座席を挟みつけたまま、固定された両足首に体重をかけ、少しだけ姿勢を変えた。救命胴衣が飛ばされ、キーにつながったまま風にはためいた。キーが抜けたらエンジンが停止してしまうかもしれない。

〈逃がすものか〉

コワルスキは救命胴衣をひっつかみ、尻の下に押し込んだ。

そうこうするうちにサーチライトに発見され、周囲がまぶしい光に包まれた。コワルスキは体ごとハンドルを傾け、再び暗闇に逃れた。さらなる銃弾が海面に降り注ぐ。そのうちの数発がジェットスキーの側面に命中した。

銃声の合間に後方から甲高い音が聞こえてきた。

もう一つ。

さらにもう一つ。

ジェットスキーによる追跡が始まったのだ。

コワルスキはリードを保とうとさらに姿勢を低くした。岸を目指して疾走する。残りは八百メートルくらいだ。砂浜でたかれているかがり火が見える。その手前に連なるブイには船が係留されていて、明かりがついているボートもある。

〈何とかたどり着けそうだ〉

その時、エンジンが咳き込むような音を立てた。再び、苦しそうに咳き込む――そして停止した。

ライトのついたディスプレイに目を落とすと、燃料の残量を示す小さなアイコンが点滅していた。

コワルスキは自分の運の悪さを嘆いた。よりによって燃料タンクがほとんど空っぽのジェットスキーを選んでしまったのだ。

〈ガス欠だ〉

午後十時三十二分

エレナは目に涙を浮かべてクルーザーの船尾甲板に立っていた。カディールの拳がまだポニーテールの根元をつかんでいる。彼女を捕まえ、甲板下からここまでおもちゃの人形のように引きずる間も、巨漢は決して手を離そうとしなかった。後頭部が焼けつくように熱い——けれども、涙がこぼれ落ちそうなのは痛みのせいではなかった。

エレナは暗い海を見つめた。

サーチライトが海面を捜索している。その一方で、アサルトライフルを手にした三人の男たちは波に向かって発砲するのをやめた。ジョーが武器の射程の外まで逃げたに違いない。けれども、まだ安全にはほど遠い状態だ。海面にこだまする悲鳴のようなエンジン音が、ジョーを追い詰めようとしている。

エレナは暗闇に目を凝らした。何が起きているのかを知りたい。

ジョーが海岸までたどり着けることを祈る。

〈急いで、ジョー〉

午後十時三十三分

　コワルスキはジェットスキーの座席の後方に重心をかけていた。自らの体重と足枷の鎖の重量を利用して、ジェットスキーの船尾側を少しでも低くしようと試みる。ブイと船舶が連なる海面まで、あともう少しだというのに。

　後方から迫るジェットスキーのエンジンの音量が三倍の大きさになった。あらゆる方角から接近しているように聞こえる。暗闇の中で捜索網を広げているのだろう。

〈これ以上は時間をかけていられない〉

　コワルスキは揺れる波と格闘しながら、船尾を押し下げ、船首を引き上げようとしていた。後ろに重心をかけた姿勢のまま、腕をイグニッションボタンに伸ばす。タンクに少しだけでもいいから燃料が残っていることを祈る。ジェットスキーを後方に傾けることで、残ったガソリンをタンクの後ろ側に付いている燃料パイプに送り込もうという狙いだ。

〈そこまで期待するのは虫がよすぎるだろうか？〉

　コワルスキは顔をしかめながらボタンを押した。

　エンジンが頼りない音を立てる――次の瞬間、心地よいうなりをあげた。ジェットスキーが再び前進を始めた。波間を縫って進む間も、コワルスキは船首を高くしておくように努めた。船首が低くなったら最後、わずかに残った燃料がパイプからタンク内に戻り、再び海上で動けなくなってしまう。

　あいにく、その姿勢を維持するためには、波を見極めて最善のコースを判断しながら、速度を落として進まなければならない。

　コワルスキは後方から聞こえる悲鳴にも似たエンジン音を無視しようとした。歯を食いしばり、ゴール地点に意識を集中させる。前方に見えるブイの連なるあたりの明かりが大きくなってきた。しかし、追っ手もすぐ後ろにまで迫ってきているかのように聞こえる。左右に展開していたエンジン音が範囲を狭め、一本の矢となって近づいてきている。

　それとも、恐怖からそう聞こえているだけなのか。

　コワルスキはどうにかブイが広がる中に入り、多くの船が停泊している間を縫って進んだ。船体の陰を利用して、敵の目に留まらないようにする。ただし、係留灯を使用している船は避け、暗がりを選んで進んだ。

〈ここを通り抜けさえすれば〉

　最後のブイを越えれば、砂浜とかがり火までは五十メートルくらいだ。

　しかし、半分ほど通過したところで、エンジンが再び咳き込み、完全に停止した。

　コワルスキは舌打ちをした。

〈こんなにも近くまで来たっていうのに〉

　漂うジェットスキーが、帆をたたんで明かりの消えたスクーナーの側面にぶつかった。

コワルスキは船を見上げ、手すりに手を伸ばした。
〈ひょっとすると〉

午後十時三十四分

エレナはずっと甲板にとどまっていた。ほかに行ける場所があるわけでもなかった。相変わらず隣にはカディールの巨体があるが、握っているのは彼女の腕だ。ようやくポニーテールから手を離してくれたものの、それはネヒールの命令を受けてのことだった。ただし、腕を締め付ける指の力は、骨に食い込むのではないかと思うほどの強さだ。

ネヒールは片手で無線を握り締め、手すりの手前に立っていた。もう片方の手に持った双眼鏡を目に当てている。

無線から漏れるアラビア語の声がかすかに聞こえた。「船の間に浮かぶジェットスキーを発見しました。誰も乗っていません。救命胴衣も未使用のままです」

ネヒールは双眼鏡を下ろすことなく無線を口元に持っていった。「周辺のボートを調べろ。必要とあれば捜索範囲を広げるんだ。あいつが岸を目指して泳ぐ可能性に備えて、海面にも目を配るように」

エレナにはジョーが海岸まで泳ぎ着けっこないとわかっていた。足枷と鎖が付いたままでは不可能だ。

ネヒールもそのことは察しているらしい。「徹底的に調べろ。船をくまなく捜索すること。船室に無理やり立ち入ってもかまわない。絶対に抜かるんじゃないぞ」

エレナは海面に点在する光を見つめた。ジョーが賢明にもいい隠れ場所を見つけて、敵の目から逃れられることを願うばかりだ。ハンターたちだっていつまでも捜索を続けられるわけではない。いつかはあきらめなければならない。

エレナは心の中でジョーにメッセージを伝えた。

〈お願いだから、馬鹿なことはしないで〉

午後十時三十五分

コワルスキは自分の計画にまったく自信がなかった。いつものように、ひたすら進み続けるという頑なな決意だけが頼りだ。グレイだったらもっと賢明な案を思いついているだろう。追っ手に逆襲したり、係留されているモーターボートのエンジンをかけたりする方法を見つけるはずだ。

だが、コワルスキは片手で水をかきながら、真っ暗な海をひたすら泳いでいた。もう片方の手は浮き輪型の救命具の中に通してある。浮き輪はジェットスキーがぶつかった真っ暗なスクーナーにあったものを勝手に拝借した。両脚は真っ直ぐ下に垂れた格好で、鎖が錨(いかり)のような働きをしている。

コワルスキは脅威の気配がないか耳を澄ました。これまでのところ、ハンターたちはジェットスキーを乗り捨てたあたりにとどまっているようだ。その近くの船を捜索しているのだろう。

〈ずっと探していろ、間抜けどもが〉

コワルスキはできるだけ静かに泳ぎ続けた。水音を立てず、体はなるべく水面から出さないようにする。ブイと船が連なる列からその隣の列へと、岸を目指して少しずつ進んでいく。不意にジェットスキーのエンジン音が大きくなった。音が遠ざかっていく——だが、一回りして再び戻ってきた。

音が行ったり来たりしている。

海面をくまなく捜索しているのだ。

〈まずいな〉

あまり時間が残されていないことを察し、コワルスキは手でより強く水をかき始めた。思うように動かない両足でドルフィンキックを試みようともした。最後から二列目となるボートの間を通り抜け、いちばん砂浜側に連なるブイに係留されたコバルトの大型クルーザーの船体を目指す。

波に揺れるクルーザーの陰までたどり着いた時、ハンターの乗ったジェットスキーが悲鳴のようなエンジン音とともに視界に飛び込んできた。

コワルスキは深呼吸をすると、救命具から手を離した。足枷と鎖が錨の役割を果たし、体を深みに引っ張る。一メートル、また一メートルと沈んでいく。海面を見上げると、白波を立てるジェットスキーが減速することなく通過していった。少なくとも、発見されずにすんだようだ。

ようやく両足が海底の砂に届いた。

砂の上に立ったまま、コワルスキは方角を見極めようとした。真上にあるクルーザーの真っ暗な船体が、炎の光でかすかに照らされている。

コワルスキはその炎がある方に体を向けた。

〈ここからは歩くしかなさそうだ〉

コワルスキは息を止めたまま移動を開始した。海水が目にしみる。おもりの付いた片足を前に、続いてもう片方の足を前に。一歩ずつ進んでいく。両腕を振って勢いをつけようとしたものの、あまり効果はなかった。

前方にぼんやりと広がる光が、ゆっくりといくつかの塊に分かれ始めた。

だが、この調子では息が続かない。

必死に呼吸を止めているせいで、肺が焼けるように熱い。それでも、コワルスキは一歩ずつ、決してあきらめることなく進み続けた。ようやく上半身で波の動きが感じられるようになった。さらに何歩か進むと、鼻が海面の上に出た。コワルスキは肺の中のよどんだ空気を吐き出し、新鮮な空気を取り込もうとした。それを待っていたかのように大きな波が打ち寄せたため、海水を飲み込んでしまう。コワルスキは激しくむせながらも歩き続け、ついに頭を海面から完全に出すことができた。

激しく息をつきながら、ブイが連なる方を振り返る。

甲高いエンジン音は今もそちらから聞こえてくる。

〈いいぞ〉

コワルスキは安全を期して再び頭を水に沈め、海中を移動しながら残りの距離を踏破した。やがて夜の海で泳ぐ大勢の人たちが見えてきた。脚をばたつかせ、腕を振り回して海面に水しぶきを立てている。大音量で流れる音楽のビートが、水中を伝わってこもった音で聞こえてきた。

ようやく四つん這いになって海から出ると、鎖を引きずりながら砂浜に上がった。いちばん手近にあるかがり火を目指していると、若者が一人、炎を飛び越えた。浮かれた男性が目の前に着地した。

コワルスキは相手の顔を見上げた。

若者がイタリア語でわめいた。

〈意味がわからねえよ、にいちゃん〉

コワルスキは力なく手を振って仰向けに寝転がった。はるか昔に死んだ船乗りが、呪われた海底から現れたかのように見えているに違いない。

コワルスキは片手を差し出した。

「誰か携帯電話を持っていないか?」

23

六月二十四日　中央ヨーロッパ夏時間午後十一時五十八分
地中海

　エレナは海上を疾走する大型水中翼船の船尾で手すりを握り締めていた。徐々に船体が浮上し、二枚の水中翼でさらに加速していく。船の後方の暗闇で小さな火の球が炸裂し、夜空に舞い上がった。ほんの一瞬だけ明るく照らし出されたのは、爆破されて煙を噴き上げるクルーザーの残骸だ。

　その光景に、エレナは希望がふくらむのを感じた。

　ジョーが無事に逃げ切れたかどうか、疑問が残っていたとしても、クルーザーの破壊がそれを打ち消してくれた。一時間前、突如として捜索が打ち切られた。クルーザーは錨を上げ、高速でサルデーニャ島から離れた。その後に落ち合ったのがこの流線型をした水中翼船だ。新たな船は銀色の鳥のように水面を滑走してクルーザーに近づくと、すぐ隣で停止した。装備と人員の移送は手際よく進められ、調査用の資料もその対象になった。つまり、エレナのここでの仕事はまだ終わっていないということになる。

今度はエレナの足首が足枷と鎖で固定されたこともその証拠だ。もっとひどい罰を受けるのではないかと覚悟していたのだが、どうやらまだネヒールに必要とされているらしい。

その一方で、エレナには新しい見張りが割り当てられた。

すぐ後ろにカディールがしかめっ面で立っている。

エレナは大男を無視して海を見つめた。再び暗闇に包まれているが、彼女の希望の火は消えていない。拉致犯人たちはクルーザーの正体を見破られるおそれがあると考え、爆破したに違いない。それはつまり、やつらがジョーは生き延びたと判断したことを意味する。

背後から足音が聞こえた。

振り返ると、ネヒールが大股で近づいてくる。

「カディール、女を下に連れていくんだ。モーニングスター号と合流するまで、そこに閉じ込めておけ」

カディールはうなるような声とともにうなずき、エレナの腕をつかんだ。そのまま引きずっていこうとした時、ネヒールがもう片方の腕をつかんで制止した。女の目は激しい怒りに燃えていて、その炎を浴びたら火傷をしてしまいそうなほどだ。エレナはその目から敵意があふれ出ているのを感じた。その力がつかの間の希望を焼き払っていく。

「おまえは運がいいな」ネヒールが険しい口調で吐き捨てた。「だが、いずれは運も尽きる」

ネヒールは手を離し、エレナを連れていくように合図した。

カディールに引っ張られるまま、エレナは甲板から下に向かい、小さなキッチンに入った。カディールが突き飛ばすように押して椅子に座らせた。エレナは抵抗しなかったし、抵抗する気力もなかった。体に力が入らず、絶望感に支配されていく。ネヒールの言葉から推測するに、モーニングスター号という名前の別の船にエレナを移そうとしているに違いなかった。

そうなったら、誰かに見つけてもらえる可能性なんてあるのだろうか？

恐怖と不安にもかかわらず、エレナはふと気づくとテーブルに突っ伏していた。組んだ腕に頭を載せた姿勢のまま、一時間、また一時間と経過していく。いつの間にか眠っていたが、船の汽笛で目が覚めた。

はっとして体を起こしたエレナは、自分がどこにいるのかわからずに当惑した。しかし、周囲を見回すとカディールの姿が目に入り、危険な状況に置かれていることを思い出す。大男はまったく動いてすらいないように見える。

ネヒールがキッチンに下りてくると、兄に向かって怒鳴った。

エレナは何を期待されているのかを察し、指示されないうちに立ち上がった。だが、カディールはそれでも彼女の腕をつかみ、甲板に連れ出した。海は波一つ立っていない不気味なまでの静けさで、あたかも世界が固唾をのんで見守っているかのようだ。夜空には天の川が弧を描いていて、真っ黒な海面にも星が反射していた。

その間には、まるで宙に浮かんでいるかのように、大型船が停泊していた。

銀色を帯びた白い船体は幽霊を思わせる外見で、水中翼船よりもはるかに大きい。さっきまでのクルーザーと比べても二倍近い長さがあり、全長は優に百五十メートル以上、海に浮かぶ都市と言っても過言ではなく、主甲板の上にも五つのフロアがある。ただし、その形状からは不格好な大きさは感じられない。船体は流線型で、船が醸し出すどこか危険な雰囲気は、使用されるのを待つダガーナイフを思わせる。

エレナはその大きさに圧倒され、思わず息をのんだ。

「モーニングスター号だ」ネヒールが畏怖の念を込めて小声でつぶやいた。

水中翼船が大型船との距離を詰めた。水中翼船の甲板からタラップが延び、超大型クルーズ船の船体中央に位置するハッチとつながる。

「来い」ネヒールが命令した。

女を先頭にしてタラップを渡る。鎖を鳴らしながらその後を追っている時、頭上からパタパタという音が聞こえてきた。エレナは空を見上げた。ヘリコプターが一機、まばゆい光を発しながら海上を飛行して近づいてくる。

〈誰が来るんだろう？〉

カディールが後ろから突き飛ばした。

エレナは前につんのめりながらも、倒れないように手すりをつかんだ。あわててネヒールの後を追い、ハッチをくぐり抜けて新たな船の内部に入る。船内ではネヒールが誰かに話しかけ、その人物に案内されて階段に行き着いた。鎖の重さに耐えながら階段を上り続けたエレナは、最上階にたどり着く頃にはすっかり息が切れてしまっていた。

すぐ近くにあるハッチから強風が吹き込んでくる。その向こうは船外で、船首方向に当たる。強風の原因がそこにあるヘリパッドに降下してきた。ヘリコプターが着陸するのに合わせて、エレナも甲板に押し出された。ローターの巻き起こす風を遮ろうと、腕を顔の前にかざす。

二人の男がローターの下で首をすくめながら機体に駆け寄り、ヘリコプターのスキッドを固定する作業に取りかかった。その間に機体側面の扉が開く。

ネヒールがエレナをヘリコプターの近くに連れていき、その手前で止まらせた。顔を近づけ、耳もとにささやく。「おまえの友人がいなくなったから、代わりに二人、見つけてきた。おまえのやる気を引き出すためだ。前のやつよりもこの二人の方がはるかに役に立つはずだと考えている」

ヘリコプターの機内から連れ出されたのは足枷をはめている二人の年配の男性だった。

一人はやつれた司祭のようで、剃った頭頂部のまわりに白髪が残っている。もう一人は片耳にコットンのガーゼを何枚も当てていて、それを大きな絆創膏で固定していた。数メートル離れたところにいるエレナも、ガーゼが血に染まっていることに気づいた。

連行される二人が目の前を通過する。

エレナは体をひねって二人を目で追いながら、顔をしかめた。

〈いったい誰――?〉

隣に立つネヒールが不意に片膝を突いたので、エレナは我に返った。反対側にいるカディールも同じ姿勢を取る。

背が高く険しい表情を浮かべた男性がヘリコプターから降りてきた。濃い茶色のおしゃれなスーツ姿だ。髪の毛にはいくらか白髪が混じっていて、瞳は炭坑をのぞいているかのように黒く、濃いはちみつ色の肌をしている。

ネヒールが頭を垂れた。「ムーサー、お待ちしておりました」

男は特に反応を見せない。ほんのわずかにうなずいたので、声が聞こえてはいたようだ。呼びかけの称号と彼に対する服従の姿勢から、エレナはこの男がグループのリーダーに違いないと思った。

だが、ヘリコプターには乗客がもう一人いた。ダークスーツ姿の人物が慣れた様子で甲板に飛び降り、回転するローターの下で首をすくめた。その下をくぐり抜けると、その人物は背筋を伸ばし、軽くカールのかかったダークブロンドの髪を指でかき上げた。近づいてくるその顔にはにこやかな笑みが浮かんでいる。

相手がふと立ち止まり、眉をひそめてエレナの頭のてっぺんからつま先まで眺めた後、ムーサーの方を見た。「フィラト大使、本当に鎖が必要なのかね？」

呆然としたまま、エレナは懸命に理解しようとした――目の前の人物がここにいることについて、何もかもが一変してしまった自分の世界について。ようやく口にできたのは、たった一言だけだった。

「パパ？」

（下巻に続く）

シグマフォース シリーズ14
タルタロスの目覚め　上
The Last Odyssey

２０２１年４月２９日　初版第一刷発行

著…………………………………… ジェームズ・ロリンズ
訳………………………………………………………桑田 健
編集協力………………………………… 株式会社オフィス宮崎
ブックデザイン………………………橋元浩明（sowhat.Inc.）
本文組版…………………………………………………… ＩＤＲ

発行人…………………………………………………… 後藤明信
発行所……………………………………………… 株式会社竹書房
〒102-0075　東京都千代田区三番町８－１
三番町東急ビル６Ｆ
email：info@takeshobo.co.jp
http://www.takeshobo.co.jp
印刷・製本…………………………………… 凸版印刷株式会社